dtv

Die Abenteuer einer Truppe Erdbeerpflücker in England. Sie kommen aus Polen, der Ukraine, Afrika und China, haben alle gänzlich verschiedene Lebenswege und sehr bestimmte Ansichten darüber, was im Leben wichtig ist. Irina will die große Liebe mit einem romantischen Engländer finden. Andrij ist der Sohn eines Bergarbeiters und will keinesfalls so enden wie sein Vater. Dann sind da der Bob-Dylan-Fan Tomasz, Jola, die erfahrene Pflückerin mit der üppigen Figur, und ihre fromme Nichte Marta, die so erstaunlich gut kochen kann. Dazu zwei Chinesinnen und Emanuel, ein Teenager aus Malawi. Sie alle wollen die Welt für sich erobern. Als versehentlich der ausbeuterische Erdbeerfarmer überfahren wird, ergreift die ganze Mannschaft in einem klapprigen Wohnwagen die Flucht. Und was sie bei ihrer Fahrt durch England erleben, kann sich so nur Marina Lewycka (oder vielleicht das Leben) ausdenken ...
»Eine todernste, dabei aber urkomische Geschichte über Immigranten der Gegenwart.« (Süddeutsche Zeitung)

Marina Lewycka wurde nach dem Zweiten Weltkrieg als Kind ukrainischer Eltern in einem Flüchtlingslager in Kiel geboren und wuchs in England auf. Sie lebt in Sheffield und unterrichtet an der Sheffield Hallam University. Ihr erster Roman ›Kurze Geschichte des Traktors auf Ukrainisch‹ eroberte nicht nur die Bestsellerlisten, sondern auch die Herzen der Leser im Sturm. Er wurde in 29 Sprachen übersetzt und mit zahlreichen Preisen ausgezeichnet. Seit Erscheinen ihrer beiden folgenden Romane ›Caravan‹ und ›Das Leben kleben‹ gilt sie endgültig als eine der großen britischen Gegenwartsautorinnen.

Marina Lewycka

Caravan

Roman

Deutsch von
Sophie Zeitz

Deutscher Taschenbuch Verlag

Von Marina Lewycka
sind im Deutschen Taschenbuch Verlag erschienen:
Kurze Geschichte des Traktors auf Ukrainisch (21101)
Das Leben kleben (24780)

Ausführliche Informationen über
unsere Autoren und Bücher
finden Sie auf unserer Website
www.dtv.de

Ungekürzte Ausgabe
März 2010
Deutscher Taschenbuch Verlag GmbH & Co. KG,
München

Titel der englischen Originalausgabe:
›Two Caravans‹ (Fig Tree/Penguin, London 2007)

Umschlaggestaltung: gray318
Satz: Greiner & Reichel, Köln
Gesetzt aus der Sabon 9,3/12,3·
Druck und Bindung: Druckerei C. H. Beck, Nördlingen
Gedruckt auf säurefreiem, chlorfrei gebleichtem Papier
Printed in Germany · ISBN 978-3-423-21201-4

Den Muschelsuchern von Morecombe gewidmet

But that I praye to al this compaignye,
If that I speke after my fantasye,
As taketh not agrief of that I seye;
For myn entente is nat but for to pleye.

Geoffrey Chaucer, ›The Canterbury Tales‹,
Prologue to the Wife of Bath's Tale

Doch bitt' ich erst die ganze Kompagnie,
Wenn ganz und gar nach meiner Phantasie
Ich spreche, nehmt es nicht zu sehr zu Herzen;
Denn meine Absicht ist ja nur zu scherzen.

Geoffrey Chaucer, ›Die Canterbury-Erzählungen‹,
Prolog zur Erzählung der Frau aus Bath
(deutsch von Wilhelm Hertzberg)

Da ist ein Feld – ein breites, nach Süden hin abfallendes Feld, das auf einem langen bewaldeten Hügel sitzt und sich träge zu einem heimlichen grünblättrigen Tal hinunterstreckt. Das Feld liegt im Schutz von dichten Weißdorn- und Haselnusshecken, die von wilden Rosen und am Abend duftendem Geißblatt durchwoben sind. Morgens steigt eine leichte Brise über den Downs auf und küsst die Luft mit dem frischen, salzigen Geruch des Ärmelkanals. Ja, so herrlich ist die Luft hier oben, dass man glauben könnte, man wäre im Paradies gelandet. Und auf dem Feld stehen zwei Wohnwagen, ein Männerwohnwagen und ein Frauenwohnwagen.

Aber wenn das wirklich der Garten Eden wäre, müsste es einen Apfelbaum geben, denkt Jola. Nein, es ist der Garten England, und das Feld ist übervoll mit reifen Erdbeeren. Und statt einer Schlange haben sie den Knödel.

Jola, eine zierliche, doch wohlgerundete Person, sitzt auf der Eingangsstufe des Frauenwohnwagens, und während sie sich die Zehennägel fuchsiapink lackiert, beobachtet sie, wie unten am anderen Ende des Feldes Knödels Landrover durchs Tor fährt und vom Beifahrersitz die Neue klettert. Jola kann beim besten Willen nicht verstehen, wieso man ihnen diese Zwei-Złoty-Göre schickt, wo sie doch offensichtlich noch einen Mann hier brauchen – am besten einen, der eine gewisse Reife besitzt, aber noch volles Haar hat und anständige Beine und ein ausgeglichenes Gemüt – einen, der nicht nur schneller pflücken könnte, sondern in ihrer kleinen Gemeinschaft auch für eine entspannte sexuelle Harmonie sorgen würde, wohingegen diese kleine Miss nichts anderes als die Katze im Taubenschlag sein wird, weil die Kerle ab sofort nur noch um sie herumscharwenzeln werden, statt das zu tun, weswegen sie hier sind, nämlich Erdbeeren pflücken. Der Gedanke ist so unerfreulich, dass Jola sich nicht mehr auf ihren mittleren Zeh konzentrieren kann, der am Ende aussieht wie nach einer stümperhaften Amputation.

Außerdem ist es eine Platzfrage, grübelt Jola weiter, während sie beobachtet, wie die Neue am Männerwohnwagen vorbei das Feld heraufkommt. Obwohl sie mehr Frauen als Männer sind, ist der Frauenwohnwagen kleiner, ein schlichter Vierbett-Caravan, wie man ihn sich hinten ans Auto hängt, wenn man an der Ostsee Ferien macht. Als Vorarbeiterin ist Jola eine Frau von Stellung, und auch wenn sie klein ist, hat sie großzügige Kurven, weshalb ihr selbstverständlich ein Einzelbett zusteht. Marta, ihre Nichte, hat die zweite Einzelkoje. Die zwei chinesischen Mädchen – ihre Namen kann sich Jola nie richtig merken – teilen sich das ausklappbare Doppelbett, das, wenn es ausgeklappt ist, den ganzen Fußboden einnimmt. Das war's. Kein Platz für noch jemand.

Die vier haben ihr Bestes getan, um den Wohnwagen freundlich und gemütlich zu machen. Die chinesischen Mädchen haben Bilder von Tierbabys und David Beckham an die Wand gehängt. Marta hat neben Beckham ein Bild der schwarzen Madonna von Tschenstochau gehängt. Jola, die Wert darauf legt, dass es gut riecht, hat in einem Becher einen Blumenstrauß aufgestellt, Heckenrosen, Lichtnelken und weißgoldenes Geißblatt, das die Luft versüßt.

Eine besondere Annehmlichkeit des Wohnwagens ist der

clevere Stauraum: kompakte Einbauschränke, praktische Spinde unter der Decke und Schubladen mit hübschen Ziergriffen, in denen man alles Mögliche verstecken kann. Jola hat es gern ordentlich. Die vier Frauen haben ein Geschick darin entwickelt, einander aus dem Weg zu gehen, mit weiblichem Feingefühl gleiten sie auf dem engen Raum aneinander vorbei, ganz anders als die Männer, die fehlerhafte Geschöpfe sind, zur Schwerfälligkeit neigen und unnötig Platz einnehmen, auch wenn sie natürlich nichts dafür können und auch ihre Vorzüge haben, von denen später die Rede sein wird.

Die Neue – da stolpert sie mir nichts, dir nichts in den Wohnwagen herein und wirft ihre Tasche mitten auf den Fußboden. Sie ist aus Kiew, sagt sie und guckt sich um, mit einem Lächeln im Gesicht. Irina heißt sie. Sie sieht müde und unordentlich aus und riecht ein bisschen nach Frittierfett. Was denkt sie sich eigentlich? Was glaubt sie, wo sie hier ihr Zeug unterbringen wird? Was glaubt sie, wo sie schlafen wird? Was gibt es da überhaupt zu grinsen? Das würde Jola gern mal wissen.

»Irina, Kind, noch kannst du es dir anders überlegen. Du musst nicht fahren!«

Weinend tupfte Mutter mit dem Taschentuch an ihren roten Augen herum und machte am Busbahnhof in Kiew eine peinliche Szene.

»Mutter, bitte! Ich bin kein Kind mehr!«

Dass Mutter in einem solchen Moment zu weinen anfängt, damit war zu rechnen. Aber als auch noch mein knorriger alter Papa auftauchte, das Hemd zerknittert und mit silbernem Haar, das in alle Richtungen abstand wie bei einem alten Stachelschwein, okay, ich gebe zu, das rührte mich.

»Irina, Kleines, pass auf dich auf.«

»Ach, Papa. Was habt ihr bloß? Glaubt ihr, ich komme nicht wieder?«

»Pass nur gut auf dich auf, mein Kleines.« Er schniefte und seufzte.

»Ich bin nicht mehr dein Kleines, Papa. Ich bin neunzehn Jahre alt. Meinst du etwa, ich kann nicht auf mich aufpassen?«

»Ach, mein Täubchen.« Seufz. Schnief. Dann fing Mutter wieder an. Und dann, ich konnte nichts dagegen machen, dann fing ich selber an, schluchzte und schniefte und wischte mir die Augen, bis der Busfahrer sagte, dass wir uns beeilen sollten, und Mutter mir noch eine Tüte mit Brot und Salami und einen Mohnkuchen zusteckte, und dann ging es los. Von Kiew nach Kent, in zweiundvierzig Stunden.

Okay, ich gebe zu, zweiundvierzig Stunden im Bus sind kein Spaß. Als wir Lemberg erreichten, waren das Brot und die Salami alle. In Polen merkte ich, dass meine Knöchel anschwollen. An einer Tankstelle irgendwo in Deutschland stopfte ich mir die letzten Krümel Mohnkuchen in den Mund und spülte sie mit ekligem metallisch schmeckendem Wasser herunter, das, wie auf dem Schild stand, nicht zum Trinken war. In Belgien bekam ich meine Tage, aber das merkte ich erst, als der dunkle Blutfleck durch meine Jeans auf den Sitz gesickert war. In Frankreich hatte ich kein Gefühl mehr in den Füßen. Auf der Fähre nach Dover wusch ich mich auf der Toilette. Ich erkannte das fahle Gesicht kaum wieder, das mir hohläugig aus dem trüben Spiegel über dem Waschbecken entgegenblickte – war ich das, dieses verwahrloste Mädchen mit dem strähnigen Haar und den Augenringen? Um die Durchblutung in meinen Beinen anzuregen, ging ich an Deck spazieren, dann stellte ich mich an die Reling und sah zu, wie im blassen, wässrigen Licht des anbrechenden Tages die weißen Felsen von England auftauchten, dem wunderschönen, geheimnisvollen Land meiner Träume.

In Dover wurde ich von Vulk am Schiff abgeholt, der ein Stück Pappe mit meinem Namen hochhielt – Irina Blaksho. Natürlich, falsch geschrieben. Vulk war ein Typ, den meine Mutter als höchst unkultiviert bezeichnen würde, und er trug eine scheußliche Kunstlederjacke, wie ein Comic-Gangster. *Koschmar*! Die Jacke knarzte sogar, wenn er sich bewegte. Es fehlte nur noch die Pistole.

Mit einem Grunzen begrüßte er mich. »Hrr. Hast du Passprrt? Papirre?«

Seine Stimme war tief und schmierig, sie verströmte einen unangenehmen Hauch von Zigarettenrauch und Zahnfäule. Dieser Gangstertyp sollte sich mal die Zähne putzen. Ich kramte in meiner Tasche, und bevor ich etwas sagen konnte, nahm er mir den Pass und meine Saisonarbeitspapiere ab und verstaute sie in der Brusttasche seiner gruseligen Jacke.

»Ich heb für dich auf. In England ist viel böse Mensch. Machen Diebstahl.«

Er klopfte sich auf die Tasche und zwinkerte mir zu. Mir war klar, dass es sinnlos war, mit so jemandem zu diskutieren, und so schulterte ich meine Tasche und folgte ihm zum Parkplatz, wo ein riesiger, schwarz glänzender Wagen stand, der aussah wie eine Kreuzung zwischen einem Panzer und einer Sil-Limousine, mit getönten Scheiben und blitzenden Chromteilen vorn – eine richtige Mafiakutsche. Solche protzigen Autos sind sehr beliebt bei primitiven Typen und gesellschaftlich Unerwünschten. Genau genommen sah Vulk genauso aus wie sein Auto: übergewichtig und klobig wie ein Panzer, mit einem blitzenden silbernen Zahn wie aus Chrom vorn, der schwarz glänzenden Jacke und einem dünnen Pferdeschwanz, der ihm wie ein Auspuff im Nacken hing. Haha.

Er packte mich am Ellbogen, was ziemlich überflüssig

war – Blödmann, dachte er vielleicht, ich wollte wegrennen? –, und beförderte mich mit einem Stoß, der ebenfalls überflüssig war, auf den Rücksitz. In der Mafiakutsche stank es noch mehr nach Tabak. Schweigend saß ich da und starrte gleichgültig aus dem Fenster, während er mich unhöflich im Rückspiegel anstarrte. Was gab es da zu glotzen? Dann zündete er sich eine dieser dicken, übelriechenden Zigarren an – Mutter nennt sie die Zigaretten der neuen Russen, was für ein Gestank! – und qualmte vor sich hin. Widerlich.

Ich war so müde, dass ich nicht viel von der Landschaft mitbekam, die hinter den getönten Scheiben vorbeiflog, aber mein Körper registrierte jede Kurve, jeden plötzlichen Ruck und Stoß, wenn er bremste oder abbog. Dieser Comic-Gangster sollte mal ein paar Fahrstunden nehmen.

Neben sich auf dem Beifahrersitz hatte er eine Papiertüte mit Pommes frites, und von Zeit zu Zeit wanderte seine Hand nach links, griff sich eine Handvoll und stopfte sie sich in den Mund. Raff. Stopf. Schmatz. Raff. Stopf. Schmatz. Nicht sehr kultiviert. Doch die Pommes frites rochen köstlich. Obwohl mir von dem Tabakgestank, seinem ruppigen Fahrstil und dem dumpfen, ziehenden Schmerz meiner Periode ziemlich übel war, hatte ich Hunger. Am Ende war der Hunger stärker. Ich fragte mich, welche Sprache der Gangster sprach. Weißrussisch? Für einen Weißrussen war er zu dunkel. Ukrainisch? Nein, er sah nicht wie ein Ukrainer aus. Irgendwo aus dem Osten – Tschetschene? Georgier? Wie sah ein Georgier eigentlich aus? Oder kam er vom Balkan? Ich probierte es auf Russisch.

»Bitte, könnte ich etwas zu essen haben?«

Er sah auf. Unsere Blicke trafen sich im Rückspiegel. Er hatte richtige Gangsteraugen – giftige schwarze Beeren unter buschigen, wuchernden, ungepflegten Brauen. Wieder musterte er mich auf diese anzügliche Art, indem er den Blick über meinen Körper wandern ließ.

»Kleinerr Blume will essen?« Offensichtlich hatte er mein Russisch verstanden, doch er antwortete auf Englisch. Wahrscheinlich kam er aus einem der neuen unabhängigen Länder der früheren Sowjetunion, wo alle Russisch können, aber niemand Russisch spricht. Na gut, er wollte Englisch sprechen? Bitte sehr.

»Ja, in der Tat, Mister Vulk. Wenn Sie so nett wären und falls es Ihnen keine Umstände bereitet, würde ich sehr gern etwas essen.«

»No prroblem, kleinerr Blume!«

Er nahm sich noch eine Handvoll Pommes – raff, stopf, schmatz –, dann knüllte er die Reste in das fettige Papier und reichte mir die Tüte nach hinten. Als ich mich vorbeugte, um sie entgegenzunehmen, entdeckte ich noch einen Gegenstand auf dem Sitz, wo die Tüte gelegen hatte. *Schtscho to!* War das eine echte Pistole?

Mir blieb fast das Herz stehen. Wofür hatte er eine Pistole? *Mama, Papa, helft mir!* Okay, einfach so tun, als hätte ich nichts gesehen. Vielleicht war sie nicht geladen. Vielleicht war es nur eine Attrappe, eins dieser Feuerzeuge. Und so faltete ich die zusammengeknüllte Pommestüte auseinander, ein kleines, fettiges Nest in meiner Hand. Die Pommes frites waren dick und weich und noch warm. Es waren vielleicht sechs übrig, und ein paar Krümel. Ich aß eins nach dem anderen, ganz langsam. Sie waren leicht gesalzen, mit einem Schuss Essig, und schmeckten – mmmh! – einfach köstlich. Das Fett klebte mir an den Fingern und Lippen, und mir blieb nichts anderes übrig, als es abzulecken, doch ich versuchte, diskret dabei zu sein.

»Danke«, sagte ich höflich, denn Unhöflichkeit ist ein Zeichen von Unkultiviertheit.

»No prroblem. No prroblem.« Er winkte mit der Faust, wie um seine Großzügigkeit zu unterstreichen. »Essen in Transport. Alles bezahlt von deine Abzüge.«

Abzüge? Bitte nicht noch mehr unangenehme Überraschungen. Ich starrte seinen Rücken an, die knarzende, an den Nähten spannende Jacke, den dünnen Pferdeschwanz, den dicken gelblichen Nacken, die Schuppen auf dem Kunstlederkragen. Mir wurde schlecht.

»Was heißt das, Abzüge?«

»Abzüge. Abzüge. Essen. Transport. Unterbringung.« Jetzt nahm er beide Hände vom Lenkrad und gestikulierte. »Leben in Westen sehr teuer, kleinerr Blume. Wer, glaubst du, bezahlt für ganze Luxus?«

Auch wenn sein Englisch grauenhaft war, sprudelten die Worte über seine Lippen, als hätte er die Rede eingeübt. »Glaubst du, kostet nix?«

Anscheinend hatte meine Mutter recht gehabt. »Diese Agentur ist nicht seriös, das sieht doch jedes Kind. Jedes Kind außer dir, Irina.« (Sehen Sie, wie meine Mutter die unangenehme Angewohnheit hat, mich ständig klein zu machen?) »Und wenn du sie anlügst und behauptest, du studierst Landwirtschaft, obwohl es gar nicht stimmt, wer soll dir dann helfen, wenn etwas schiefgeht, Irina?«

Und dann zählte sie in ihrer hysterischen Art all die Dinge auf, die schiefgehen können, wenn ein ukrainisches Mädchen in den Westen geht – all die Gerüchte und Geschichten aus der Zeitung.

»Jeder weiß, dass solche Sachen nur dummen, ungebildeten Mädchen passieren, Mutter. Mir passiert so was nicht.«

»Bitte, wenn Sie mir sagen, was die Abzüge sind, werde ich versuchen, sie zu begleichen.«

Ich blieb ganz kultiviert und höflich. Sein Chromzahn blitzte.

»Kleinerr Blume, erst kommt Abzüge, dann du kriegst Geld. Gibt nix zu sagen. No prroblem.«

»Und Sie geben mir meinen Pass zurück?«

»Genau. Du arbeit, du kriegst Passprrt. Du nix arbeit, du nix Passprrt. Jemand macht Besuch bei deine Mama in Kiew, sage Irina nix gut arbeite, mache große Prroblem für Mama.«

»Ich habe gehört, dass in England ...«

»Heute England ist anders, kleinerr Blume. Heute England ist Land von Chance. England nix wie in dein Schulbuch.«

Ich dachte an den schneidigen Mr. Brown aus *Let's Talk English* – wäre er nur hier gewesen!

»Sie beherrschen das Englische ausgezeichnet. Und das Russische vielleicht?«

»Englisch. Russisch. Serbokroatisch. Deutsch. Alle Sprachen.«

Er betrachtete sich also als Linguist, na schön. Sollte er weiterreden.

»Aber Sie sind nicht in diesem Land geboren, vermute ich, oder, Mister Vulk?«

»Vermut was du willst, kleinerr Blume.« Er zwinkerte mir lüstern im Spiegel zu und ließ den Silberzahn aufblitzen. Dann begann er den Kopf von links nach rechts zu werfen, als wollte er seine Schuppen abschütteln.

»Gefällt dir? Finde attraktiff?«

Ich brauchte einen Moment, bis ich verstand, dass er von seinem Pferdeschwanz sprach. Versuchte er etwa zu flirten? Auf einer Skala der Attraktivität von eins bis zehn würde er von mir eine Null bekommen. Für einen Menschen von höchster Unkultiviertheit bildete er sich ganz schön was ein. Schade, dass Mutter nicht hier war, um ihm den Kopf zu waschen.

»Absolut unwiderstehlich, Mister Vulk.«

»Gefällt dir? He, kleinerr Blume? Willst du anfassen?«

Der Pferdeschwanz hüpfte auf und ab. Ich hielt die Luft an.

»Mach schon. Hrr. Du kannst anfassen. Mach schon«, verlangte er mit öliger Verzückung.

Ich streckte die Hand aus, die immer noch fettig war und nach Pommes roch.

»Mach. Ist schön für dich.«

Ich berührte seine Haare – sie fühlten sich an wie ein Rattenschwanz. Dann bewegte er den Kopf, und der Schwanz zuckte wie der einer lebendigen Ratte.

»Frauen macht scharf, weil solche Haar ist wie männlicher Oggan.«

Wovon zum Teufel sprach er jetzt?

»Oggan?«

Er machte eine hässliche Geste mit den Fingern.

»Keine Angst, kleinerr Blume. Erinnert dich an dein Freund, he?«

»Nein, Mister Vulk, denn ich habe gar keinen Freund.«

Ich merkte sofort, dass ich einen Fehler gemacht hatte, aber da war es leider schon zu spät. Es war mir einfach so herausgerutscht, und zurücknehmen konnte ich es nicht mehr.

»Kein Freund? Wie, so kleinerr Blume hat kein Freund?« Jetzt war seine Stimme wie warmes Pommesöl. »Hrr. Vielleicht ist meine Chance?«

Was für ein blöder Fehler. Jetzt hat er dich. Jetzt bist du dran.

»Vielleicht wir mache gute Chance, hrr?« Tabakrauch und Zahnfäule kamen aus seinem Mund. »Kleinerr Blume?«

Draußen vor den getönten Scheiben flogen Wälder vorbei, sonnengesprenkeltes Laub. Wenn ich mich nur aus dem Auto werfen könnte, die grasbewachsene Böschung hinunterrollen und zwischen die Bäume rennen. Doch wir waren viel zu schnell. Ich schloss die Augen und tat so, als wäre ich eingeschlafen.

Wir fuhren vielleicht zwanzig Minuten, ohne zu reden. Vulk zündete sich noch eine Zigarre an. Durch gesenkte Wimpern beobachtete ich, wie er übers Lenkrad gebeugt vor sich hin paffte. Paff. Paff. Stink. Wie weit konnte es noch sein?

Dann knirschte Kies unter den Rädern und mit einem letzten jähen Ruck kam die Mafiakutsche zum Stehen. Ich öffnete die Augen. Wir standen vor einem hübschen, spitzgiebligen Bauernhaus in einem sommerlichen Garten, mit Stühlen und Tischen draußen auf dem Rasen, der zu einem klaren, seichten Bach hin abfiel. Das war England, wie es sein sollte. Jetzt lerne ich endlich normale Menschen kennen, dachte ich. Sie werden Englisch mit mir sprechen, und sie werden mir Tee anbieten.

Doch das taten sie nicht. Ein pummeliger, rotgesichtiger Mann in schmutzigen Kleidern und Gummistiefeln kam aus dem Haus – der Bauer, nahm ich an – und half mir aus Vulks Wagen, wobei er etwas murmelte, das ich nicht verstand, doch es war eindeutig keine Einladung zum Tee. Dann musterte er mich genauso unhöflich wie Vulk vorher, als wäre ich ein Pferd, das er gekauft hatte. Am Ende tuschelte er mit Vulk, ich verstand nichts davon, und sie tauschten Briefumschläge aus.

»Auf Wiedersehen, kleinerr Blume«, sagte Vulk mit seinem öligen Lächeln. »Wir sehen wieder, vielleicht wir mache Chance?«

»Vielleicht.«

Ich wusste, dass das die falsche Antwort war, aber ich wollte nur noch weg von ihm.

Der Bauer schob meine Tasche in seinen Landrover, und

dann schubste er mich hinterher und betatschte dabei meinen Hintern, was ziemlich überflüssig war. Er hätte nur etwas sagen müssen, dann wäre ich von selbst eingestiegen.

»Ich bringe dich direkt aufs Feld«, sagte er, als wir über eine schmale, kurvige Landstraße rumpelten. »Du kannst gleich nachher mit dem Pflücken anfangen.«

Nach etwa fünf Kilometern bremste er, dann fuhren wir durch ein Tor, und ich spürte eine Woge der Erleichterung, als ich ausstieg und endlich festen Boden unter den Füßen hatte. Das Erste, was mir auffiel, war das Licht – gleißendes, salziges Licht, das auf dem sonnigen Feld tanzte, auf die reifen Erdbeeren schien, den kleinen runden Wohnwagen oben auf dem Hügel und den langen kastenförmigen Wohnwagen unten, den Wald im Hintergrund und den geschwungenen Horizont, und ich lächelte. Das also ist England.

Der Männerwohnwagen ist ein feststehendes Modell, ein ramponierter alter Fiberglaskasten, der unten am Fuß des Felds beim Tor aufgebockt ist, in der Nähe des Containerhauses, wo jeden Abend die Erdbeeren gewogen und auf Paletten gepackt werden. In einer Ecke des Containerhauses ist das Klo und der Duschraum – allerdings funktioniert die Dusche nicht und das Klo ist nachts abgeschlossen. Warum ist es abgeschlossen?, fragt sich Andrij. Was ist das Problem, wenn einer nachts aufs Klo geht?

Er ist früh aufgewacht, mit einer vollen Blase und einem vagen Gefühl von Unzufriedenheit mit sich selbst, seinen Wohnwagengenossen und dem Wohnwagenleben im Allgemeinen. Wie kommt es zum Beispiel, dass es im Männerwohnwagen enger ist als im Frauenwohnwagen, obwohl er größer ist? Es gibt zwei Räume, einen zum Schlafen und einen zum Wohnen, aber Tomasz hat das Doppelbett im

Schlafzimmer für sich allein, und die drei anderen schlafen im Wohnzimmer. Wie ist es dazu gekommen? Andrij schläft auf einer der Sitzbänke und Vitali auf der anderen. Emanuel hat sich aus einem alten Laken und blauer Ballenschnur, die er kunstvoll verknotet hat, eine Hängematte gemacht und sie von einer Ecke zur anderen quer im Raum aufgehängt – da oben liegt er und atmet tief mit geschlossenen Augen und einem engelsgleichen Lächeln auf seinem runden braunen Gesicht.

Andrij erinnert sich an Emanuels überraschtes und entsetztes Gesicht, als der Bauer vorschlug, Emanuel sollte sich mit Tomasz das Doppelbett teilen.

»Sir, wir haben ein Sprichwort auf Chichewa. Ein Nasenloch ist zu klein für zwei Finger.«

Später hat er Andrij beiseite genommen und geflüstert: »In meinem Land ist Homosexualisierung verboten.«

»Alles okay«, flüsterte Andrij zurück. »Kein Homosex, nur Stinkfüße.«

Ja, Tomasz' Turnschuhe sind noch so eine Unverschämtheit – der Gestank verpestet den ganzen Wohnwagen. Am schlimmsten ist es nachts, wenn sie nicht an seinen Füßen sind, sondern unterm Bett stehen. Dann steigen die Dämpfe auf, giftig und klebrig, verbreiten sich wie schlechte Träume, kriechen unter dem Vorhang durch, der Schlafen von Wohnen trennt, und schweben wie ein böser Geist unter der Wohnwagendecke. Manchmal rollt Emanuel sich mitten in der Nacht leise aus der Hängematte und stellt die Turnschuhe raus auf die Treppe.

Und noch was – warum haben sie im Männerwohnwagen keine Bilder an der Wand? Vitali hat ein Foto von Katie Price unter dem Bett, das er aufhängt, sagt er, sobald er was findet, womit er es aufhängen kann. Er hat auch einen geheimen Vorrat an Dosenbier und ein Fernglas. Tomasz hat eine

Gitarre und eine Unterhose von Jola unter dem Bett. Emanuel hat eine Tasche voll mit zerknitterten Papieren.

Aber was Andrij am meisten ärgert, ist, dass man wegen dem Hügel und der Position ihres Wohnwagens den Frauenwohnwagen nur von dem Fenster über Tomasz' Bett sehen kann. Soll er Tomasz bitten, ein Stück zur Seite zu rücken, damit er mal gucken kann, ob das Mädchen noch da ist? Nein. Dann würden die anderen nur blöde Bemerkungen machen.

Im Frauenwohnwagen sind sie seit Tagesanbruch auf den Beinen. Jola weiß aus Erfahrung, dass es besser ist, früh aufzustehen, wenn sie nicht wollen, dass der Knödel anklopft und sich reindrängt, wenn sie gerade beim Anziehen sind, und sie mit seinen hungrigen Hundeaugen anglotzt – hat er nichts Besseres zu tun?

Irina und die chinesischen Mädchen müssen zuerst aufstehen und das Doppelbett zusammenklappen, bevor sich irgendwer bewegen kann. Leider können sie nicht in den Waschraum, bis der Knödel mit dem Schlüssel zum Container da ist, was ziemlich unerfreulich ist – was denkt er sich bloß? Dass sie sonst nachts alle Klopapierrollen abwickeln? –, aber nur ein paar Meter weiter ist eine praktische Lücke in der Hecke, auch wenn Jola beim besten Willen nicht versteht, wieso jedes Mal, wenn eine der Frauen hinter die Hecke zum Pinkeln geht, unten im anderen Wohnwagen grinsende Gesichter am Fenster kleben. Haben die nichts Besseres zu tun da unten?

Neben dem Frauenwohnwagen gibt es einen Wasserhahn mit kaltem Wasser und eine Waschschüssel, und sie haben sogar eine Dusche, einen Eimer mit Löchern im Boden, der von einer schwarz gestrichenen Öltonne oben im Baum gespeist wird. Abends, wenn den ganzen Tag die Sonne daraufgeschienen hat, ist das Wasser angenehm warm. Andrij, ein netter Junge, der ein richtiger Kavalier ist, auch wenn er aus der Ukraine kommt, hat sogar einen Sichtschutz aus Birkenästen und Plastiksäcken gebaut, gegen den Protest von Vitali und Tomasz, die sich beschwert haben, er würde ihnen den Spaß verderben – wirklich, diese beiden sind schlimmer als Kindergartenkinder, denen gehört mal der Hintern versohlt –, und jetzt, wo sie nicht mehr beim Duschen zugucken können, geben sie den ganzen Tag Kommentare über die Kleidungsstücke der Frauen ab, die an der Wäscheleine hängen. Neulich ist unter mysteriösen Umständen eine Unterhose von ihr verschwunden. Jola versteht beim besten Willen nicht, dass erwachsene Männer so kindisch sein können. Na ja, im Grunde versteht sie es doch.

Es war Tomasz, der die Unterhose gestohlen hat, letzte Woche, in einem Anfall von betrunkenem Übermut. Sie ist aus weißer Baumwolle, großzügig geschnitten, und hat eine hübsche blasslila Schleife vorn. Seitdem wartet er auf den richtigen Moment, sie diskret zurückzulegen, ohne dabei erwischt zu werden – er will nicht, dass jemand auf die Idee kommt, er wäre die Sorte Mann, der Damenunterwäsche von Wäscheleinen klaut und unter seinem Bett versteckt.

»Wie ich sehe, hat Jola heute wieder ihre Unterhosen gewaschen«, sagt er missmutig auf Polnisch, während er mit Vitalis Fernglas durchs Fenster über seinem Bett blickt. »Ich möchte wissen, was das zu bedeuten hat.«

Die weißen Schlüpfer flattern provozierend im Wind. Als Jola ihn in Polen für ihr Erdbeerpflückerteam angeheuert hatte, war da ein Blinzeln in ihren Augen gewesen, das er irgendwie als Einladung verstanden hatte zu ... na ja, zu mehr als nur zum Erdbeerpflücken.

»Was meinst du, *was das zu bedeuten hat*?«, fragt Vitali

auf Russisch, wobei er Tomasz' polnischen Akzent nachäfft. »Was Frauen machen, ist meistens vollkommen bedeutungslos.«

Vitali hält sich über seine Herkunft bedeckt, und Tomasz fragt nicht nach. Er vermutet, dass er illegal ist oder Zigeuner oder so etwas. Die Leichtigkeit, mit der Vitali zwischen Russisch, Polnisch und Ukrainisch hin und her wechselt, imponiert ihm. Sogar Vitalis Englisch ist ziemlich gut. Aber was nutzen all die Sprachen, wenn seine Seele keine Poesie besitzt?

»In der Poesie der Damenunterwäsche ist immer Bedeutung. Blüten, die vom Baum fallen, wenn die Glut des Sommers naht ... Wolken, die zerschmelzen ...«

Er spürt, dass da ein Song drin ist.

»Das reicht«, sagt Vitali. »Die Angliskis würden dich einen schmutzigen alten Mann nennen.«

»Ich bin nicht alt«, protestiert Tomasz.

Er ist gerade fünfundvierzig geworden. An seinem Geburtstag hat er in den Spiegel gesehen und auf seinem Kopf zwei neue graue Haare entdeckt, die er gleich ausgerissen hat. Kein Wunder, dass sein Haar immer dünner wird. Bald wird er sich dem Grau ergeben müssen, sich die Haare kurz schneiden, die Gitarre weglegen, seine Träume gegen Kompromisse eintauschen und anfangen, sich Sorgen um die Rente zu machen. Wo ist das Leben geblieben? Es verrinnt wie Sand in einem Stundenglas, es ist wie ein Berg, der im Meer versinkt.

»Sag mal, Vitali, wie hat das Leben es geschafft, dich so jung zu einem solchen Zyniker zu machen?«

Vitali zuckt die Schultern. »Vielleicht bin ich nicht zum Versager geboren wie du, Tomek.«

»Vielleicht bist du noch jung genug, um was zu lernen.«

Wie kann er diesem ungeduldigen jungen Mann etwas

klarmachen, das zu begreifen er selber fünfundvierzig Jahre gebraucht hat – dass Verlust ein wesentlicher Teil des Menschseins ist? Dass wir auf unserer langen einsamen Straße, Bestimmungsort unbekannt, immer etwas zurücklassen müssen? Den ganzen Morgen schon versucht er, einen Song darüber zu komponieren.

Jetzt legt er das Fernglas hin, greift nach der Gitarre und fängt an zu zupfen, während er mit dem Fuß den Rhythmus klopft.

Es war mal ein Mann, der bereiste die Welt –
auf der Suche nach Macht, nach Ruhm oder Geld?
Auf der Suche nach Sinn, nach Wahrheit, nach …

An dieser Stelle bleibt er jedes Mal stecken. Wonach kann der verfluchte Kerl sonst noch suchen?

Vitali sieht ihn mitleidig an. »Sonnenklar. Er sucht jemand zum Ficken.«

Dann nimmt er das Fernglas, stellt die Schärfe ein und pfeift leise durch die Zähne.

»Hey, schwarzer Mann«, ruft er Emanuel auf Englisch zu, »komm, sieh dir das an. Genau wie der Slip, den Katie auf meinem Poster anhat. Oder vielleicht …«, er dreht an der Schärfe herum, »… ist es so ein Netz, in dem man Salami einpackt.«

Emanuel sitzt am Tisch, kaut an einem Bleistift und wartet auf Einfälle für den Brief, den er schreibt.

»Lass ihn in Ruhe«, sagt Tomasz. »Emanuel ist nicht so wie du. Er …«, er zupft ein paar Saiten, während er nach dem richtigen Ausdruck sucht, »*in diesem Fiberglaskasten sucht er nach einem Juwel.*«

»Noch so ein Versager«, schnaubt Vitali.

Liebe Schwester,
vielen Dank für das Geld, das du geschickt hast, denn mit seiner Hilfe konnte ich von Zomba nach Lilongwe und weiter über Nairobi nach England reisen. Ich hoffe, diese Zeilen erhalten dich, denn als ich nach London an der Adresse klopfte, die du gabst, war ein anderer Name an der Tür geschrieben und niemand wusste von deinem Verbleiben. Weil ich des Geldes bedurfte, fiel ich unter die Erdbeerenpflücker und wohne mit drei Mzungus in einem Wohnwagen hier in Kent. Mit aller Macht bin ich bestrebt, mein Englisch zu verbessern, doch die englische Zunge ist wendig wie eine schlüpfrige Schlange, und ich denke immer an den Unterricht bei Schwester Benedicta und ihren gestrengen Stock der Züchtigung. Und so schreibe ich voller Hoffnung, dass du mögest dorthin kommen und diese Briefe finden und deine Korrekturen über sie niedergehen lassen, liebe Schwester. Und ich werde dich regulärig informieren über meine Abenteuer in diesem regengeplagten Land.

Von deinem geliebenden Bruder Emanuel!

Der Frauenwohnwagen steht schon in der Sonne, aber sie hat den Fuß des Feldes noch nicht erreicht, wo Andrij im Männerwohnwagen an der Küchenzeile herumhantiert und versucht, das Gas unter dem Teekessel anzumachen. Die derben Sprüche im Schlafraum nerven ihn, und er will nicht, dass die anderen mitkriegen, welche Unruhe ihn seit gestern ergriffen hat. Er reißt das nächste Streichholz an. Die Flamme zischt hoch und verbrennt ihm die Finger, ohne das Gas zu entzünden. Himmel, Arsch und Zwirn! Dieses Mädchen, die Neue aus der Ukraine – als ihre Blicke sich trafen, hat sie ihn da auf eine besondere Art angelächelt?

Er lässt die Szene im Kopf noch einmal ablaufen, wie im

Kino. Es war gestern um die gleiche Zeit. Wie gewöhnlich kam Bauer Leapish mit dem Frühstück, den Paletten mit leeren Erdbeerkörben und dem Schlüssel zum Container. Plötzlich steigt jemand aus der Beifahrertür des Landrovers, ein hübsches Mädchen mit einem langen dunklen Zopf, der ihr auf den Rücken hängt, und funkelnden braunen Augen. Und mit diesem Lächeln. Sie tritt auf das Feld, sieht hierhin und dorthin. Er steht beim Tor, und dann dreht sie sich zu ihm um und lächelt. Aber hat sie ihn gemeint mit ihrem Lächeln? Das würde er gern wissen.

Beim Abendessen hat er sich neben sie gesetzt.

»Hallo. Ukrainka?«

»Natürlich.«

»Ich auch.«

»Das sehe ich.«

»Wie heißt du?«

»Irina.«

Er hat gewartet, dass sie fragt – und du? –, aber sie fragt nicht.

»Andrij.«

Er hat gewartet, dass sie was sagt, aber sie sagt nichts.

»Aus Kiew?«, fragt er weiter.

»Natürlich.«

»Donezk.«

»Ah, Donezk. Bergbau.«

War da eine Spur von Herablassung in ihrer Stimme?

»Warst du mal in Donezk?«

»Nein.«

»Ich bin in Kiew gewesen.«

»Wirklich?«

»Im Dezember. Als die ganzen Demonstrationen waren.«

»Bist du wegen der Demonstrationen gekommen?« Eindeutig herablassend.

»Ich war da, um gegen die Demonstrationen zu demonstrieren.«

»Ah. Natürlich.«

»Vielleicht habe ich dich gesehen. Warst du da?«

»Natürlich. Auf dem Unabhängigkeitsplatz.«

»Bei der Demonstration?«

»Natürlich. Es war unsere orange Freiheitsrevolution.«

»Ich war auf der anderen Seite. Weiß und Blau.«

»Die Verlierer.«

Sie lächelte wieder. Das heißt, ihre weißen Zähne blitzten auf, mehr nicht. Er versucht sich ihr Gesicht vorzustellen, aber es gelingt ihm nicht. Nein, es waren nicht nur die Zähne, da war ein Kräuseln um ihre Nase und ihre Augen, ein kleines Zucken der Brauen und zwei freche Grübchen, die ihm unter ihren Wangen zublinzelten. Diese Grübchen – er kriegt sie nicht mehr aus dem Kopf. War es einfach nur ein Lächeln, oder hat es was zu bedeuten?

Und wenn es was zu bedeuten hat, hat es zu bedeuten, dass er eine Chance hat? Die Chance auf eine Chance bei ihr? Soll er weitermachen? Oder cool bleiben? Eine wie sie – die hat wahrscheinlich an jedem Finger zehn. Lieber wartet er, dass sie den ersten Schritt macht. Und wenn sie schüchtern ist, wenn sie beim ersten Schritt ein bisschen Hilfe braucht? Manchmal muss ein Mann handeln, um eine Chance herbeizuführen.

Andererseits, ist das nicht der falsche Ort und die falsche Zeit, Andrij Palenko, um dich wieder mit einer Ukrainerin einzulassen? Was ist mit der blonden *angliska rosa*, wegen der du den ganzen Weg nach England gekommen bist – mit dem hübschen blauäugigen Mädchen, das hier auf dich wartet, auch wenn sie es selbst noch nicht weiß, ein hochklassiges Mädchen mit Luxus-Ausstattung: Haut wie *smetana*, *angliski* Brüste mit rosa Spitzen, goldener Flaum an den Unterarmen wie Entenkükendaunen und so weiter. Und einen reichen Papa, der vielleicht am Anfang nicht allzu glücklich über die Wahl seiner Tochter ist, weil er will, dass sie einen Banker mit Melone wie Mr. Brown heiratet – welcher Vater wollte das nicht –, aber wenn er dich kennenlernt, erweichst du sein Herz und er heißt dich willkommen in seinem luxuriösen Heim, wo jedes Zimmer ein eigenes Bad hat. Und bestimmt findet er seinem ukrainischen Schwiegersohn auch einen netten kleinen Job. Vielleicht sogar ein nettes Auto ... Mercedes. Porsche. Ferrari. Oder so.

Zugegeben, die Neue aus der Ukraine hat ein paar Vorzüge: hübsches Aussehen, hübsches Lächeln, hübsche Grübchen, hübsche Figur mit ein paar Kurven, ordentlich was zum Anfassen, nicht zu dünn, wie diese aufgedonnerten Großstadtschnepfen, die sich zu westlichen Streichhölzern runterhungern. Aber sie bleibt ein ukrainisches Mädchen – und davon gibt es jede Menge, wo du herkommst. Außerdem ist sie ganz schön hochnäsig. Hält sich für was Besseres. Hält sich für eine hochkultivierte Person mit überlegenem Intellekt, und du bist ein unkultivierter Kerl dagegen (na und? Muss man sich deswegen schämen?). Das merkst du an der Art, wie sie redet, wie sie mit ihren Worten geizt, als würde sie dir Geld hinzählen. Und dieser lächerliche Zopf, wie diese Gewitterziege Julia Tymoschenko, im Pseudo-Folklorestil. Mit einer orangen Schleife daran. Sie hält sich für was Besseres, weil sie aus Kiew ist, und du bist aus dem Donbass. Sie hält sich für was Besseres, weil dein Vater Bergmann ist – ein toter Bergmann übrigens.

Armer Vater. Was für ein Hundeleben. Unter der Erde. Unten bei den Pilzen. Bei Legionen von Geisterkumpeln, die sich im Dunkeln drängen und ihre unheimlichen Totenlieder singen. Nein, Andrij kann da nicht mehr runter, auch wenn es die einzige Art zu leben ist, die er gelernt hat, die einzige

Art, Brot nach Hause zu bringen, die er kennt. Jetzt muss er eben was anderes finden. Was hätte sein Vater gewollt? Es ist schon schwer, die Erwartungen der Eltern zu erfüllen, wenn man weiß, was sie erwarten. Aber alles, was sein Vater ein paar Tage vor seinem Tod zu Andrij sagte, war: »Sei ein Mann.« Was meinte er damit?

Als die Stollenstützen nachgaben und die Decke einstürzte, war Andrij auf einer Seite des Einbruchs und sein Vater auf der anderen. Er war auf der Seite der Lebendigen, sein Vater war auf der Seite der Toten. Als er das Grollen hörte, rannte er zum Licht. Er rannte und rannte. Er rennt immer noch.

ICH BIN HUND ICH LAUFE ICH LAUFE WEG VOM BÖSEN MANN VOM KÄFIG ICH HÖRE HUNDE BELLEN WÜTENDE HUNDE KNURREN WÜTEND BELLEN SIE WOLLEN KÄMPFEN SIE WOLLEN MICH TÖTEN SIE WOLLEN TÖTEN ICH RIECHE HUNDESCHWEISS ICH RIECHE MENSCHENSCHWEISS BÖSER MANN MACHT KÄFIG AUF MANN ZERRT HALSBAND MÄNNER SITZEN RAUCHEN REDEN HUNDE BELLEN GRELLES LICHT GROSSER HUND KNURRT WÜTEND ZÄHNEFLETSCHEN FELLSTRÄUBEN ER WILL TÖTEN ICH BIN KEIN KAMPFHUND ICH BIN LAUFHUND ICH SPRINGE ICH LAUFE ICH LAUFE ZWEI TAGE ICH FRESSE KEIN FLEISCH HUNGER IM BAUCH MACHT MICH VERRÜCKT ICH HABE HUNGER ICH HABE ANGST ICH LAUFE ICH LAUFE ICH BIN HUND

Der Frauenwohnwagen war zwar klein, aber so gemütlich. Ich verliebte mich sofort in ihn. Ich setzte die Tasche ab und stellte mich vor.

»Irina. Aus Kiew.«

Na gut, bei meiner Ankunft gab es auch weniger erfreuliche Dinge. Jola, die polnische Vorarbeiterin, eine derbe, ungebildete Person mit einer überhöhten Vorstellung ihrer eigenen Wichtigkeit, sagte ein paar böse Dinge über die Ukrainer, für die sie sich noch entschuldigen muss. Na gut, ich war ein bisschen enttäuscht von den beengten Verhältnissen, und vielleicht war ich deswegen ein wenig taktlos. Aber dann sagten die chinesischen Mädchen, dass ich mit ihnen das Bett teilen dürfte, was sehr lieb von ihnen war. Ich wünschte, ich hätte den Mohnkuchen nicht aufgegessen, denn in solchen Fällen kann ein kleines Geschenk Wunder bewirken, aber ich hatte noch eine Flasche selbstgemachten Kirschwodka für Notfälle dabei, und wenn das kein Notfall war, was dann? Bald waren wir gute Freundinnen.

Beim Abendessen saßen wir alle zusammen draußen auf dem Hügel, tranken den restlichen Wodka und sahen uns den Sonnenuntergang an. Ich war froh, dass noch ein Ukrainer da war – ein netter, wenn auch etwas primitiver Bergarbeiter aus Donezk. Beim Abendessen plauderten wir auf Ukrainisch. Polen und Ukrainer können einander auch ganz gut verstehen, obwohl es natürlich verschiedene Sprachen sind. Aber ich war ja nach England gekommen, um mein Englisch zu verbessern, bevor ich das Studium an der Universität anfing, und deshalb hoffte ich, dass ich bald mehr Engländer kennenlernen würde.

In der Schule war Englisch mein Lieblingsfach. Ich hatte mir immer vorgestellt, wie ich durch ein Panorama kultivierter Unterhaltungen spazieren würde wie durch eine gemalte Landschaft, getupft mit verführerischen Homonymen und geheimnisvollen Subjunktiven: *Would you were wooed in the wood.* Miss Tyldesley war meine Lieblingslehrerin. Bei ihr war sogar englische Grammatik sexy, und wenn sie Byron zitierte, schloss sie die Augen, atmete tief durch die Nase und erbebte in jungfräulicher Ekstase, als stiegen ihr von der Buchseite Byrons Pheromone in die Nase. Beherrschung, Miss Tyldesley, bitte! Ich konnte es kaum erwarten, nach England zu kommen. Jetzt, dachte ich, fängt das Leben richtig an.

Nach dem Abendessen kehrte ich in den Wohnwagen zurück und packte meine Tasche aus. An eine freie Stelle an der Wand hängte ich das Foto von Mutter und Papa, auf dem sie zu Hause vor dem Kamin stehen. Mutter trägt rosa Lippenstift und einen furchtbaren rosa Schal, den sie zu einer, wie sie dachte, modischen Schleife gebunden hat; Papa trägt seine lächerliche orange Krawatte. Na gut, sie kleiden sich grässlich, aber sie können nichts dafür, und ich liebe sie trotzdem. Papa hat den Arm um ihre Schulter gelegt, und beide lächeln auf diese steife, unsichere Art von Leuten, die nicht mit dem Herzen dabei sind, sondern nur für die Kamera posieren. Beim Einschlafen sah ich das Foto an, und mir kamen ein paar rührselige Tränen. Mutter und Papa warteten zu Hause auf mich – was gab es da zu heulen?

Als ich am nächsten Morgen aufwachte, war der Wohnwagen von der Sonne durchflutet, und alles sah schon wieder ganz anders aus. Die dunklen Gedanken und Ängste von gestern waren fort wie die Geister der Nacht. Draußen am Wasserhahn, wo ich mich wusch, glitzerten die Wassertropfen in der Sonne und brachen das Licht in Hunderte von funkelnden Regenbogen, die auf meinen Fingern tanzten, kalt und prickelnd. Im Wäldchen hinter mir sang eine Drossel.

Als sich bei meiner Katzenwäsche die orange Schleife aus meinem Zopf löste und durchs Wasser wirbelte, musste ich an die orangen Luftballons und die Banner auf dem Platz in Kiew denken, an die Zelte und die Musik, und an meine Eltern, die wie aufgeregte Teenager von Freiheit und ähnlichem Zeug schwärmten. Und es gab mir einen Stich ins

Herz. Ich hob die nasse Schleife auf, schüttelte sie aus und hängte sie an die Wäscheleine. Dann blickte ich ins Tal hinunter, und mein Herz fing wieder zu singen an. Ich atmete tief ein. Die Luft – so süß, so englisch. Das war die Luft, von der ich geträumt hatte, eine Luft voller Geschichte, und doch so hell wie ... na, wie etwas sehr Helles. Wie hatte ich neunzehn Jahre leben können, ohne diese Luft zu atmen? Und all die kultivierten, tapferen, warmherzigen Menschen, von denen ich bei Chaucer, Shakespeare, Dickens gelesen hatte. (Zugegeben, meist in Übersetzung.) Sie wollte ich kennenlernen.

Genau genommen freute ich mich besonders darauf, einen Gentleman mit einer Melone kennenzulernen, wie Mr. Brown aus dem *Let's Talk English*-Buch, der so schneidig und romantisch aussieht, mit seinem engen Anzug und dem aufgerollten Schirm und mit der interessanten Beule in der Höhe seines Hosenschlitzes, die der Vorbesitzer meines Englischbuchs mit schwarzer Tinte sehr realistisch eingezeichnet hatte. Wer würde nicht mit ihm Englisch sprechen wollen? Auch Lord Byron sieht romantisch aus, trotz seines bizarren Turbans.

Die Engländer sollen unglaublich romantisch sein. Man denke nur an die berühmte Geschichte von dem Mann, der dem Tod trotzt und ins Schlafzimmer einer Dame klettert, nur um ihr eine Schachtel Pralinen zu schenken. Leider war Bauer Leapish der einzige Engländer, den ich bis jetzt kannte, und der gehörte wahrscheinlich nicht in diese Kategorie. Ich hoffte, er war nicht repräsentativ.

Bitte halten Sie mich nicht für eins dieser schrecklichen ukrainischen Mädchen, die nach England kommen, um sich einen Ehemann zu angeln. So eine bin ich nicht. Aber falls die Liebe zufällig meiner Wege käme, na gut, mein Herz war offen und bereit.

Der Kessel fängt zu pfeifen an. Andrij gießt kochendes Wasser auf den Teebeutel, gibt zwei Löffel Zucker dazu und hält die heiße Tasse in beiden Händen, als er zum Tor geht, wo er manchmal steht, wenn er einen Moment der Muße hat, und den vorbeifahrenden Wagen nachsieht, nach seiner *angliska rosa* Ausschau haltend. Er stützt die Ellbogen auf das Tor und trinkt langsam, genießt die Wärme in seiner Kehle, die kühle Brise des Morgens in den Downs und das lärmende Gezwitscher der Vögel, die ihren morgendlichen Radau veranstalten. Die Sonne ist gerade über den Hügel gestiegen, und obwohl es noch nicht mal acht ist, spürt er bereits ihre Wärme auf der Haut. Das Licht ist klar wie Kristall und zeichnet die Landschaft mit scharfen Schatten.

Er steht gern hier unten und sieht sich dieses England an, das, obwohl es direkt hinter dem Tor liegt, quälend weit weg zu sein scheint. Wo bist du, Mrs. Brown aus *Let's Talk English* mit deiner schmalen Taille und der engen gepunkteten Bluse? Wo bist du, Vagvaga Riskegipd mit dem Bubble Gum und den feurigen Küssen? Seit er vor zwei Wochen in England angekommen ist, hat er keine einzige *angliska rosa* kennengelernt. Immerhin hat er ein paar vorbeifahren sehen, also weiß er, dass es sie gibt. Manchmal winkt er, und einmal hat eine sogar zurückgewinkt. Und ja, sie war blond, und ja, sie fuhr ein rotes Ferrari-Cabrio. In einem Wimpernschlag war sie fort, bevor er noch über das Tor springen konnte, um dem Heckspoiler nachzusehen, wie er hinter der Kurve verschwand. Vielleicht wohnt sie ja hier in der Nähe, und es ist nur eine Frage der Zeit, bis sie wieder auftaucht. Okay, seine letzte Freundin Lida Sakanowka hat ihn wegen einem Fußballer sitzen lassen, na und? Viel Glück auch. Hier in England warten bessere Frauen auf ihn.

Er pustet in die Tasse, damit der Tee schneller abkühlt, und denkt an seinen letzten Besuch in England. Wie lange ist das her? Achtzehn Jahre vielleicht. Er muss sieben gewesen sein. Er hatte seinen Vater auf einer brüderlichen Delegation zur Bergbaugewerkschaft von Sheffield begleitet, der Partnerstadt seiner Heimatstadt Donezk. Lern was, mein Junge, hatte sein Vater gesagt. Hier kannst du etwas über die Schönheit der internationalen Solidarität lernen. Auch wenn sie ihm später nicht half, als er sie brauchte. Armer Vater.

Er weiß nicht mehr viel von Sheffield, aber an drei Dinge erinnert er sich noch ganz genau. Zuerst erinnert er sich an das Bankett und einen klebrigen rosa Nachtisch, von dem er so viel aß, dass ihm später speiübel wurde und er hinten im Wagen eine rosa Sauerei machte.

Zweitens erinnert er sich an den berühmten visionären Helden der Stadt, der sie mit einer langen, langen Rede über Solidarität und die Würde der Arbeit willkommen hieß (die Rede hatte seinen Vater so beeindruckt, dass er später immer wieder daraus zitierte). Beim Bankett hatten sie neben ihm gesessen, und voller Fürsorge hatte er Andrij immer mehr von dem tückischen rosa Nachtisch zugeschanzt – es war sein Wagen gewesen, den Andrij schließlich vollkotzte. Und dieser Mann war blind gewesen. Seine Blindheit hatte Andrij tief beeindruckt – wie eine unbegreifliche, furchterregende, alles ausschließende Mauer hinter seinen visionären Augen. Andrij hatte die Augen zugekniffen und versucht sich vorzustellen, wie es wäre, hinter einer Mauer der Blindheit zu leben. Er tappte herum und lief gegen Gegenstände, bis sein Vater ihm eine Ohrfeige gab und ihm befahl, sich anständig zu benehmen.

Das Dritte, woran er sich erinnert, ist sein erster Kuss. Das Mädchen – es muss die Tochter eines der Delegierten gewesen sein – war älter und mutiger als er, langbeinig, mit weißblondem Haar und ein paar Sommersprossen auf der Nase. Sie roch nach Seife und Bubble Gum. Während im Festsaal langweilige brüderliche Reden gehalten wurden, hatten sie beide auf den hallenden Fluren der weitläufigen Stadthalle Fangen gespielt. Sie hatten einander die Treppen rauf und runter gejagt, sich in Durchgängen versteckt, quietschend vor Aufregung. Am Ende hatte sie sich auf ihn gestürzt und ihn niedergerungen. Sie drückte ihn auf den Steinfußboden und setzte sich mit ihrem ganzen Gewicht auf seine Brust. Sie waren außer Atem, lachten, keuchten. Plötzlich beugte sie sich zu ihm herunter und küsste ihn – ein nasser, drängender Kuss, ihre Zunge in seinem Mund. Es war ein Kuss der Unterwerfung. Er war so jung und so überrascht gewesen, dass er sich nur ergeben konnte. Später hatte sie ihm ein Stück Papier in die Hand gedrückt, auf das ihr Name gekritzelt war, mit kleinen Herzen statt der i-Punkte. Vagvaga Riskegipd. Ein unglaublich aufregender Name. Und eine Telefonnummer. Er hat sie immer noch, in seinem Geldbeutel ganz hinten, wie einen Talisman. In der Schule, als seine Klassenkameraden Russisch oder Deutsch lernten, hatte er Englisch gewählt.

Er versucht, ihr Gesicht heraufzubeschwören. Helles Haar. Sommersprossen. Den Geruch von Bubble Gum hat er immer noch in der Nase. Ein unglaublich aufregender Geruch. Ob sie sich noch an ihn erinnert? Wie sieht sie heute aus? Sie müsste Anfang dreißig sein. Was würde sie tun, wenn er plötzlich vor ihrer Tür stünde?

Es heißt, Angliski-Frauen sind unglaublich sinnlich. Vitali, der da Erfahrung hat, sagt, Angliski-Frauen sind zuerst kalt wie Eis, aber wenn sie zu schmelzen anfangen – wenn die Leidenschaft sie heiß macht und sie von innen schmelzen –, dann sind sie wie ein Fluss, der über die Ufer tritt. Dann gibt es kein Halten mehr bei diesen Vagvagas, bei diesen Mrs. Browns. Dann muss man als Mann einen kühlen Kopf bewahren, sonst ertrinkt man im Sturzbach ihrer Leidenschaft. Nur, sie an diesen Schmelzpunkt zu bringen – das ist eine wahre Kunst, sagt Vitali. Die Angliska-Frau fühlt sich von schneidigen Männern der Tat angezogen, von Männern, die mutig genug sind, gefährliche Reisen zu unternehmen und mit Pralinenschachteln durch Schlafzimmerfenster zu klettern und so weiter. Solche Taten bringen das eisige Herz der Angliska-Frau zum Schmelzen. Ob es auch Erdbeeren statt Pralinen tun? Auf die anderen Akte dieses Theaters ist er vorbereitet. Er ist für alles bereit. Er spürt, wie das pralle Leben durch seine Adern strömt, und er will leben – süßer leben, intensiver leben.

»Sei ein Mann«, hat sein Vater zu ihm gesagt.

Meine Mutter hat die unangenehme Angewohnheit, die Menschen danach zu beurteilen, wie kultiviert sie sind. Es ist, als hätte sie eine felsenfeste Skala der Kultiviertheit im Kopf.

»Kultiviert sein kostet nichts, Irina«, sagt sie, »und das ist gut so, denn andernfalls wären die Lehrer in der Ukraine sehr unkultivierte Menschen.«

Das Schlimmste ist, dass ich ihre Angewohnheit übernommen zu haben scheine, obwohl ich genau weiß, dass man die Menschen nicht nach dem äußeren Eindruck beurteilen darf. Doch manchmal geht es auch nicht anders. Nehmen wir zum Beispiel uns Erdbeerpflücker.

Obwohl sie Chinesinnen sind, sind die chinesischen Mädchen eindeutig kultivierte Menschen. Die eine ist Medizinstudentin, die andere studiert Betriebswirtschaft. Ich weiß zwar nie, welche welche ist, aber Medizin ist noch kultivierter als Betriebswirtschaft. Das chinesische Mädchen aus China hat kurzes Haar wie ein Junge, und sie ist sehr hübsch, außer dass ihre Beine zu dünn sind. Das chinesische Mädchen aus Malaysia ist auch hübsch, aber sie hat eine Dauerwelle, was bei chinesischen Haaren nicht gut aussieht. Vielleicht ist es auch genau andersherum. Sie sind nett zu mir, aber sie tuscheln und kichern die ganze Zeit, was nervt, wenn man nicht weiß, worüber sie kichern. Ihr Englisch ist grauenhaft.

Dann kommen Tomasz, Marta und Emanuel. Tomasz ist irgendein langweiliger Beamter, aber er hat sich eine Auszeit genommen, weil er sagt, dass er mit dem Erdbeerpflücken mehr Geld verdient – verrückt, oder? Er behauptet, er wäre ein Dichter, was natürlich höchst kultiviert wäre, aber dafür gibt es wenig Anhaltspunkte, es sei denn, man zählt die trübseligen Lieder, die er singt, wenn Jola in der Nähe ist. Außerdem ist er ziemlich alt, bestimmt über vierzig, und er hat so einen jämmerlichen kleinen Bart und Haare fast bis zu den Schultern, wie ein Hippie. *Koschmar!* Außerdem riecht er unangenehm.

Marta ist gebildet, sie spricht sogar ein bisschen Französisch, aber die römisch-katholische Schulbildung hat viel zu viele Regeln und Rätsel, und dafür fehlt es an praktischem Inhalt – es ist wie mit den Westukrainern. Und meine Mutter sagt, katholisch ist weniger kultiviert als orthodox. Marta ist nett und freundlich, aber sie hat eine große Nase. Wahrscheinlich ist sie deswegen mit dreißig immer noch nicht verheiratet.

Emanuel ist süß, aber er ist noch nicht mal achtzehn und auch katholisch, wobei er keinen unintelligenten Eindruck macht, und er hat immer diesen scheußlichen grünen Anorak an, auch wenn es gar nicht regnet. Er ist natürlich schwarz, aber das macht ihn nicht weniger kultiviert, denn jeder kultivierte Mensch weiß, dass Schwarze genauso kultiviert sein können wie alle anderen auch. Oft singt er beim Erdbeerpflücken. Er hat eine wundervolle Stimme, aber er singt immer nur Kirchenlieder. Es wäre schön, wenn er mal was Lustigeres singen würde.

Vitali ist undurchschaubar. Er gibt einem nie eine direkte Antwort. Manchmal verschwindet er, und keiner weiß wohin. Er muss intelligent sein, denn er spricht gut Englisch und mehrere andere Sprachen, aber seine Manieren sind etwas grob und er hat eine goldene Kette mit einem silbernen Taschenmesser um den Hals. Seine Augen sind dunkel und strahlend mit niedlichen gebogenen Wimpern, und sein Haar ist schwarz und lockig. Er sieht gar nicht schlecht aus, auf eine proletenhafte, lockige Art. Ich würde ihm sieben von zehn geben. Aber er ist nicht mein Typ. Vielleicht ist er Zigeuner.

Fast ganz unten ist Ciocia Jola (obwohl sie streng genommen nur Martas Tante ist, nennen wir sie alle Ciocia). Sie ist eine vulgäre Person mit einer Lücke zwischen den Schneidezähnen, und man sieht, dass sie sich die Haare färbt. (Meine Mutter färbt sich auch die Haare, aber bei ihr sieht man es nicht sofort.) Jola behauptet, dass sie früher Lehrerin war, im Kindergarten, was gar keine richtige Lehrerin ist, und außerdem behauptet sie, sie wäre hier die Vorarbeiterin, und spielt sich auf, was unangebracht und äußerst nervend ist. Sie tut gern ihre Meinung kund, und die ist meistens das Zuhören nicht wert.

Auf der untersten Stufe ist Andrij, Sohn eines Bergmanns aus dem Donezbecken. Leider sind Bergleute im Allgemeinen primitive Typen, für die es schwer ist, kultiviert zu sein, egal wie sehr sie sich anstrengen. Wenn er auf dem Feld arbeitet, kann ich seinen Schweiß riechen. Wenn es zu heiß wird, zieht er das Hemd aus und stellt seine Muskeln zur Schau. Okay, vielleicht wölben sie sich ganz hübsch. Aber er ist eindeutig nicht mein Typ.

Was mich angeht, ich bin neunzehn, und alles an mir ist noch im Werden. Dereinst flüssige Englischsprecherin. Hoffe ich. Dereinst romantisch Verliebte. Sind Sie bereit,

Mr. Brown? Dereinst weltberühmte Schriftstellerin (wie mein Papa). Ich habe schon angefangen, über das Buch nachzudenken, das ich schreiben werde, wenn ich nach Hause komme. Aber man braucht schließlich eine interessante Geschichte, oder? Etwas Interessanteres als ein paar Erdbeerpflücker, die in zwei Wohnwagen leben.

Mit schmalen Augen beobachtet Jola, wie die kleine Ukrainerin durch die Erbeerreihen schlendert, als hätte sie alle Zeit der Welt, um ihre Körbchen voll zu machen. Auf dem Erdbeerfeld ist es die Rangfolge beim Check-in, auf die es ankommt. Mehrmals am Tag zählt der Bauer die Tabletts mit den Körben durch, checkt sie ein, stapelt sie auf Paletten im Containerbau und schreibt auf, wer was verdient hat. Die Frauen verdienen im Allgemeinen weniger. Die Männer verdienen mehr. Der Vorarbeiter verdient natürlich am meisten.

Jola ist sowohl Anführerin der Gruppe als auch Vorarbeiterin. Als ehemalige Lehrerin verfügt sie über eine natürliche Autorität, und sie ist eine Frau der Tat. Sie glaubt fest daran, dass eine entspannte sexuelle Harmonie im Pflückerteam der Schlüssel zum Erfolg ist, und aus diesem Grund sieht sie es gern, wenn die Männer in der Sonne das Hemd ausziehen.

Sie sieht es nicht gern, wenn hinter ihrem Rücken genörgelt oder gelästert wird, vor allem nicht unter den Ukrainern, jetzt, wo zwei von ihnen da sind. Nicht dass sie etwas gegen Ukrainer hätte, aber sie ist der Überzeugung, dass der Höhepunkt der ukrainischen Zivilisation die kurze Zeit unter polnischer Herrschaft war, auch wenn die zivilisierende Wirkung dieser Zeit eindeutig zu kurzlebig und oberflächlich war. Um fair zu sein, dieser Ukrainer Andrij ist ein richtiger Kavalier und ein guter Pflücker, aber er ist ein bisschen launisch, und er denkt zu viel nach. Das tut den Männern nicht gut. Er sieht nicht übel aus, obwohl er natürlich viel zu jung für sie ist, denn sie gehört nicht zu der Sorte Frau, die einen Jungen verführt, der halb so alt ist wie sie, auch wenn sie in Zdroj ein paar solche Frauen kennt, aber davon wird später die Rede sein.

Ja, wenn es nur mehr so gute Pflücker gäbe. Keiner versteht die Probleme, mit denen sie sich herumschlagen muss, denn ihr Verdienst hängt nicht nur von ihrem eigenen Einsatz ab, sondern auch von der Leistung dieses nichtsnutzigen Teams, dessen Vorarbeiterin sie ist. Sie sagt ihnen – aber wer hört ihr schon zu? –, dass die Erdbeeren genau zum richtigen Zeitpunkt gepflückt werden müssen. Zu weiß, und der Bauer nimmt sie nicht. Zu reif, und die Abnehmer beschweren sich. Außerdem muss man sie richtig behandeln, sie sanft in den Korb legen, nicht schmeißen. Das sagt sie ihnen, aber sie machen einfach genauso weiter wie vorher. Wirklich, langsam ist sie zu alt für dieses Spiel.

Dies ist ihr zweiter Sommer als Vorarbeiterin, ihr siebter Sommer in England und der siebenundvierzigste Sommer ihres Lebens. Allmählich fängt sie an zu glauben, dass sie genug hat. In sieben Sommern hat sie fast fünfzig Tonnen Erdbeeren für den Knödel gepflückt, und mit dem Verdienst, zusammen mit dem Extrageld, das sie für zusätzliche Dienste privater Natur erhält, hat sie einen hübschen Bungalow kaufen können, drei Zimmer, am Rand von Zdroj, mit einem halben Hektar Garten, der bis hinunter zur Prosna geht, wo ihr Sohn Mirek nach Herzenslust spielen kann. In der Handtasche hat sie ein Foto von Mirek, er sitzt auf der Schaukel, die an einem blühenden Kirschbaum hängt. Ach, diese kleinen strahlenden Augen! Als er zur Welt kam, musste sie eine schwere Entscheidung treffen – ihren Beruf aufgeben oder ihn in ein Heim geben. Doch sie weiß, wie solche Heime aussehen, besten Dank. Dann hat ihr jemand in der Schule erzählt, dass sie Erdbeerpflücker für England anheuern, und ihre Schwester erklärte sich bereit, den Sommer über auf Mirek aufzupassen, und so hat sie die Chance wahrgenommen. Welche Frau der Tat mit begrenzten Möglichkeiten hätte nicht das Gleiche getan?

Letzten Herbst hat sie einen Teil des Erdbeergeldes in ein Paar masurische Ziegen investiert, und dieses Jahr hüpfen zwei schneeweiße Kitze im Garten herum, blöken und purzeln durcheinander, knabbern an den Dahlien und richten reichlich Chaos an.

An die Kitze hat sie auch gestern Abend gedacht, als sie im Stroh auf der Pritsche des Landrovers lag und an die schwankende Decke starrte, während der Knödel sich schnaufend auf ihr abmühte. Sie hatte in sich hineingelächelt und leise das Blöken nachgemacht, was der Knödel prompt mit Seufzern der Lust verwechselte.

Normalerweise bringt Jola ein Pflückerteam mit, das sie zu Hause in Zdroj anheuert, denn nachdem die Hutfabrik geschlossen wurde, gab es immer Leute, die dringend Geld brauchten, aber in diesem Jahr wollte keiner mitkommen, denn jetzt, wo Polen in Europa ist, warum sollte da jemand für diese Bezahlung arbeiten, wenn sich besseres Geld legal verdienen lässt? Drei Freundinnen, die erst mitkommen wollten, haben sie im letzten Moment hängen lassen, und so hat sie nur Marta und Tomasz mit nach England gebracht. Der Knödel musste zusätzliche Arbeiter finden, auf zwielichtigen Wegen, und dann hat er sogar angedeutet, er würde ihren Vertrag nicht verlängern. Das soll er sich nur trauen – mal sehen, was seine Frau dazu zu sagen hat.

Vorarbeiterin sein ist nicht so einfach, wie man vielleicht denkt. Sie muss sich mit allen möglichen Typen auseinandersetzen. Dieser Tomasz zum Beispiel, der ihr die ganze Zeit schöne Augen macht, was an sich nicht überraschend ist, denn sie wird gemeinhin für eine attraktive Frau gehalten, aber schließlich ist er zum Erdbeerpflücken hier, und nicht wegen anderer Aktivitäten, für die es in Polen weiß Gott genug Möglichkeiten gibt.

Oder Marta, ihre Nichte – deren heiligmäßiges Getue einem wirklich alle Religion verleiden kann.

»Geht es dir nicht gut, Ciocia?«, hat sie gefragt, als sie das erste Mal sah, wie Jola auf dem Boden lag, die wohlgeformten Beine ausgestreckt, mit geschlossenen Augen, und tief ein- und ausatmete.

»Ich lasse die Sonne in mich eindringen, damit sie mich von innen wärmt wie ein guter Ehemann. Warum versuchst du es nicht auch mal, Marta?«

»Wofür brauche ich die Sonne zum Ehemann?«, hat Marta naserümpfend gefragt. »Mich wärmt von innen der Geist des Herrn.«

Wahrscheinlich ist die übertriebene Frömmigkeit nicht Martas Schuld. Sie muss sie von ihrer Mutter haben, Jolas Schwester, die, auch wenn es sehr lieb ist, dass sie sich um Mirek kümmert, wirklich äußerst nervtötend sein kann. Es ist eine Sache, in die Kirche zu gehen und für die eigenen Sünden um Vergebung zu bitten, aber anderen Leuten ihre Fehltritte unter die Nase zu reiben, das ist etwas anderes.

Und wo wir gerade bei Nasen sind, natürlich ist es nicht Martas Schuld, dass ihre Nase so groß ist, aber vielleicht ist ihr Urteilsvermögen deswegen so schlecht, wenn es um Männer geht, denn sie scheint sich zu den unpassendsten Typen hingezogen zu fühlen und zu offenkundigen Sündern, wie Vitali zum Beispiel. Ja, Jola hat gesehen, wie Marta ihn auf dem Feld anschaut, und sie will nicht, dass das arme Mädchen ausgenutzt wird. Die Sorte Mann kennt sie zur Genüge. Mit so einem ist sie verheiratet gewesen.

Was die Neue angeht, Irina, die ist viel zu freigebig mit

ihrem Grübchenlächeln, und Jola hat auch bemerkt, dass der Knödel sie länger als nötig ansieht. Sie pflückt Erdbeeren, die mehr weiß als rot sind, und wenn Jola sie höflich darauf hinweist, wird sie frech, und sie rümpft die Nase, wenn Jola versucht, ihr die richtige Pflücktechnik beizubringen, die so geht: man muss die Erdbeeren mit der hohlen Hand von unten umfangen, nie mehr als zwei, wie die Hoden eines Mannes. Nicht quetschen, Irina!

Okay, ich gebe zu, dass ich nicht die schnellste Erdbeerpflückerin war, aber das brauchte ich mir nicht von der herrschsüchtigen polnischen Tante auf diese vulgäre Art sagen zu lassen.

Es war mein vierter Tag, und die Rücken- und Knieschmerzen, jedes Mal, wenn ich mich auf Erdbeerhöhe bückte, waren unerträglich. Und wenn ich mich wieder aufrichtete, knarrten und ächzten meine Knochen wie bei einer alten Frau.

Der junge Ukrainer tat heimlich Erdbeeren in meine Körbchen, wenn die Männerreihen und die Frauenreihen zusammenkamen, was nett von ihm war, aber ich wünschte, er würde mich nicht so anstarren. Einmal, als ich mich hinsetzte, um auszuruhen, setzte er sich neben mich und steckte mir eine Erdbeere in den Mund. Ich konnte sie ja schlecht ausspucken, oder? Aber er soll sich bloß nichts einbilden, ich bin nicht den ganzen Weg hierhergekommen, um meine Zeit damit zu vergeuden, die Annäherungsversuche eines Bergmanns aus dem Donbass abzuwehren.

Mir hat es gereicht, die Jungs in der Schule abzuwehren. Die meisten waren primitive Kerle, die einen die ganze Zeit begrapschen wollten – nicht sehr romantisch. Sie hatten nicht die leiseste Ahnung von zärtlichen Worten und galanten Gesten. Ich finde, jeder sollte erst mal *Krieg und Frieden* lesen, das romantischste Buch, das je geschrieben wurde, und auch das tragischste. Wenn Natascha und Pierre endlich zusammenkommen, löst das beim Lesen Gefühle von brennender Intensität aus. Das war die Art von Liebe, auf die ich wartete – nicht die schnelle Nummer hinter den Büschen, was alles zu sein schien, woran die Jungs interessiert waren.

»Liebe ist wie Feuer«, sagt meine Mutter immer, »ein kostbarer Schatz, aber kein Spielzeug.« Arme Mutter, langsam wird sie ältlich. Wie sie die Nase rümpfte und ihre Lippenstiftlippen spitzte, wenn wir an den Mädchen auf dem Kreschtschatik vorbeikamen. Die Mädchen auf dem Kreschtschatik hatten Miniröcke an, die nicht viel mehr waren als ein Streifen Stoff zwischen dem Bauchnabel und den Unterhosen, und sie lachten mit weit aufgerissenen Mündern, wenn die Jungs sie mit Bier vollspritzten. Auch wenn es romantischer ist, sich für den Richtigen aufzuheben, da war etwas Beunruhigendes, Wissendes an diesen aufgerissenen Mündern. Was wussten sie, das ich nicht wusste? Vielleicht würde ich es hier in England herausfinden, weit weg von den neugierigen Blicken meiner Mutter. Während ich seine muskulösen Arme ansah, als der Bergmann die Paletten stemmte, musste ich wieder daran denken. *Ich denke nur nach, Mutter. Nichts weiter.*

Oben, nach der Abzweigung nach Sherbury Down, gibt es einen Rastplatz, der versteckt hinter einer Pappelreihe liegt. Durch eine Lücke in der Hecke hat man von hier aus einen guten Blick auf das Feld. Mr. Leapish sitzt in seinem Landrover und genießt zufrieden die idyllische Aussicht. Die Männer, hat er beobachtet, liefern sich gern ein Rennen durch die Erdbeerreihen, während die Frauen fürsorglich sind und aufpassen, dass keine zurückbleibt. Aufgrund dieses Unterschieds weist Mr. Leapish den Männern die neuen Reihen zu und den Frauen die Reihen, wo die Männer schon gepflückt haben. Natürlich verdienen die Frauen dadurch weniger, aber das sind sie gewohnt von dort, wo sie herkommen, und sie beschweren sich auch nicht. Indem Leapish sozusagen mit den natürlichen Anlagen des Menschen arbeitet, gelingt es ihm, sowohl Produktivität als auch Ertrag zu maximieren. Er ist hochzufrieden mit seinen Managerqualitäten.

Weil es Samstag, Zahltag, ist und er später den Lohn auszahlen wird, sind seine Gedanken heute besonders auf arithmetische Dinge ausgerichtet. Acht Körbe pro Palette, ein halbes Kilo Erdbeeren pro Korb, achtzig Kilo pro Pflücker pro Tag im Durchschnitt, sechs Tage die Woche, über eine Saison von zwölf Wochen. Sein Hirn rattert mühelos im Arithmetikmodus. Sobald das Feld abgeerntet ist, ziehen sie weiter zu einem Feld unten im Tal, und dann, wenn die Pflanzen neue Früchte tragen, kommen sie wieder herauf. Die Pflücker kriegen 30 Pence pro Kilo, brutto. Jedes Kilo wird für zwei Pfund verkauft. Nicht schlecht. Alles in allem ist es kein schlechtes Geschäft, auch wenn er nicht so viel macht wie dieser Neuankömmling Tilley ein paar Kilometer weiter, mit seinen Folientunnelfeldern. Er würde auch mehr kriegen, wenn er an die großen Supermärkte verkaufen würde, aber er will nicht, dass irgendwelche Inspektoren bei ihm auftauchen, die Nase in die Wohnwagen stecken und neugierige Fragen stellen wegen der Beziehung zwischen Wendys Firma und seiner Firma. Das Schöne an der Sache ist, dass er die Hälfte von dem, was er an Lohn abdrücken muss, durch die Abzüge für den Unterhalt wieder reinholen kann. Und gleichzeitig verhilft er den armen Seelen zu ein bisschen Geld. So viel würden sie da, wo sie herkommen, nie verdienen. Das ist doch immerhin auch was.

Um Punkt eins wird er durchs Hoftor fahren, auf die Hupe drücken und zusehen, wie die Erdbeerpflücker ihre vollbeladenen Paletten packen und das Feld herunterkommen. Bei der Hitze sollte er eigentlich öfter kommen, um die Paletten einzusammeln und die Erdbeeren ins Kühlhaus zu bringen. Das muss man machen, wenn man für zwei fünfzig pro Kilo an die großen Supermärkte verkaufen will. Aber die örtlichen Tankstellen, die seine Abnehmer sind, stellen keine Fragen.

Vielleicht ist der junge Ukrainer schon da und wartet am Tor. Tüchtiger Kerl. Guter Pflücker. Harter Arbeiter. Er wünschte, sie wären alle so. Das neue Mädchen scheint ein ziemlich hoffnungsloser Fall zu sein, aber vielleicht wird noch was draus, wenn sie ihren Rhythmus gefunden hat. Sieht nett aus, aber nicht sehr entgegenkommend – in seinem Alter braucht er eine, die weiß, was sie tun muss, um den alten Motor in Gang zu bringen. Keine Ahnung, warum Vulk sie hergeschickt hat – er wollte noch einen Mann. Und jetzt will Vulk sie plötzlich zurück. Vielleicht hat er vor, sie bei einem seiner anderen kleinen Geschäfte einzusetzen. Na, mal sehen, wie sie sich beim Check-in anstellt. Falls sie nichts taugt, soll Vulk sie ruhig wieder abholen.

Nach dem Check-in gönnt er den armen Seelen eine halbe Stunde Mittagspause, das Essen hat er hinten im Landrover. Wie immer gibt es Weißbrot, Margarine und Scheibenkäse. Heute hat er gute Laune, denn er hat einen neuen Lieferanten gefunden, der ihm den Laib geschnittenes Weißbrot für 19 Pence verkauft. Bisher hat er 24 Pence dafür berappt. Acht Laib am Tag – zwei zum Frühstück mit Marmelade, zwei zum Mittagessen mit Scheibenkäse, und vier zum Abendessen mit Würstchen – über so viele Wochen, das summiert sich. Die Neue ist klein, und er schätzt, sie isst nicht viel, deswegen hat er die Verpflegung gar nicht erst aufgestockt, bis auf einen zusätzlichen Laib Brot. Seine Verköstigung, das hat er sich ausgerechnet, stellt bei minimalen Ausgaben eine vollkommen ausgewogene Diät sicher, mit Kohlehydraten, Proteinen, Zucker und Fetten, allen wichtigen Nährstoffen, die sie brauchen. Der Rohkostbedarf wird durch die Erdbeeren gedeckt, die sie natürlich während des Tages essen, was außerdem die Verdauung regelt. Bei anderen Bauern versorgen sich die Pflücker selbst, dafür sind die Erdbeeren verboten. Leapish hält sein System für kosteneffektiver. Sie haben die Erdbeeren nämlich ziemlich schnell satt. Ja, selbst mit der Kommission, die er Vulk zahlt, schätzt er, kommt er so besser weg.

Jeder Pflücker zahlt 49 Pfund pro Woche für Verpflegung, inklusive Tee, Milch, Zucker und so viel Erdbeeren, wie er essen kann (wo sonst auf der Welt lebt man für nicht mal fünfzig Pfund die Woche wie ein König?), und 50 Pfund Miete für einen Platz im Wohnwagen, was in diesem Teil des Landes mitten in der Hochsaison äußerst günstig ist. Vielleicht zu günstig. Vielleicht sollte er 55 Pfund verlangen. Wenigstens für den Männerwohnwagen. Der andere ist eher klein, das gibt er zu. Aber dafür hat der Frauenwohnwagen einen besonderen Platz in seinem Herzen.

Er sieht ihn an, wie er da oben auf dem Feld hockt wie eine dicke weiße Henne, und seine Augen werden feucht. Es ist der Wohnwagen, mit dem er und Wendy in die Flitterwochen gefahren sind, vor über zwanzig Jahren – ein Swift-Caravan, Modell Silhouette, das Allerneueste damals, mit extraviel Stauraum, Einbaumöbeln und einer voll ausgerüsteten Küche mit Gaskocher, kleiner Edelstahlspüle, einem Abtropfbrett mit abnehmbarer Arbeitsplatte und einem kleinen gasbetriebenen Kühlschrank – Wendy war ganz verliebt gewesen in die Küche. Der Campingplatz über den Klippen von Beachy Head. Spaghetti Bolognese. Eine Flasche

Piat d'Or. Das ausziehbare Doppelbett hatten sie gründlich eingeweiht.

Als sie vor sieben Jahren ins Erdbeergeschäft eingestiegen sind, war Wendy zuständig für die Wohnwagen. Sie hat eine eigene Firma gegründet für Verpflegung, Unterkunft und Beförderung der Pflücker – so kommt man um die bürokratischen Vorschriften herum, die die Nebenkostenabzüge einschränken. Da läuft doch was schief in diesem Land, ist seine bescheidene Meinung, überall Vorschriften, als wäre Profit ein schmutziges Wort – er hat schon zwei Leserbriefe an die *Kent Gazette* geschrieben. Ja, es war mehr als eine Ehe, es war eine echte Partnerschaft. Inzwischen liegen die Dinge natürlich anders. Schade, wirklich, aber so sind die Frauen. Eifersüchtige Ziegen. Und es ist ja nicht seine Schuld. Welcher Mann hätte anders gehandelt? Kein Grund, jetzt sentimental zu werden. Ja, für zwei war er groß genug, und zur Not haben eben auch vier darin Platz. Fünf? Na, anscheinend geht es ja, oder? Aber der Männerwohnwagen – ein feststehender Everglade, blassgrün, ein Caravan, wie er an Stellplätzen auf windgepeitschten Klippen mit Blick auf den Ärmelkanal zu Dutzenden vermietet wird – der war mal ein Luxusmodell, rosa Rüschenvorhänge aus Satin, Samtsitze, die inzwischen mehr bräunlich als rosa sind, und seit ein Rad verschwunden ist, ist er auf Ziegelsteinen aufgebockt. Wahrscheinlich sind das diese neuseeländischen Schafscherer gewesen, weiß Gott, wofür die ein Wohnwagenrad brauchten. Jede Menge Platz darin. 5 Pfund extra pro Mann, das wären 20 Pfund pro Woche. Er muss es Vulk ja nicht sagen. 20 Pfund pro Woche näher an der Erfüllung seines Traums.

Ja, obwohl Mr. Leapish ein praktischer Mensch ist, hat auch er einen Traum. Sein Traum ist es, den ganzen lieblichen, nach Süden geneigten, sonnigen Erdbeerhügel in Folie einzupacken.

Um sechs wurden die Schatten auf dem Feld länger. Als unten beim Tor der Bauer wieder auf die Hupe drückte, packte ich meine Palette mit Erdbeerkörben und trug sie zum Containerhaus.

»Wie viel hast du, Irina?«, fragte Ciocia Jola und steckte die Nase in meine Palette. Na gut, ich gebe es zu, ich hatte am ganzen Tag nur zwölf Paletten geschafft. Marta hatte neunzehn voll gemacht. Und Jola und die chinesischen Mädchen jeweils fünfundzwanzig – Sie müssten mal sehen, wie die auf die Erdbeeren losgehen. Aber sie waren auch viel kleiner als ich und mussten sich nicht so tief bücken. Die Männer hatten jeder fünfzehn Paletten allein am Nachmittag gefüllt, nach den fünfzehn vom Morgen. Auf jede Palette passten vier Kilo Erdbeeren. Ich sah dem Bauer an, dass er verärgert war. Sein Gesicht war rot und knollig, wie eine Erdbeere. Oder, wie Ciocia Jola sagen würde, wie ein Hodensack. Jedenfalls versuchte ich mir nichts anmerken zu lassen, als er sagte, dass ich heute vierzehn Pfund verdient hatte; das reichte kaum für die Kosten, die ich verursachte, ich würde mich bessern müssen. Er sprach langsam und sehr laut, als wäre ich taub und dumm zugleich, und wedelte dabei mit den Händen in der Luft herum.

»*Nix gut. Überhaupt nix gut. Du musst schneller pflücken. Alles voll machen. Voll. Voll.*« Er breitete die Arme aus, als wollte er seine bescheuerten Körbe umarmen. »*Hast du verstanden?*«

Nein, ich hatte nicht verstanden – sein Geschrei machte mich nervös.

»*Sonst setz ich dich auf die Straße.*«

»Straße?«

»*Auf die Straße. Ich setz dich auf die verdammte Straße. Kapiert?*«

»Verdammt auf Straße?«

»Nein, blöde Kuh, du *landest auf der Straße.«*
»Blöde Kuh auf Straße?«
»Oh, vergiss es!«
Er knallte meine Palette auf die Pritsche und scheuchte mich mit beiden Händen fort, eine ziemlich unkultivierte Geste. Ich merkte, wie mir die Tränen kamen, aber das würde ich ihn natürlich nicht merken lassen. Und Jola auch nicht, die hinter mir in der Schlange stand, mit ihrer vollen Palette und dem selbstgefälligen Zahnlückenlächeln. Dahinter stand Andrij, der mich grinsend anglotzte. Der konnte sich zum Teufel scheren. Gleichgültig schlenderte ich das Feld hinauf zum Frauenwohnwagen und setzte mich auf die Stufen. Sollten sie doch alle zur Hölle fahren.

Nach einer Weile hörte ich, wie der Landrover zum Tor hinausfuhr und auf der Straße davonknatterte. Eine angenehme Stille senkte sich über die Hügel. Selbst die Vögel machten eine Pause. Die Luft war noch warm und roch süß nach Geißblatt. Ein Abend wie dieser war ein Geschenk, über das man sich freuen sollte, dachte ich, ich würde ihn mir nicht verderben lassen. Der Himmel war blass und milchig und im Westen schimmerten leuchtende Streifen silberner Wolken – ein echt englischer Himmel.

Vitali und Andrij hatten sich, jeder mit einer Dose Bier, auf den Rücksitz von Vitalis Wagen gesetzt – der Rest seines Wagens befand sich offenbar irgendwo in der Nähe des Autobahnkreuzes Canterbury und vergammelte auf der Böschung. Typisch Vitali. Tomasz war auf das Feld nebenan verschwunden, um nach seinen Kaninchenfallen zu sehen. Emanuel saß mit einer Schüssel Erdbeeren vor dem Männerwohnwagen auf einer Kiste und schrieb einen Brief. Die chinesischen Mädchen hatten sich in Martas Bett gekuschelt und lasen ihr Horoskop. Marta hatte schon den Gaskocher unter der Pfanne mit Würstchen angemacht, und der Geruch, der sich in unserer kleinen Hütte ausbreitete, war appetitanregend und ekelhaft zugleich. Jola duschte. Ich legte mich kurz auf ihr Bett. Ich war so müde, dass jede Faser meines Körpers wehtat. Ich würde mich nur kurz ausruhen, bevor es Abendessen gab.

ICH BIN HUND ICH LAUFE ICH LAUFE ICH TÖTE KANINCHEN ICH FRESSE KANINCHEN ICH LECKE BLUT TUT GUT BAUCH VOLL TUT GUT ICH FINDE FLUSS ICH TRINKE WASSER ICH TRINKE SONNE WARM ICH STRECKE MICH KOPF AUF DEN PFOTEN IN DER SONNE ICH SCHLAFE ICH TRÄUME ICH TRÄUME VON TÖTEN ICH BIN HUND

Für Marta ist unser täglich Brot eine Gabe Gottes, die mit Ehrfurcht zubereitet werden muss, und die gemeinsame Mahlzeit ist ein Sakrament. Daher gibt sie stets ihr Bestes, den Erdbeerpflückern ein erfreuliches Abendessen zu kochen, und weil heute Emanuels achtzehnter Geburtstag ist, gibt sie sich besondere Mühe, aus den wenig versprechenden Zutaten, mit denen sie der Bauer versorgt, etwas zu zaubern.

Die Würstchen in der Pfanne haben bereits eine leuchtend rosa Farbe angenommen und schwitzen eine graue, ölige Substanz aus, in der das Brot brutzelt, das Marta in Streifen geschnitten und zusammen mit ein paar Kartoffeln, die Vitali am Straßenrand gefunden hat, in die Pfanne gegeben hat. Ganz zum Schluß wird sie ein paar Pilze und ein paar grüne Bärlauchblätter aus dem Wald dazugeben. Das restliche Brot hat sie zerbröselt und mit blasslila Thymianblüten und zwei Taubeneiern vermengt, die Tomasz gefunden hat, und Knödel daraus geformt. Sie sieden munter in einem Topf. Marta brät alle Würstchen – die der Frauen und die der Männer. Warum? Weil polnische Frauen gute Frauen sind, darum.

Ciocia Jola steht unter der Dusche und bereitet sich auf eine weitere sündige Nacht mit dem Bauern vor. Anscheinend hat die Sonne das Wasser in der Tonne schön erwärmt, denn Ciocia Jola singt, während sie sich mit parfümierter Seife wäscht, ein Lied ohne Melodie und ohne Worte. Ciocia Jola kann nicht sehr gut singen.

Plötzlich klopft es an die Wohnwagenwand, und eine Stimme meldet sich auf Polnisch. »Werte Damen, ich habe hier eine kleine Gabe, mit der ihr das Abendessen bereichern könnt.« Es ist Tomasz, der ein blutiges Kaninchen hochhält. »Vielleicht mag die liebliche Jola diesen kleinen Beweis meiner Zuneigung annehmen.«

»Leg es vor die Tür, Tomek«, ruft Jola von unter der Dusche. »Ich bin gleich fertig.«

»Willst du, dass ich es abziehe?« Erwartungsvoll blickt er in Richtung Dusche. In der Plastikplane sind ein paar Löcher, aber sie sind an den falschen Stellen.

»Schon gut. Lass es hier. Ich weiß, wie man das macht«, sagt Marta.

Seufzend nimmt sie das tote Kaninchen entgegen und streichelt über sein weiches Fell. Armes kleines Geschöpf. Aber Marta hat bereits ein feines Rezept im Kopf, mit dem sie es in die andere Welt hinüberschicken wird. Tomasz drückt sich immer noch vor der Tür herum und wird kurz darauf belohnt, als Jola nur mit einem Handtuch bekleidet aus der Dusche kommt.

»Hau ab, Tomek«, sagt sie. »Was hängst du hier herum wie ein übler Geruch? Wir sagen dir schon, wenn das Essen fertig ist.«

Er wandert über das Feld davon.

Marta findet, auch wenn er ein komischer Kauz ist, wäre

ihre Tante mit einem anständigen, ernsthaften Kerl wie Tomasz besser dran als mit all ihren Exmännern und den möglichen Ehemännern in spe, auf die sie es sonst abgesehen hat. Aber Ciocia Jola hat ihre eigenen Vorstellungen, von Männern genau wie von allem anderen.

Marta nimmt das Kaninchen, greift nach einem scharfen Messer und schneidet ihm mit einem gezielten Schnitt den pelzigen Bauch auf. Sie zieht ihm das Fell ab und schneidet es in kleine Stücke, die sie mit ein wenig Würstchenfett in eine Pfanne gibt, dann fügt sie ein paar Bärlauchblätter und wilden Thymian hinzu. Ein herrlicher Duft zieht über das Feld. Zum Schluss wirft sie Bratwürstchen, Pilze und Kartoffeln mit in die Pfanne und kippt eine Dose von Vitalis Bier darüber, als Fond für eine köstliche Soße. Sie probiert mit der Zungenspitze und schließt die Augen, erfüllt vom Glück einer guten polnischen Frau.

Andrij und Emanuel haben auf der kleinen Wiese oben am Feld ein Lagerfeuer gemacht. Im Wäldchen gibt es jede Menge trockenes Holz und Reisig, aber trotzdem wird mächtig gepustet und gefächelt, bis das Feuer entfacht ist. Als es endlich in Gang kommt und der erste Rauch abgezogen ist, stellen sie Kisten und Baumstümpfe und den alten Autositz im Kreis um das Feuer auf. Die chinesischen Mädchen bringen Teller und Besteck (das Geschirr reicht nur für sechs, ein paar Leute müssen teilen oder improvisieren). Emanuel hat eine riesige Schüssel Erdbeeren gepflückt, die Marta mit kaltem Tee, Zucker und wilder Minze mariniert. Es wird immer schwieriger, den Erdbeergeschmack zu vertuschen, stellt sie fest, damit sie für die Pflücker genießbarer sind. Diesmal wird sie sie mit Weißbrotscheiben in eine Schüssel schichten, als Geburtstagspudding statt einer Torte für Emanuel, den sie besonders ins Herz geschlossen hat. Kerzen gibt es nicht, aber dafür werden später die Sterne herauskommen.

Emanuel sieht zu, wie Tomasz die Gitarre stimmt. Dann hält Tomasz ihm die Gitarre hin und zeigt ihm ein paar Griffe. Vitali holt seinen Biervorrat heraus, und seine Kasse. Ciocia Jola hat die Unterhose mit der lila Schleife von der Wäscheleine angezogen, einen kurzen Rüschenrock und eine tief ausgeschnittene Bluse. Alles für ihren Liebhaber. Marta versteht nicht, was ihre Tante an dem Bauern findet. Knödel nennt sie ihn. Er ist eher ein Fettkloß. Wenn sie schon Unzucht treibt, könnte sie sich doch einen attraktiveren Mann aussuchen. Aber Gott wird ihr zweifellos vergeben. So ist er eben.

Das chinesische Mädchen Nummer eins schlägt mit einem Löffel gegen einen Topf wie auf einen Gong, und alle versammeln sich um das Feuer und freuen sich auf Martas Festmahl.

Unten im Tal schimmern sommerliche Dunstschleier in den Baumwipfeln und die Schatten fließen ineinander. Das kristallklare Licht des Tages wird weich und gedämpft, als würde es durch mehrere Lagen Seide scheinen. Die Silberstreifen der Wolken haben sich rosa gefärbt, aber noch ist der Himmel hell, und es wird noch eine Stunde dauern, bis die Sonne die Baumkronen erreicht. Es ist fast Mittsommer. Ein Drosselmännchen sitzt auf dem Ast einer Esche im Wäldchen und singt sich das Herz aus dem Leib, und von der anderen Seite des Wäldchens antwortet seine Gefährtin. Das ist das einzige Geräusch, das die Stille stört, bis auf einen bellenden Hund im Wald, weit weg.

Ein Abend wie dieser ist eine Gottesgabe, denkt Marta, als sie ein Dankgebet zum Himmel schickt. Dann kann das Fest beginnen.

Nur Irina fehlt. Andrij macht sich auf die Suche und findet sie schlafend im Wohnwagen. Sie hat die Hände unter dem

Kinn gefaltet, und auf ihren Wangen zeichnen sich zwei rosige Kreise wie Rosenblätter ab. Ihre Lippen sind leicht geöffnet. Die orange Schleife hat sich gelöst, und lose Strähnen ihres dunklen Haars ergießen sich über das Kissen. Er sieht sie einen Moment lang an. Wirklich, für ein ukrainisches Mädchen ist sie nicht übel.

»Aufwachen. Essen ist fertig.«

Beinahe hätte er gesagt: »Aufwachen, meine Süße.« Aber wieso sollte er so was sagen? Glücklicherweise bleiben die Worte stecken, bevor sie ihm über die Lippen kommen und es peinlich wird. Irina gähnt, streckt sich und reibt sich die Augen. Dann rollt sie sich aus dem Bett, noch etwas wackelig vom Schlaf. Er reicht ihr die Hand, um ihr aus dem Wohnwagen zu helfen, und sie stützt sich kurz auf ihn, dann zieht sie die Hand weg.

Die Erdbeerpflücker sitzen im Kreis und reichen die dampfenden Teller weiter: Klöße, geschmortes Kaninchen mit Würstchen und geröstetem Brot, Bärlauch, Pilzen und Kartoffeln. Der köstliche Duft aus den Schüsseln kommt ihm vor wie ein Wunder. Er zittert beinahe vor Erwartung; er hat einen Bärenhunger. Nachdem Marta das Gebet gesprochen hat, verkauft Vitali jedem eine oder mehr Dosen eines besonders guten Lagers zu besonders günstigem Preis. Zuerst essen sie schweigend, lauschen den Vögeln und sehen dem magischen Lichterspiel am Himmel zu, während die Sonne zum Horizont sinkt. Nach einer Weile fangen sie an zu reden, ein Durcheinander von verschiedenen Sprachen.

Andrij sitzt auf einem niedrigen Baumstumpf neben Irina und beobachtet sie aus den Augenwinkeln. Ihm gefällt die Art, wie sie isst, die Begeisterung, mit der sie sich das Essen in den Mund schiebt und nur von Zeit zu Zeit innehält, um sich das Haar aus dem Gesicht zu streichen.

Er beugt sich zu ihr und flüstert ihr ins Ohr: »Und, hast du zu Hause einen Freund?«

Sie dreht den Kopf, sieht ihn kühl an. »Ja, habe ich, natürlich. Er ist zwei Meter groß und er ist Boxer.«

»Wirklich?«

»Natürlich.«

»Wie heißt er denn?«

»Er heißt Attila.«

Sie sieht gar nicht aus wie der Typ, die einen Boxer zum Freund hat, aber Frauen sind bekanntlich unberechenbar, und er hat gehört, dass die feinsten Damen sich manchmal von den brutalsten Kerlen angezogen fühlen. Vielleicht hat er doch eine Chance bei ihr.

Links neben ihm macht Tomasz einen ähnlichen Versuch. Auf Vitalis Autositz rückt er näher an Jola heran und schnurrt: »Wartet daheim in Polen jemand auf dich, schöne Jola?«

»Was geht dich das an?«, antwortet Jola kurz.

»Ich wollte nur sagen, wenn es so jemanden gibt, dann ist er ein glücklicher Mann.«

»Nicht so glücklich, wie du denkst. Was weißt du schon vom Glück?«, zischt sie. »Halt lieber den Mund, Herr Poet, wenn du nicht weißt, wovon du redest.«

Auf der anderen Seite versuchen Emanuel und das chinesische Mädchen Nummer zwei herauszufinden, woher der andere kommt. Emanuel erfährt, dass sie seltsamerweise nicht aus China ist, und sie erfährt, dass er aus Afrika ist, was alle schon wussten. Dann drängt Vitali ihnen noch ein Bier auf, aber Marta mischt sich ein und rügt ihn sanft, dass er Emanuel ausnutzt, der zu jung ist und offensichtlich schon genug getrunken hat. Das chinesische Mädchen Nummer zwei fängt heftig zu kichern an und bald kichern sie alle, sogar Marta.

Dann holt Tomasz die Gitarre heraus und fängt an, schreckliche gereimte Lieder zu singen, die er selbst komponiert hat, von einem Mann, der auszieht, um die Frau seiner Träume zu finden.

Jola sagt, er soll den Mund halten.

Andrij fragt Irina: »Singst du uns was vor, Ukrainka?«

Wieder sieht sie ihn kühl an. »Warum fragst du nicht Emanuel?« Und damit schlägt sie die Zähne in ein Stück Fleisch.

Hm. Er scheint nicht weiterzukommen bei diesem Mädchen.

Liebe Schwester,
ich wünschte, du wärest hier, denn in Kent sind die Erdbeeren noch erlesener als die Erdbeeren von Zomba.

Heute, am Tag meines achtzehnten Geburtstags, haben wir eine vorzügliche Party veranstaltet. Mein Mzungu-Freund Andree und ich haben ein großes Lagerfeuer gemacht, das wir mit fieberhaftem Hecheln und Fächeln zum Rauchen brachten, und es gab ein erlesenes Mahl, gekocht von Marter, einer herzensguten Katholikin, aber sie ist noch nicht zum Himmel aufgefahren, und nach dem Essen saßen wir auf dem Hügel und betrachteten den herrlich schönen Sonnuntergang (aber nicht so herrlich schön wie die Sonnuntergänge in Zomba), und die Sonne versank wie eine feuerige Scheibe, und der erste Stern strahlte am Firment wie ein Diamant, und mit der Dunkelheit wurde es kühler in den Hügeln. Und als unsere Herzen geöffnet waren, begann ein jedes zu singen.

Der polnische Mzungu namens Tomasch besitzt eine Gitarre, die von größtem Interesse für mich ist, und er sang die Ballade von einem Mann mit einem Tamburin. Dann sangen die beiden Chinamädchen in hohem Sopran ein unaussprechliches Lied von großer Schönheit. Das Ukrainermädchen sang auch, süß, mit choraler Begleitung von Andree, der sie eifrig betrachtete. Dann sang Marter ein Loblied, mit der Hilfe ihrer Tante. Und ich sang mein Lied Veni, Veni, Emanuel, *das Schwester Theodosia mich gelehrt hat. Und am Ende sangen alle* Happy Birthday lieber Emanuel, *und so erfuhr ich, dass dieses vorzügliche Lied nicht nur auf Englisch, sondern auch auf Ukrainisch, auf Polnisch und auf Chinesisch bekömmlich ist!!! Vereint durch die Musik spürten wir alle das Leuchten dieser Nacht.*

Ich hatte zwei Dosen Bier getrunken, was mehr ist, als ich gewohnt bin. Immer wenn sich jemand ein Glas Alkohol einschenkte, stimmte Mutter ihren Predigerton an und sagte: »Irina, eine betrunkene Frau ist wie eine von Mehltau befallene Rose.« Aber wir alle hatten zu viel getrunken, sogar Marta. Jetzt kümmerte sich Marta um den Abwasch. Jola sollte ihr eigentlich helfen, aber sie war verschwunden. Die chinesischen Mädchen hatten jede zwei Bier getrunken und sich in den Wohnwagen zurückgezogen – die Mücken machten ihnen zu schaffen. Emanuel hatte acht Bier getrunken, und dann hatte er sich neben der Glut ausgestreckt und war eingeschlafen. Tomasz hatte sechs Bier getrunken und sich die ganze Zeit beschwert, dass er viel lieber ein Glas guten georgischen Wein gehabt hätte, und jetzt schrammelte er noch so ein deprimierendes Klagelied vor sich hin, darüber, wie sich die Zeiten ändern. Vitali sammelte die leeren Dosen ein und zählte seine Einnahmen. Andrij hatte mindestens acht Bier intus, und als ich seine Hand von meinem Knie wegstieß, stand er auf und wanderte schwankend über das Feld davon. Ein betrunkener Bergmann ist nicht sehr anziehend.

Kaum war die Sonne untergegangen, wurde die Luft kühl

auf meinen nackten Armen und Beinen, und so ging ich in den Wohnwagen, um mir ein Sweatshirt und Jeans anzuziehen. Drinnen saß Jola, die sich ihr gefärbtes Haar kämmte und billigen pinkfarbenen Lippenstift auftrug für ihr Rendezvous mit dem dicken Bauern. Ständig sprang sie auf und rannte zum Fenster wie ein hysterischer Pudel. Auf einmal japste sie: »Seht mal, Mädchen. Wir haben Besuch.«

Sie zeigte zum Fenster hinaus. Statt des Landrovers war am Fuß des Feldes eine riesige schwarze Mafiakutsche vorgefahren. Mir blieb fast das Herz stehen. Es war wie ein Schlag in den Magen. Die Autotür ging auf, und ein bulliger, schwarzgekleideter Typ stieg aus. Ich erkannte ihn selbst aus der Entfernung.

Vulk sah sich um, dann bahnte er sich ungeschickt den Weg durch das Feld, wobei er büschelweise Erdbeeren zertrat. Ich dachte gar nicht erst nach. Ich sprang einfach auf und stürzte, ohne mich umzusehen, hinaus. Dann schlüpfte ich durch die Lücke in der Hecke und lief in den Wald. Mein Herz klopfte wie wild. Mit eingezogenem Kopf rannte ich hinter der Hecke entlang, weg von den Wohnwagen, und tauchte zwischen den Bäumen unter. Dort kauerte ich mich ins dichte immergrüne Gebüsch und lauschte. Ich hörte Stimmen, Männer- und Frauenstimmen, aber ich verstand nicht, was gesagt wurde. In meinen Ohren rauschte das Blut so laut, dass ich meine eigenen Gedanken nicht hörte. Es war wie ein Alptraum, so einer, wo einen das eigene Herzklopfen weckt. Bumm bumm. Doch als ich die Nägel in meine Handflächen grub, war der Schmerz real.

Nach einer Weile kam Jola heraus auf das Feld und rief meinen Namen.

»Irina? Irina? Komm, Mädchen, hier ist gutaussehender Männerbesuch für dich.«

Diese Frau ist so grässlich. Warum geht *sie* nicht mit, wenn sie Vulk so toll findet? Wahrscheinlich ist er genau ihr Typ. Reglos blieb ich sitzen, hielt die Luft an, bis Jola aufgab und zum Wohnwagen zurücktrottete. Dann endlich atmete ich aus. Aber ich rührte mich immer noch nicht. Es war wie ein Geduldsspiel zwischen ihm und mir. Ein paar Zentimeter vor meiner Nase hing eine Spinne von einem Zweig herunter und webte ihr Netz. Ich sah zu, wie sie sich auf einen Ast weiter unten fallen ließ, dann an ihrer seidenen Leiter wieder hinaufkletterte, mit Feuereifer den dicken Leib auf den Spinnenbeinchen hochwuchtete. Schließlich setzte sie sich in die Mitte des Netzes und wartete, dass ihre Beute an den Fäden zupfete.

Ich hörte Vulks Stimme. Er stand an der Hecke. »Kleinerr Blume! Komm, kleinerr Blume! Komm!«, rief er.

Diese schmierige Stimme. Mir wurde schlecht. Aus meinem Versteck konnte ich nichts sehen, aber vor meinem inneren Auge sah ich, wie sein Pferdeschwanz hin und her zuckte.

»Komm! Komm!«

Ich hielt die Luft an. Mein Herz klopfte so laut, dass ich mir sicher war, er müsste es hören, als er an der Hecke auf und ab ging. Seine Schritte auf dem Erdboden waren schwer. Knirsch. Knirsch. »Kleinerr Blume! Kleinerr Blume!«

Dann stieg mir der widerlich vertraute Geruch in die Nase. Er hatte sich eine Zigarre angezündet. Offensichtlich stand er neben der Hecke und rauchte. Paff. Paff. Ich sah ihn nicht, aber ich roch, dass er ganz in der Nähe war. Meine Muskeln verkrampften sich, und mein Atem ging schnell und flach, wie in einem Alptraum, wenn man weglaufen will, aber sich nicht bewegen kann. Ich wusste nicht, wie viel Zeit verging. Es wurde langsam dunkler. Irgendwann verflog der Zigarrengestank. War es sicher, aus meinem Versteck herauszukommen? Gerade als ich aufstehen wollte, hörte ich wieder Stimmen. Er war beim Wohnwagen. Ich spitzte die Ohren. Ich verstand nicht, was sie sagten, aber ich hörte Jolas vulgäres Lachen, und dann, nach einer Ewigkeit, das Geräusch, auf das ich gewartet hatte – den Motor der Mafiakutsche.

Mit einem Scheppern schloss sich das Tor, und das Motorengeräusch verlor sich in der Ferne.

Es war fast finster, als ich endlich wagte, aus meinem Versteck zu kommen und in die Helligkeit des Wohnwagens zurückzukehren.

»Da bist du ja!«, rief Marta. »Ich habe mir solche Sorgen gemacht.«

»Da bist du!« Jolas Stimme war vorwurfsvoll. Sie sah mich von oben bis unten an, dann zwinkerte sie mir vulgär zu. »Du hast heimlicher Liphaber.« Sie sagte es auf Englisch, damit die chinesischen Mädchen auch etwas davon hatten. »Schöner Mann sucht nach dir.«

»Schön ist er nicht.« Ich verzog das Gesicht.

Die chinesischen Mädchen lachten.

»Schön genug«, sagte Jola. »Kein Glatzkopf. Viel gute Haare.«

»Zu lang. Sieht aus wie Frauenhaare«, sagte das chinesische Mädchen Nummer eins, »wie To-mah.« Und dann kicherten beide wie irre.

»Er hat Blumen«, sagte Jola.

»Blumen? Wofür?« Bei der Vorstellung, dass Vulk mir Blumen brachte, drehte sich mir der Magen um.

»Blume in der Hand für dich. Hihi.« Das chinesische Mädchen Nummer zwei schlug lachend die Hände vor den Mund. »Pink Blume. Pink. Blume für Liebe.« Als würde Pink irgendetwas besser machen. Die dachten alle, das Ganze wäre ein Witz.

»Ich will seine Blumen nicht«, sagte ich mit gespielter

Gleichgültigkeit. Ich war so erleichtert über meine geglückte Flucht. Das Letzte, was ich wollte, war eine Erinnerung an die schreckliche Reise, die kalten Pommes, die Übelkeit, die Angst. »Der Mann ist nicht nur zu alt, er ist auch sehr hässlich und höchst unkultiviert.«

»Wir sind alle Gottes Geschöpfe«, sagte Marta vorwurfsvoll. Ich schätze, ihr hat noch nie jemand Blumen geschenkt, wegen ihrer großen Nase. Sie ist ein sehr lieber Mensch, aber manchmal übertreibt sie es mit der Religion, finde ich.

Andrij hat mindestens acht Dosen Bier getrunken, und jetzt steht er mit dem Rücken zum Feld, pinkelt und konzentriert sich auf das angenehme Gefühl, mit dem warmen Strahl auf die störrischen Nesseln zu zielen, die am Fuß der Hecke wachsen. Ein Stängel biegt sich unter dem Strahl, dann springt er zurück. Andrij zielt und trifft wieder. Der Stängel biegt sich, doch er knickt einfach nicht ab. Die gezackten Blätter glitzern frech, als er den Reißverschluss zumacht. Später bist du dran, verspricht er der zähen kleinen Pflanze.

Als er im trügerischen Dämmerlicht zum Wohnwagen zurückgeht, hat er plötzlich eine Vision von unglaublicher Schönheit. Ist er so betrunken oder träumt er schon? Diese üppigen Proportionen, diese sinnlichen Kurven, diese geheimnisvolle Schönheit, feurig und willfährig, monströs und vollkommen. Er streckt die Hand aus, seine Finger zittern. Ja, sie ist Wirklichkeit. Er streichelt über ihren schimmernden Körper, schwarzer Lack und Chrom. Er geht um sie herum. Ja, sie ist vollkommen, von allen Seiten.

Und ihr Innenleben? Er probiert die Beifahrertür. Nicht abgeschlossen. Er steigt ein, klettert auf den Fahrersitz, sinkt in das weiche, feste, nach Tabak duftende Leder. Was für eine Höhe. Was für eine Kraft. Er fasst das lederbezogene Lenkrad an. Er streicht über das Armaturenbrett. So viele

Anzeigen. Er tritt auf die Kupplung. Legt einen Gang nach dem anderen ein. Die Schaltung ist butterweich. Er probiert das Brems- und das Gaspedal. Sie sind fest, und nachgiebig. Er sucht nach dem Zündschlüssel. Nicht da. Er sieht im Handschuhfach nach. Tastet darin herum. Da ist etwas – es ist schwer, kalt. Kein Schlüssel. Eine Kanone. Himmel Arsch!

Er nimmt die Waffe heraus, wiegt sie in der Hand, dreht sie um. Seine Finger schließen sich um den Kolben. Er spürt die Bedrohung, die von der Waffe ausgeht. Öffnet die Trommel – warum sind nur noch fünf Patronen darin? Was ist mit der sechsten passiert? Ohne genau zu wissen warum, nimmt er den Revolver an sich und lässt ihn in seiner Hosentasche verschwinden. Das Gewicht zerrt an seinem Gürtel. Es fühlt sich gut an, so nah, aber doch vor Blicken verborgen. Dann steigt er aus dem Fahrzeug und schließt leise die Tür.

Als er zum Lagerfeuer zurückkommt, stellt er fest, dass die Frauen schon reingegangen sind. Emanuel schläft. Vitali ist verschwunden. Tomasz singt sich selber traurige Lieder vor. Andrij beschließt, der verflixten Nessel noch eins zu verpassen, bevor er ins Bett geht. Als er im Schatten zwischen dem Männerwohnwagen und der Hecke steht, beobachtet er, wie der Besitzer des schwarzen Geländewagens das Feld herunterkommt und sich ans Steuer setzt. Selbst im Dunkeln kann Andrij erkennen, dass er ein abstoßender Typ ist. Was für eine Verschwendung. Und die Kleinigkeit mit der Waffe – wofür braucht dieser Kerl eine Waffe?

Dann überstürzen sich die Ereignisse, und im Chaos von Licht und Dunkel und zu viel Bier geht alles so durcheinander, dass Andrij später nicht genau sagen kann, was eigentlich passiert ist.

Kaum hat die Dämmerung die Rücklichter des Geländewagens verschluckt, wird die Stille des Tals von einem anderen Motorengeräusch zerrissen. Zuerst denkt er, es ist der Bauer in seinem Landrover, aber das Dröhnen ist lauter, tiefer, und hat einen aufregenden pulsierenden Unterton. Er geht ans Tor, um dem Wagen nachzusehen, wenn er vorbeischießt. Doch der Wagen bremst, das Tor geht auf, und der rote Ferrari braust herein, mit geöffnetem Verdeck und gleißenden Scheinwerfern. In Andrijs Kopf dreht sich alles. Zweimal am selben Abend. Das muss ein Traum sein. Und dann steigt die Blondine aus dem Ferrari.

Vielleicht ist sie etwas reifer, als er sich vorgestellt hat, aber das verwirrende Licht kann einem alle möglichen Streiche spielen. Außerdem ist sie groß, größer als er, mit blondem Haar, das sie oben auf dem Kopf zu einem unordentlichen Nest zusammengesteckt hat. Sie trägt eine enge weiße Hose, die das grelle Scheinwerferlicht auffängt und ihre Figur betont, die vielleicht nicht ganz so wohlgeformt ist, wie er gedacht hat, sie ist eher eine Limousine als ein Sportwagen, aber trotzdem, es ist unverkennbar die blonde blauäugige *angliska rosa*. Sie macht ein paar Schritte, ohne ihn im Schatten des Wohnwagens zu bemerken, und steigt das Feld hinauf.

»Lawrence!«, schreit sie mit einer Stimme, die messerscharf ist vor Wut. »Lawrence, wo bist du? Komm raus, du Dreckskerl!«

Ihre Worte hallen durchs Tal und werden mit Schweigen beantwortet.

Trotz der anfänglichen Enttäuschung überlegt Andrij, dass er die Chance nutzen sollte, und sei es auch nur um des Ferraris willen. Immerhin ist dies eine magische Nacht, in der sich schon zwei erstaunliche Dinge ereignet haben und alle möglichen geheimnisvollen Ereignisse und Verwandlungen geschehen können. Und so tritt er aus dem Schatten und breitet beschwichtigend die Arme aus.

»Lady ...«
Sie fährt herum.
»Und wer bist du?«, bellt sie. Wirklich, ihre Stimme ist auch nicht so, wie er sie sich vorgestellt hat.
»Lady ...«
Auf einmal lässt ihn sein Englisch im Stich. Und daher tut er etwas, das er in der Ukraine bei alten Männern gesehen hat, aber nie im Leben selber getan hat, etwas, das ihm normalerweise viel zu peinlich wäre, schon allein der Gedanke daran; aber jetzt scheint es genau das Richtige zu sein. Andrij greift nach ihrer Hand, hebt sie an die Lippen und küsst sie.
Seine Geste zeigt sofortige Wirkung. Die *angliska rosa* reißt ihn an sich und küsst ihn stürmisch auf den Mund. Das ist eine angenehme Überraschung. Er weiß, dass Frauen ihn nicht unattraktiv finden – na ja, jedenfalls hat er in der Vergangenheit den einen oder anderen Erfolg gehabt –, aber noch nie hat die Magie so unmittelbar gewirkt. Jetzt lehnt sie sich zurück auf die Haube des Ferraris, zieht ihn zu sich herunter und küsst ihn energisch. Ihre Lippen sind warm und schmecken nach Whisky. Ihr Körper ist weich und fest zugleich, genau wie die Polster des Geländewagens.
»Dann eben du, Süßer.« Sie reißt ihm das Hemd auf. Was ist eigentlich hier los? Ist das ein typisch englischer Ausbruch der Leidenschaft? Mit einem weiteren kleinen Anflug von Enttäuschung stellt er fest, dass es gar kein Ferrari ist, auf dem sie liegen, sondern nur ein Honda (aber immerhin ein Sportwagen, und ein roter), und der Mund der *angliska rosa* ist hartnäckig und dominant und erinnert ihn irgendwie an ... ja, an seinen ersten Kuss. Vagvaga Riskegipd, wie sie auf dem Flur der Sheffielder Stadthalle rittlings auf ihm saß und ihm zielstrebig die Zunge zwischen die Lippen presste. Diese Angliski-Frauen!

Dann hört er noch ein Motorengeräusch, ein Wagen fährt auf das Feld, aber als er sich umsehen will, reißt sie seinen Kopf zu sich herunter und drückt ihren Mund auf seinen. Ihre Zunge arbeitet hektisch. Das Nächste, was er hört, ist Jola, die oben auf dem Hügel steht und herunterschreit: »Knödel! Knödel! Pass auf!«

Er stemmt sich gegen die Umklammerung der Blonden, hebt den Kopf und sieht, dass der Bauer neben seinem Landrover steht und herüberstarrt. Er sieht nicht glücklich aus. Fest im Griff der Blonden auf der Motorhaube, beginnt Andrij sich zu fragen, ob es klug gewesen ist, sich auf die Leidenschaft dieser unberechenbaren *angliska rosa* einzulassen.

»Was zum Henker! Du Schlampe! Du dreckige Schlampe!«

Der Bauer marschiert auf sie zu. Die *angliska rosa* sieht über Andrijs Schulter und macht mit der freien Hand – nicht der, mit der sie an Andrijs Hosenstall herumfummelt, der anderen – eine Geste mit zwei Fingern in seine Richtung. Andrij versucht, den Augenblick zur Flucht zu nutzen, aber die Blonde hält ihn fest, und jetzt kommt der wütende Bauer brüllend auf ihn zugerannt und wirft sich auf seinen Rücken. Heiliger Strohsack! Das hier läuft ganz und gar nicht nach Plan. Er steckt zwischen den beiden fest wie eine Scheibe Wurst in einem verrückten Sandwich. Der Bauer ist so schwer, dass Andrij keine Luft mehr kriegt. Während der Bauer auf ihn einprügelt und mit den rauen Händen nach seinem Hals tastet, windet sich die Blonde unter ihnen heraus, steigt in den Sportwagen und lässt den Motor an. Der Wagen macht einen Satz, und der Bauer rutscht von der Haube und landet mit einem Rumms auf dem Boden.

»Pass auf, mein Knödel!«

Andrij, der noch auf der Haube hängt, hört Jolas Gekreisch

von oben vom Feld und sieht, wie sie auf ihren hochhackigen Sandalen durch die Erdbeerbüschel stolpert. Auch der Bauer sieht sie, als er sich hochrappelt.

»Bleib weg, Himmelschlüssel!« Er winkt sie fort.

Der Wagen setzt zurück, heult auf, dann schießt er wieder vor. Es gibt ein grauenhaftes Knirschen. Der Bauer fällt zu Boden und krümmt sich. Der Wagen setzt zurück und heult wieder auf. Andrij hängt mit einer Hand am Scheibenwischer, mit der anderen hämmert er gegen die Windschutzscheibe.

»Stopp! Stopp!«

»Mein Knödel!«

Hinter sich hört er Jola schreien, aber er kann nicht richtig sehen, was passiert. Als der Wagen wieder nach vorn schießt, lässt er sich fallen und landet auf dem Bauern, der sich in Schmerzen auf dem Boden windet, den Mund zum Schrei aufgerissen, doch es kommt nur ein leises Gurgeln heraus. Andrij macht sich zitternd von ihm los und starrt ihn entsetzt an. Aus dem linken Bein schauen überall Knochen heraus. Der Wagen setzt zurück und heult dann erneut auf.

»Mein armer Knödel!« Jola stolpert das Feld herunter, stürzt sich auf den Bauern und versucht, ihn aus der Schusslinie zu ziehen. Er ist zu schwer. Der Wagen rast auf sie zu. Andrij rappelt sich auf die Füße, und zu zweit schaffen sie es gerade noch, den zuckenden Bauern aus dem Weg zu zerren, wobei sie nur um Haaresbreite der Stoßstange entkommen, als der Wagen auf sie zurast. Die blonde *angliska rosa* hinterm Steuer grinst wie eine Wahnsinnige.

Krraaack! Mit einem schrecklichen metallischen Kreischen pflügt der Wagen in das Heck des Männerwohnwagens, der von den Backsteinen kippt und in einem irren Winkel auf der Achse landet.

Die *angliska rosa* steigt aus, um sich den Schaden an

ihrem Wagen anzusehen. Dann geht sie auf den Bauern zu, der im Licht der Scheinwerfer am Boden liegt, und gibt ihm einen Tritt.

»Du mieses Arschloch. Das nächste Mal setzt es was.«

»Wendy«, stöhnt er, »es war gar nichts. Nur ein bisschen Schmusen.«

Jola hat sich bis jetzt von der Blonden ferngehalten, doch Selbstkontrolle ist eindeutig nicht ihre Stärke.

»Schmutzen! Was heißt Schmutzen, he?« Mit fuchsiapinken Zehennägeln geht sie auf ihn los. »Ich bin Himmelschlüssel, nicht Schmutzen!«

»Jola, nicht ...« Andrij versucht, sie zurückzuhalten, aber sie reißt sich los und fällt über den Bauern her.

»Lass ihn los!«, schreit die Blonde. »Auch wenn er ein Schwein ist, er ist immer noch mein Schwein, nicht deins!« Sie stürzt sich auf Jola, die gerade wieder zu einem Tritt ausholt, und reißt sie zu Boden. Keuchend zerren sie einander an den Haaren.

»Ihr alle Schweine!« Jola strampelt und boxt, aber die Blonde ist größer und stärker als sie. »Lass los!«

»Stopp! Bitte! Gebt Ruhe!«, ruft Andrij. Er packt die Blonde und hält sie fest in den Armen. »Lady, bitte ...«

Jola nutzt die Gunst des Augenblicks, stolpert davon und sucht Deckung im Männerwohnwagen. Andrij greift nach der Hand der Blonden, die zur Faust geballt ist, und versucht sie an seine Lippen zu drücken, aber sie reißt sich los, holt aus und gibt ihm einen krachenden Kinnhaken.

Vor seinen Augen tanzen Sternchen, dann wird alles schwarz.

Die chinesischen Mädchen starren aus dem Fenster und versuchen zu begreifen, was am unteren Ende des Feldes vor sich geht. Was sich da mal im Schatten, mal im grellen

Scheinwerferlicht abspielt, ist wirr und undurchschaubar. Sie sehen, wie das Auto zurücksetzt und nach vorn schießt. Sie sehen, wie Jola sich auf einen Körper wirft, der am Boden liegt. Sie hören das Krachen, als das Auto den Wohnwagen rammt. Sie sehen Irina mit Marta ein Stück weiter unten am Feldrand stehen, von wo die beiden die Ereignisse beobachten. Irgendwann mitten im Chaos fährt Vulks Geländewagen durch das offene Tor und rollt geräuschlos neben den Erdbeerreihen den Hügel herauf zum Frauenwohnwagen, die Scheinwerfer ausgeschaltet. Irina dreht sich um und sieht ihn aus der Dunkelheit auftauchen. Sie schreit auf und rennt auf das Wäldchen zu, aber diesmal läuft er hinter ihr her und erwischt sie. Die chinesischen Mädchen sehen die Entführung mit an, ohne dass sie etwas tun können. Vulk verfrachtet die strampelnde, schreiende Irina in seinen Wagen und verschwindet in die Nacht.

Bye-bye Erdbeer. Hello Mobilfon

Ich schrie, so laut ich konnte. Ich sah, wie die chinesischen Mädchen und Marta auf mich zurannten. Ich sah ihre entsetzten Gesichter, kreideweiß im grellen Scheinwerferlicht. Ich spürte Vulks eisernen Griff an meiner Schulter, den Arm um meinen Hals. Dann wurde ich ohnmächtig.

Als ich wieder zu mir kam, wurde ich im Auto hin und her geschüttelt. Wir rasten durch die Dunkelheit. Ich roch den vertrauten, widerlichen Tabakgestank des Lederpolsters, auf dem mein Gesicht lag. Mir war schlecht vor Angst, vor Verzweiflung. Wie hatte das nur passieren können? *Du Idiotin, Irina, du leichtsinnige Kuh. Wie kann man nur so naiv sein. Einen Moment nicht aufgepasst, und jetzt bist du dran. Du bist so gut wie tot. Tot wäre mir lieber. Lieber tot als … Nein, nicht daran denken. Nicht daran denken.*

Ich schlotterte. Meine Hände und Füße waren eiskalt. *Mama, Papa, bitte helft mir. Ich bin doch eure kleine Irina. Euer Schatz, kein Spielzeug. Seid nicht böse. Helft mir. Irgendjemand hilft mir bestimmt. Das hier ist England.*

»Kleinerr Blume, du okay?« Seine schmierige Stimme! Ich lag zusammengesunken auf dem Boden vor dem Beifahrersitz, die Beine unter mir verknotet, das Gesicht auf dem Polster. Ein paar Zentimeter vor meiner Nase lag ein ramponierter Blumenstrauß.

»Kleinerr Blume denkt, kann weglaufen von Vulk. Kleinerr Blume denkt, ist clever. Aber Vulk ist cleverrer. Ich warte. Ich komme zurück. Zack. Ich fange Blume. Meine Chance.«

Stopp. Denk nach. Es muss einen Ausweg geben ... die Autotür – vielleicht geht sie auf. Aber wir sind zu schnell. Du wirst dich verletzen – vielleicht sterben. Lieber tot als ... Nein. Stopp. Denk nach. Rede mit ihm. Trickse ihn mit Worten aus. Denk dir was aus, schnell. Mama, Papa, helft mir. Mach einen Plan. Die Tür geht auf. Nein, die Tür ist abgeschlossen. Doch, die Tür geht auf. Du fällst, du rollst über den Boden. Du hast dich verletzt, aber du lebst. Du läufst. Jemand wird dir helfen. Das ist England. Du läufst. Er läuft hinter dir her. Er hat eine Pistole.

Vulk schob mir den ramponierten Blumenstrauß ins Gesicht, die Stängel verfingen sich in meinem Haar.

»Gefällt dir, Blume?«

Ich schloss die Augen und schwieg. Ich hörte das Knarzen seiner Lederjacke, als er sich zu mir herüberbeugte. Ich roch Tabak und Zahnfäule. Er berührte mein Gesicht. Ich spürte, wie sein rauer Finger über meine Wange fuhr. Das Auto schlingerte. Ich hielt die Augen geschlossen. Sein Finger wanderte meinen Hals hinunter. Ich spürte, wie er in der Grube meines Schlüsselbeins innehielt, dann wanderte er weiter in meine Bluse.

»Schöne Blumen. Gefällt dirr?«

Denk nach. Sag was. Du bist clever – benutze deinen Grips. Die richtigen Worte könnten dein Leben retten. Sag irgendwas.

Doch ich konnte nichts sagen. Meine Kehle verkrampfte sich. Ich begann heftig zu würgen. Klumpige Flüssigkeit rann aus meinem Mund auf den Autositz. Ich spürte, wie der Wagen langsamer wurde, abbog und über holprigen Boden rumpelte. Anscheinend war er von der Straße heruntergefahren. Er lehnte sich herüber und öffnete die Autotür auf meiner Seite. Wir standen auf einem finsteren Schotterweg, der in einen Wald führte. Er stieß meinen Kopf aus der Tür.

»Du kotz draußen.«

Ich würgte, immer wieder, den Kopf in die Dunkelheit gestreckt. Vulk wartete.

Jetzt. Das ist die Chance abzuhauen. Spring raus. Lauf um dein Leben. In den Wald. Versteck dich im Unterholz. Verschwinde im Schatten der Bäume. Mach keinen Mucks. Versteck dich.

Meine Augen gewöhnten sich an die Dunkelheit. Mein Körper spannte sich an. Plötzlich, als könnte er Gedanken lesen, sagte Vulk: »Du läufst weg, schieße ich mit Revolver.«

Lieber tot als ... Ausblenden. Tot. Nein.

Ich sprang.

ICH BIN HUND ICH LAUFE ICH LAUFE ICH RIECHE ERDE UND HOLZ UND WASSER BÄUME BÜSCHE GESTRÜPP ICH RIECHE FUCHS ICH RIECHE KANINCHEN BÜSCHE DORNEN RITZEN ICH BLUTE ICH LAUFE SPITZER STEIN PFOTE SCHMERZ BLUT ICH LECKE BLUT SCHMERZ ICH LAUFE WEIT WEG HUND BELLT WÜTEND WEIT WEG MANN SCHREIT STILLE IST NAH NACHTVOGEL RUFT NACHTVOGEL ANTWORTET VOGELLIEBE SPRECHEN SCHWEIGEN BÄUME BÜSCHE HECKE LANGES FELD SÜSSES GRAS MONDLICHT ICH LAUFE ICH LAUFE ICH BIN HUND

»Du machst besser einen Abgang«, sagt Wendy. Sie tippt eine Nummer in ihr Handy. Im Zwielicht ist ihr Gesicht aschfahl und wahnsinnig. Andrij starrt sie an, fragt sich, was in ihn gefahren war.

»Abgang?«

»Hau ab. Bevor die Polizei hier ist.«

»Polizei« versteht er.

»Aber ich …«

»Du hast ihn mit meinem Wagen angefahren, oder nicht? Ihr hattet Streit wegen des Lohns.«

»Aber …«

Andrij sieht den Bauern an, doch der scheint bewusstlos zu sein.

»Wem, meinst du, glaubt die Polizei? Hier«, sie wirft ihm einen Autoschlüssel zu.

Sein Herz tut einen Sprung. Aber es ist nicht der Schlüssel des Sportwagens, sondern der für den Landrover.

»Die verdammte Erdbeerschnitte kannst du auch gleich mitnehmen.« Sie zeigt hinauf zur Kuppe des Feldes. Was meint sie bloß? Er steckt den Schlüssel ein, dann macht er einen Schritt vor, um sie zu umarmen. Sie weicht zurück.

»Hau einfach ab.«

Er steigt in den Landrover und dreht den Zündschlüssel. Der Wagen springt sofort an. Die Pedale und die Schaltung gehen schwer. Der letzte Wagen, den er gefahren hat, war der Saporoshez seines Vaters. Sein erster Gedanke ist, einfach zum Tor hinauszufahren und aufs Gas zu treten, aber sein Pass und der Lohn der letzten Woche stecken noch in einem alten Socken unter der Matratze. Und da ist noch etwas, das ihn zögern lässt – das Mädchen, und wie ihr dunkles Haar über das Kissen floss, als sie aufwachte. Er wird nicht abhauen, ohne Lebewohl zu sagen. Lebewohl und viel Glück? Oder Lebewohl und auf Wiedersehen? Genau das will er rausfinden.

Er stellt den Motor wieder ab und geht zum Männerwohnwagen, der schief auf dem einen Rad steht. Jola ist da. Sie sitzt auf Tomasz' schrägem Bett, zitternd und hemmungslos heulend, und Tomasz versucht sie zu trösten.

»Ich gehe«, sagt Andrij. Er steckt den Pass und das Geld ein und fängt an, seine Habseligkeiten zu packen. »Bevor die Polizei kommt.«

Jola blickt erschrocken auf.

»Die Polizei kommt?«

Als er nickt, springt Jola auf und stößt Tomasz zur Seite.

»Ich gehe mit. Ich hole nur meine Tasche.« Sie läuft zur Tür. »Warte. Bitte warte.«

Tomasz nimmt seine Tasche aus dem Spind und fängt ebenfalls zu packen an. »Ich komme mit euch.«

Emanuel hat in Vitalis Bett geschlafen, aber jetzt schlägt er die Augen auf und stützt sich auf einen Arm. Er beschirmt die Augen gegen das Licht und murmelt etwas in seiner Sprache.

»Wir hauen ab. Lebwohl, mein Freund.« Andrij schließt leise die Tür hinter sich und geht mit der Tasche zum Landrover.

Dann fährt er neben dem Feld den Hügel hinauf, überholt Tomasz, der mit seiner Tasche und der Gitarre auf dem Rücken durch die Erdbeerreihen rennt. Der zweite Gang des Landrovers springt ständig raus, und das Lenkrad ist locker. Er muss vorsichtig fahren.

Er klopft an die Tür des Frauenwohnwagens und öffnet sie. Drinnen herrschen Chaos und Hysterie. Jola versucht, im Licht einer Öllampe ihr Hab und Gut zusammenzusammeln und gleichzeitig Marta und die chinesischen Mädchen zu beruhigen, die völlig in Tränen aufgelöst sind.

»Wo ist Irina?«, fragt er.

»Mann hat es«, sagt eins der chinesischen Mädchen zitternd, und das andere fällt ein: »Frauhaarmann hat es.«

»Der Mann mit dem Gangsterauto hat Irina entführt«, erklärt Marta auf Polnisch.

Vor Andrijs Augen wird alles rot. Wie ist das passiert? Wie hat er das geschehen lassen können? Was für ein Mann lässt es zu, dass vor seiner Nase sein Mädchen (ist sie sein Mädchen?) weggeschnappt wird? Er fühlt sich schwach und ihm wird übel.

»Welche Richtung?«

Die Mädchen zeigen vage ins Tal. Sein Herz zieht sich zusammen, als er merkt, wie sinnlos es ist. Was für ein Narr er war. Die Blonde. Der Ferrari. Was für ein blöder, nichtsnutziger Vollidiot.

»Los. Los. Los.«

Er nimmt Jolas Tasche und die von Marta, denn Marta will mit ihrem Tantchen gehen, dann fangen die zwei Chinesinnen zu kreischen und zu jammern an.

»Wir nicht bleiben. Wir kommen. Wir gehen. Bös Frauhaarmann kommt zurück.«

»Dann packt, schnell, schnell«, sagt Jola. Jetzt laufen alle durcheinander, zitternd vor Panik, und Tomasz ist ständig im Weg und stößt dauernd irgendwo mit der Gitarre an. Andrij glaubt zwischen den Bäumen im Tal Blaulicht zu sehen. Plötzlich weiß er, was zu tun ist. Er springt in den Landrover, wendet, setzt zurück und hängt den Wohnwagen an die Anhängerkupplung. Sogar eine Buchse ist da, wo er das Stromkabel einstecken kann. Das Ganze dauert keine zwei Minuten. Dann geht es los.

Als er neben dem Feld den Hügel hinunterrumpelt, stolpert ihm eine kleine Gestalt in einem grünen Anorak vor den Wagen, offensichtlich immer noch unter dem Einfluss von acht Dosen Bier. Er tritt in die Eisen. Der Wohnwagen macht einen Satz und springt fast von der Anhängerkupplung. Hm. Er muss sich merken, dass er nicht so scharf bremsen darf.

»Steig ein«, schreit er. Emanuel klettert hinten in den Landrover und macht es sich auf der Pritsche gemütlich.

Unten beim Tor steht Wendy immer noch über dem ausgestreckt daliegenden Bauern. Sie blickt kurz auf, als sie vorbeifahren, und Andrij glaubt die Spur eines Lächelns auf ihrem Gesicht zu sehen, doch vielleicht hat ihm das Licht einen Streich gespielt.

Der dritte Gang geht nicht rein, der zweite rutscht immer wieder raus, und er muss das aufmüpfige Schleudern und Zerren des Wohnwagens hinter ihm unter Kontrolle bringen, was bei dem wackeligen Lenkrad keine Kleinigkeit ist. Und dort, mit heulendem Martinshorn, flackert das Blaulicht das Tal herauf. Heiliger Strohsack! Er ist nur ein paar Kilometer weit gekommen, und schon sind sie ihm auf den Fersen.

Wie ist das passiert, Andrij Palenko? Vor fünfzehn Minuten hattest du einen Landrover, Geld in der Tasche, freie Fahrt und eine Jugendliebe, die auf dich wartet. Jetzt hast du sechs Passagiere, einen rebellischen Wohnwagen und die Polizei im Nacken. Warum hast du nicht einfach nein gesagt?

Links vor ihm geht ein Weg ab – ein grasbewachsener Feldweg, der in einen Wald führt. Er fährt von der Straße. Nach ein paar Metern verbreitert sich der Weg zu einem Rastplatz mit einem alten Picknicktisch. Hier bleibt er stehen. Emanuel ist hinten im Landrover eingeschlafen. Andrij steigt aus und steckt den Kopf durch die Wohnwagentür.

»Alles normal hier drin?«

Die vier Frauen und Tomasz kauern zusammengedrängt auf dem Boden. Marta hat sich übergeben.

»Wo sind wir?«, fragt Tomasz.

»Ich weiß nicht. Ich weiß nicht, wo wir sind oder wo wir hinfahren. Aber wir bleiben hier. Morgen entscheiden wir.«

Er setzt sich auf den Boden zu den anderen und stützt den Kopf in die Hände. Er merkt, dass seine Knie zittern. Er ist schweißgebadet. Wenn die Polizei kommt, wird er einfach alles erklären. Er wird ihnen sagen, dass alles ein Irrtum war, und er wird die Konsequenzen tragen wie ein Mann. Das hier ist England.

Jola hat wirklich keinen Grund, sich zu entschuldigen. Wirklich nicht. Wenn dein Liebhaber dich betrügt und dich mit Reden von Schmutzen beleidigt, und wenn du eine Frau der Tat bist, musst du handeln. Da kommt dieser große Tollpatsch Andrij und versucht, alle zu beruhigen. Was hilft Ruhe in so einer Situation? Natürlich wird die Frau die Schuld auf Jola schieben. Alles Lügen. Aber versuch mal, das einem Polizisten zu erklären. Sie weiß, wie Polizisten denken – sie war mal mit einem verheiratet. Und wie Polizisten denken, geht so: der Schuldige ist der mit dem Motiv. Hat Andrij ein Motiv, den Knödel zu überfahren? Nein. Hat Jola ein Motiv? Ja.

Am besten gehen sie also der Polizei aus dem Weg. Zurück nach Polen. Schnell, schnell. Aber jetzt sagt dieses Rotebetehirn, er kann nicht mehr fahren, er will schlafen. Und sie sieht an der Art, wie er zum Bett hinüberschielt, dass er findet, er sollte im Frauenwohnwagen schlafen dürfen. Und dieser Schlüpferdieb Tomasz (er glaubt, sie weiß es nicht, aber sie weiß es) hat seine Schuhe ausgezogen. Puh! Was für ein Gestank! Die Mädchen kreischen und halten sich die Nase zu. Sie verschränkt die Arme über der Brust und sagt entschieden: »Das ist Frauenwohnwagen, nur für Frauen.«

Aber hört dieses dösköpfige Rotebetehirn auf sie?

»Jola«, sagt er, »du warst vielleicht Königin von Erdbeerfeld, aber hier auf der Straße ich bin der Boss. Und wenn ich nach Dover fahren soll, muss ich vorher gut schlafen.«

Jola erklärt geduldig, dass in Abwesenheit des Bauern, für die sie übrigens keinerlei Verantwortung trägt, sie die entscheidungsbefugte Person hier ist, und deshalb wird sie über die Unterkunft bestimmen.

»Ich bin reife und achtbare Frau, und kann niemand von mir erwarten, dass ich teile meinen Schlafraum mit einem Mann.«

Nun, seine Antwort ist so ungehobelt, dass sie sie hier nicht wiederholen wird, es hat jedenfalls etwas mit ihrem Alter, ihrer Unterwäsche, ihrem Heimatland und ihrer Beziehung mit dem Bauern zu tun, was eine rein geschäftliche Angelegenheit war und außerdem eine, die im Ausland stattgefunden hat, wodurch sie für eine Diskussion ihres Charakters völlig bedeutungslos ist, eine Feinheit, die für einen Ukrainer wahrscheinlich viel zu feinsinnig ist.

»Andrij, bitte!«, mischt sich Tomasz ein, voller Gelassenheit und Würde, »kein Problem. Du kannst im Landrover schlafen, und ich hier auf dem Boden.«

»Nein! Nein!«, schreien alle Mädchen im Chor. »Auf dem Boden ist kein Platz!«

»Dann schlafen wir alle im Landrover. Irgendwie geht schon.«

Und es ging. Irgendwie. Na bitte.

Nachdem Andrij sich Luft gemacht hat, fühlt er sich besser. Draußen herrscht die Kühle vor dem Tagesanbruch und es wird bereits heller, die Sterne sind verschwunden. Tomasz hat die Turnschuhe wieder ausgezogen, sie auf die Motorhaube gestellt und sich auf den Vordersitzen des Landrovers ausgestreckt. Seine Füße hängen zum Fenster raus und parfümieren die Brise. Andrij fragt sich, wo Irina die Nacht verbringt. Der Gedanke bereitet ihm Übelkeit. Er kriecht hinten auf die Pritsche und zwängt sich neben Emanuel, der den ganzen Aufruhr verschlafen hat und mit angezogenen Knien daliegt. Auf dem Boden liegt eine alte Decke, mit der er sie beide zudeckt. Auch wenn es kühl ist, die Stille des Waldes und der Geruch von Erde, Wurzeln und Harz sorgen dafür, dass er in tiefen Schlaf sinkt und erst wieder aufwacht, als die Morgensonne durch die silbrigen Baumstämme fällt.

ICH BIN HUND ICH LAUFE ICH LAUFE ALLEIN FELDER HECKEN STRASSE ALLES DUNKEL ICH SEHE BLAUES LICHT GEFLACKER ICH RIECHE LAUSCHE ICH HÖRE RÄDERMASCHINENGERÄUSCH BÖSE TUUU TAAA TUUU TAAA ICH LAUFE FELDER FLUSS ICH TRINKE ICH HÖRE KLEINES TIER RASCHELN ICH RIECHE GRAS UND ERDE UND TOD VERWESTES TIER ICH RIECHE FRISCHE PISSE DACHS FUCHS WIESEL KANINCHEN ICH LAUFE STRASSE FELDER WALD STRASSE WALD HALT SCHNUPPER SCHNUPPER ICH RIECHE MÄNNERFÜSSE GUTER STARKER FÜSSEGERUCH ICH SUCHE MANN MIT FÜSSEGERUCH ICH LAUFE ICH LAUFE ICH BIN HUND

Ich sprang.

Ich fiel. Der Boden war weich. Ich rollte mich ab, kam hoch, und dann rannte ich los. *Mama, Papa, helft mir, bitte. Ich bin doch eure kleine Irinotschka.*

Ich dachte, die Bäume – ich muss in die Bäume. Ich stolperte die Böschung hoch in den Wald, duckte mich unter die niedrigen Äste. Im Wald hatte ich vielleicht eine Chance. Mit etwas Glück würden mich die Bäume vor den Kugeln schützen. Ich wappnete mich innerlich gegen die Schüsse, während ich weiterrannte, wartete auf den Knall, der mir sagte, dass ich tot war. Doch es fiel kein Schuss. Ich konnte nur Schritte hören, seine und meine, krachend im Unterholz, auf den toten Zweigen am Boden. Krack. Krack. Keine Schüsse. *Warum schießt er nicht? Vielleicht bin ich schon tot.* Es war so dunkel. Dunkel wie im Schrank unter der Treppe. Dunkel wie in einer Gruft. Am Anfang war da noch das schwache Licht der Scheinwerfer gewesen, aber jetzt war ich zu weit weg, rannte hinein in völlige Schwärze. Es war zu dunkel zum Laufen. Zu viele Hindernisse, Schatten, die sich in Bäume verwandelten, Zweige, die mir ins Gesicht schlugen, Wurzeln, die an meinen Beinen rissen, unsichtbare Schrecken. Kein Mondlicht hier unten. Dann glaubte ich den Waldrand zu sehen, den grauen Schimmer des Himmels hinter den Bäumen.

Ich lief nach rechts, rutschte die Böschung hinunter, zurück auf den Weg, und rannte leise durch das Gras. Ich hörte ihn immer noch hinter mir im Wald. Krack. Krack.

Dann kam eine Biegung, der Weg stieg steil an, gesäumt von einer hohen, unregelmäßigen Hecke. Über der Hecke sah ich den Himmel, Sterne, die atemlos auf und ab hüpften, während ich lief. Ich blieb stehen, rang nach Luft. Meine Lungen explodierten fast. Das Blut hämmerte in meinen Ohren – bumm bumm bumm bumm – *lauf weiter. Nicht stehen bleiben. Du bist jünger und fitter. Du kannst schneller laufen.* Ich stürzte über eine Wurzel, rappelte mich hoch und rannte weiter – bumm bumm bumm. Als ich nicht mehr konnte, versteckte ich mich hinter einem Baum und lauschte. Mein Atem ging in keuchenden Zügen. Immer noch hörte ich seine Schritte im Wald, ich wusste nicht, wie weit hinter mir. Er hatte noch nicht aufgegeben. Ich rannte weiter, jählings, taumelnd, stolpernd. *Nicht so schnell. Vorsichtig. Wenn du hinfällst, ist es das Ende.*

Genau so fühlt sich ein gehetztes Tier, dachte ich, du ringst nach Atem, und das Grauen strömt durch deine Sinne, bis du fast darin ertrinkst. Ich fand eine Lücke in der Hecke und zwängte mich durch, Dornen rissen an meinen Kleidern. Auf der anderen Seite war Sternenlicht, und ein langes gepflügtes Feld. Keuchend stolperte ich durch die Furchen. Dann blieb ich stehen, kauerte mich hin, lauschte. Stille. Keine Schritte. Keine Pistole. Nichts.

Ein Stück weiter kehrte ich auf den Weg zurück und lief weiter, diesmal langsamer. Mein Herz flatterte wie ein wilder Vogel im Käfig. *Ist es vorbei? Ist er fort? Wie kann ich sicher sein? Das letzte Mal hat er gewartet, bis du dachtest, er wäre weg, und dann ist er zurückgekommen.*

Als ich den Hügel hinauflief, wurde es heller. Dann konnte ich nicht mehr rennen und ging langsamer weiter. Immer weiter, ohne stehen zu bleiben. Schließlich fand ich ein Loch in der Erde, wo ein großer Baum entwurzelt worden war. Ich machte mir ein Bett aus trockenem Laub und tarnte die Höhle mit ein paar Ästen, damit ich vom Weg aus unsichtbar war. Ganz leise legte ich mich hinein und wartete, dass mein Herz sich beruhigte – bumm, bumm –, während ich zusah, wie der Tag anbrach, rosa und pfirsichfarben, mit kleinen Wolken wie Engelsflügel.

Andrij wacht als Erster auf. Er spürt etwas Warmes, Schweres auf seinen Beinen. Zuerst denkt er, es ist Emanuel, der in der Nacht auf ihn gerollt ist. Aber als er ihm einen sanften Schubs geben will, fühlt er warmes Fell und sehnige Muskeln. Heiliger Bimbam! Das Vieh ist riesig und haarig und es schnauft im Schlaf. Er setzt sich auf und reibt sich die Augen. Auch der Hund setzt sich auf und sieht ihn aus seinen sanften braunen Augen an, mit einem Blick, der vollkommen hingebungsvoll ist. Es ist ein großer, schöner Hund mit kurzem schwarzem Fell, und er hat ein paar weiße Haare an der Schnauze und am Bauch, die ihm ein reifes, würdevolles Aussehen geben.

»Wuff!«, sagt er und klopft mit seinem kräftigen Schwanz gegen die Wagenwand.

»Hallo, Hund«, sagt Andrij und krault ihn hinter den Ohren. »Was machst du denn hier?«

»Wuff!«, sagt der Hund.

Emanuel wacht als Nächster auf, geweckt vom rhythmischen Klopfen des Hundeschweifs gegen die Wagenwand, und er scheint sich nicht besonders über die Anwesenheit des Hundes zu freuen.

»Ist okay, Emanuel. Ist guter Hund. Beißt nicht.«

»Auf Chichewa haben wir ein Sprichwort. *Wo der Hund pisst, stirbt das Gras.*«

»Wuff!«, sagt der Hund höflich, und Andrij kann sehen, dass Emanuel trotz seiner Vorbehalte recht angetan ist von dem begeisterten Schwanzwedeln und der langen Zunge, die nass und rosa zwischen den scharfen weißen Zähnen heraushängt.

Doch am leidenschaftlichsten fällt die Begrüßung zwischen Tomasz und dem Hund aus – es ist eine wahre Orgie von Fußkuscheln, Gesichtlecken, Schwanzwedeln, Hochspringen und Auf-dem-Boden-Wälzen. Am Ende gerät der Hund völlig in Ekstase, als er Tomasz' Turnschuhe auf der Motorhaube findet, und obwohl Tomasz versucht, ihn daran zu hindern, rennt er mit einem Schuh im Maul davon und zerkaut ihn in Stücke. Ein ausgezeichneter Hund, denkt Andrij. Je schneller diese Turnschuhe verschwinden, desto besser. Und ein Hund mit einer so guten Nase kann vielleicht auch dabei helfen, eine vermisste Person aufzuspüren.

ICH BIN HUND ICH BIN FROHER HUND ICH LAUFE ICH PISSE ICH RIECHE ICH FINDE GUTE MÄNNER SIE PISSEN IN DEN WALD MÄNNERPISSE RIECHT GUT EIN MANN NACH MOOS UND FLEISCH UND KRÄUTERN GUT EIN

MANN NACH KNOBLAUCH UND LIEBESHORMON AUCH GUT ABER LIEBESHORMON IST ZU STARK SAURE PISSE ABER DIE FÜSSE RIECHEN GUT ICH RIECHE NOCH ANDERE MENSCHENGERÜCHE IM WALD KOTZE UND MÄNNERRAUCH MASCHINENÖL ICH RIECHE KEINEN HUNDEGERUCH ICH MACHE HUNDEGERUCH ICH LAUFE ICH PISSE ICH BIN FROHER HUND ICH BIN HUND

Jola findet, dieser Hund zeigt eindeutig zu viel Begeisterung, wie er ihr einfach so die Schnauze unter den Rock steckt, das erinnert sie an ... Nein. Sie ist eine reife und achtbare Frau, und es gibt ein paar Geheimnisse, die sie nicht mit irgendwelchen neugierigen Buchlesern teilen wird.

Außerdem zeigt er großes Interesse an Pipi. Als die Frauen aufwachen, etwa eine Stunde nach den Männern, versucht der Hund, jede Einzelne auf dem Weg in die Büsche zu begleiten, und muss jedes Mal verscheucht werden.

»Wo kommt der Hund her?«, fragt Jola. »Er sollte zurück.« Aber niemand scheint etwas zu wissen. Dann sieht er sie an, mit solcher Zärtlichkeit in den Augen, dass ihr Herz sofort schmilzt, denn sie ist eine warmherzige Frau, und sie nimmt Irinas oranges Band und bindet es dem Hund mit einer reizenden Schleife um den Hals.

Marta bemerkt, dass seine Pfoten zerschunden sind und bluten, als wäre er sehr weit gelaufen, und sie versorgt die Wunden mit einer ausgezeichneten antiseptischen Salbe aus Polen. Sie teilen sogar das Brot mit ihm, sonst haben sie nichts zum Frühstücken, aber das war gar nicht nötig, wie sich herausstellt, denn er verschwindet in den Wald und kommt später mit einem Kaninchen im Maul zurück.

Nach dem Essen streckt er sich zu Tomasz' Füßen aus, den Kopf auf den Pfoten und ein Ohr aufgestellt, und hört ihnen beim Diskutieren zu. Denn anscheinend müssen sie endlos diskutieren, wohin sie fahren, was völlig unnötig ist, da Jola bereits beschlossen hat, dass sie nach Dover fahren.

Zweifellos werden sie auch das ukrainische Mädchen dort finden. So übel war sie eigentlich gar nicht, aber am Ende ist sie selbst schuld an ihrem Verschwinden, mit ihrem leichtsinnigen Lächeln. Wenn man so einen Gangstertyp erst mal auf Ideen gebracht hat, was soll man da machen? Das mit den Blumen war immerhin eine nette Geste.

Für Jola ist die Sache klar. Andrij, dem man zugutehalten muss, dass er sich für seinen Ausbruch gestern Abend höflich entschuldigt hat, hat sie mit seiner Schäkerei mit der Bauersfrau erst in diesen ganzen Schlamassel reingebracht, und jetzt soll er sie auch wieder da rausholen, schnell, schnell, bevor die Polizei kommt.

»Bei der Polizei jede Kleinigkeit kann für immer dauern. Lauter unnötiger Papierkram.« Sie weiß aus Erfahrung, wie bürokratisch Bürokratie sein kann. Sie war mal mit einem Bürokraten verheiratet. »In der Zwischenzeit wartet der arme Mirek in Zdroj auf uns. Mirek, masurische Ziegen, reife Pflaumen im Garten. Zeit, nach Hause zu gehen.« Sie wischt sich dramatisch eine Träne aus den Augen.

»Wer ist denn Mirek?«, fragt der langhaarige Tomasz mit einem Gesicht wie Bauchschmerzen.

»Mirek ist mein geliebter Sohn.«

»Auch von Gott geliebt«, sagt Marta und rollt die Augen zum Himmel. »Eins von Gottes besonderen Kindern.«

Warum muss Marta die Schwierigkeiten des armen Jungen immer unnötig in der ganzen Welt herumposaunen? Mit ihrem frommen Gewimmer hat sie schon die letzten beiden Ehekandidaten verscheucht. Jola versetzt ihr diskret einen Tritt gegen das Schienbein.

»Und sein Vater? Wartet sein Vater auch?«, fragt Tomasz tapfer.

»Sein Vater ist fort.« Jola wirft Tomasz einen kühlen Blick zu. »Warum du stellst so viele Fragen, Mister Stinkefuß? Du hast genug eigene Probleme, ohne die Nase in meine zu stecken.«

Auf einmal will jeder mitreden.

»Wir gehen nach London«, sagt eins der chinesischen Mädchen. »In London viele Chinesen. Viel Geld Arbeit für Chinesen. Besser als Erdbeer.«

»Ich habe eine Adresse für einen Mann in England. Wartet, bitte, danke.« Emanuel beginnt in seinen Papieren zu wühlen. »Vorzüglich guter Mann. Er heißt Toby Makenzi, und mit seiner Hilfe werde ich hoffentlich die Befindlichkeit meiner Schwester entdecken.«

»Emanuel, warum du kommst nicht mit uns nach Polen?«, fragt Jola freundlich. Der Junge braucht eine Mutter, keine Schwester, denkt sie. Vielleicht sogar einen kleinen Bruder.

Und Tomasz sagt: »Emanuel, wenn du Polen kommst, zeige ich dir, wie man singt und die Gitarre spielt.«

Jolas Meinung nach singt Emanuel jetzt schon weit besser als Tomasz.

»Ich frage mich, wo Vitali ist«, sagt Marta. Jola ist nicht entgangen, wie Marta Vitali aus den Augenwinkeln angesehen hat, mit einem Blick, der nur eines bedeuten kann, und sie denkt, es ist doch ironisch, gelinde gesagt, dass eine so religiöse Frau sich von einem Mann angezogen fühlt, dem die Sünde aus jeder Pore strömt. Aber so ist es ja oft.

Dann fängt Tomasz wieder an, mit seinem Hundeblick.

»Ich gehe mit euch nach Dover. Von dort nach Polen. Schiff, Bus. Wir gehen zusammen. Vielleicht braucht dein Junge einen Vater? Was meinst du, Jola?«

Jola lächelt unverbindlich. »Erst besorg dir neue Schuhe.« Haare zu lang. Schlechter Geruch. Nicht ihr Typ.

»Andrij? Was ist jetzt dein Plan?«, fragt sie.

Andrij schweigt ein paar Minuten, und Jola will schon nachbohren, als er mit leiser Stimme antwortet: »Ich werde erst Irina finden.«

Die anderen schweigen betreten. Marta fängt zu weinen an.

Ich war wohl eingeschlafen. Ich wachte auf, als ein Sonnenstrahl in die Höhle drang, in der ich mich eingerollt hatte. Von der kalten, feuchten Erde waren meine Glieder ganz steif. Der ganze Körper tat mir weh. Ich stand auf, streckte mich. Dann fiel mir alles wieder ein. Vulk. Der Wald. Die Flucht. Lag er immer noch da draußen auf der Lauer? Ich kauerte mich wieder hin. Es war noch zu früh zum Feiern, aber ich lebte, war unverletzt und ein neuer Tag war angebrochen.

Die Sonne musste schon vor Stunden aufgegangen sein, doch die Luft war noch frisch und dunstig, ein weicher Morgendunst, der einen warmen Tag versprach. Kennen Sie das, wenn man manchmal morgens mit einem Gefühl reiner Freude aufwacht, einfach nur, weil man am Leben ist? Ich hörte die Vögel zwitschern und die Schafe blöken, und dann war da noch ein Klang, weiter weg, ein süßer, heiterer Klang. Kirchengeläut. Es musste Sonntag sein. In Kiew läuten sonntags die Glocken in der ganzen Stadt, und die Landfrauen, die in die Stadt kommen, tragen ihre besten Kleider und Kopftücher, ihre Goldzähne blitzen, und sie bekreuzigen sich, wenn sie aus der Kirche kommen, und Mutter macht Quarkkuchen mit Rosinen, und unser Kater Vaska bekommt ein Schälchen Sahne, dann putzt er sich die Pfoten und reibt sich die Ohren – wirst du dich an mich erinnern, wenn ich heimkomme, Vaska? Komme ich je wieder heim? Plötzlich hatte ich Tränen in den Augen. Schnief. Schnüff.

Hör auf. Du musst einen kühlen Kopf bewahren und die Augen offen halten. Mach einen Plan.

Unter mir konnte ich den Weg zwischen dem Feld und dem Waldrand sehen, den ich gestern entlanggelaufen war. Ich erinnerte mich an meine Angst. An mein klopfendes Herz. An die Sterne, die über der Hecke hüpften. Bei Tageslicht sah der Weg so nett, so idyllisch aus, wie er sich unschuldig den waldigen Hügel hinaufschlängelte. Auf der anderen Seite tauchte er hinter dem Horizont ab und verschwand aus meinem Sichtfeld. Wo war ich? Wie weit waren wir gestern Nacht gefahren? Wie lange war ich ohnmächtig gewesen?

Ich sah mir die Felder an, eins nach dem anderen. Vielleicht konnte man von hier oben das Erdbeerfeld sehen. Ich würde es an den beiden Wohnwagen erkennen. Aber obwohl mir die Landschaft vertraut vorkam, stellte ich bald fest, dass alle Felder irgendwie gleich aussahen, ein Flickenteppich aus braunen und grünen Taschentüchern, die ein Muster aus Petersilienstängeln hatten. Gab es Taschentücher mit Petersilienmuster? Wahrscheinlich nicht. Zwischen zwei hohen Hecken führte eine schmale Straße den Berg hinauf. Oben war eine Reihe Pappeln. Ich zählte die Pappeln – eins, zwei, drei, vier, fünf. Waren es dieselben Pappeln? Nicht weit davon stand eine Gruppe von Bäumen, die zu dem Wäldchen auf dem Hügel über dem Erdbeerfeld gehören könnte. Aber wo war der Wohnwagen? Weiter im Westen war ein seltsames weißes Feld, das glitzerte wie ein See. Nur dass die Ränder dafür zu eckig waren. Es sah aus wie mit Glas oder Plastik zugedeckt. Gab es solche Felder in der Nähe? Ich konnte mich nicht erinnern. Häuser sah ich keine, nur einen gedrungenen Kirchturm, der hinter dem glitzernden Feld aus Bäumen aufragte. Vielleicht war dort ein Dorf, versteckt in einer Falte der Landschaft. Vielleicht waren dort Kirchengeläut und Menschen, die zum Gottesdienst gingen.

Weiter unten, wo der Weg von der Straße abging, blitzte etwas auf – durch das Laub der Bäume sah ich, wie etwas Metallisches das Sonnenlicht reflektierte. Da musste ein Auto stehen. Wieder begann mein Herz zu klopfen – bumm, bumm. Mir wurde flau im Magen. Lag er immer noch dort auf der Lauer und wartete auf mich? Würde er heraufkommen und nach mir suchen? Leise versteckte ich mich wieder in meiner Höhle und zog einen Ast über mich. Diesmal würde er mich nicht erwischen. Egal wie lange er wartete, ich würde länger warten.

Wenn das Vorwärtsfahren mit dem Wohnwagen schon schwierig ist, im Rückwärtsgang ist es noch viel schlimmer, stellt Andrij fest. Die Kiste scheint ihre eigenen Vorstellungen zu haben. Als sie endlich aufbrechen, ist es spät am Vormittag. Emanuel winkt ihn raus, als er von dem bewaldeten Picknickplatz rückwärts auf die Straße manövriert. Jola, Marta und die chinesischen Mädchen sitzen hinten im Landrover, den Hund zu ihren Füßen. Tomasz ist im Wohnwagen und versucht ein bisschen Schlaf nachzuholen.

Doch als sie erst mal auf der Hauptstraße sind, wird das Fahren leichter. Und irgendwie macht es Spaß, etwas so Schweres zu schleppen. Er muss vorausschauend fahren, jähe Manöver vermeiden. Bis sie die Umgehungsstraße von Canterbury erreichen, hat er ein Gefühl dafür entwickelt. Doch plötzlich entdeckt er ein Stück voraus auf der Straße einen Streifenwagen, zwei Polizisten kontrollieren den durchfahrenden Verkehr. Heiliger Strohsack! Sind sie ihm schon auf der Spur? Er biegt scharf links ab und gibt Gas, dann merkt er, dass sie auf einer Einbahnstraße ins Stadtzentrum gelandet sind. Der Wohnwagen hinter ihm hüpft und schwankt, und im Landrover schreien alle verschiedene Anweisungen durcheinander, wo er hinfahren soll. Das Geschrei ist vollkommen sinnlos. Es lenkt ihn nur ab. Hier geht es nirgendwohin als geradeaus.

Auf einmal stecken sie in einem Labyrinth von schmalen Gassen. Überall parken Wagen, und Fußgänger schlendern auf der Straße, ohne auf den Verkehr zu achten. Was für ein Alptraum! Und das Linksfahren ist auch nicht ohne. Wie kommt er bloß auf die Ringstraße zurück? Er biegt rechts ab und zwängt den Wohnwagen durch einen schmalen Torbogen, vor dem vielleicht ein »Durchfahrt verboten«-Schild stand, aber jetzt ist es zu spät, und plötzlich schreit Marta: »Stopp! Stopp!«

Andrij steigt auf die Bremse. Der Wohnwagen bockt und kippt fast um. Merk dir, dass du das nicht wieder tust, Andrij Palenko. Beim nächsten Mal sanft pumpen. Aus dem Wohnwagen kommt ein Krachen und ein Fluchen, und kurze Zeit später stolpert Tomasz in Socken und Unterhosen auf die Straße und reibt sich den Schlaf aus den Augen.

»Was ist passiert? Warum halten wir?«

»Ich weiß nicht«, sagt Andrij. »Warum halten wir?«

»Seht doch!« Marta zeigt mit dem Finger.

Andrij steigt aus und stellt sich neben die anderen auf den Bürgersteig. Alle blicken nach oben. Vor ihnen türmt sich eine riesige, sahnige Masse aus verwittertem, behauenem Stein, Spitzbogen über Spitzbogen wie ein seltsam gemustertes Spitzengewebe, zart wie Papier, das höher und höher in den Himmel ragt, und die ernsten Figuren uralter Heiliger blicken von ihren Sockeln zu ihnen herab.

Er kennt die goldenen Kuppeln der Kirchen in Kiew, die wunderbaren Türme von Lavra, aber das hier ist etwas anderes – ja, das ist etwas ganz anderes. Keine Farbe, kein Gold. All die Schönheit nur in Stein. Wie hätte es sich wohl angefühlt, dort oben zu arbeiten, unter dem Himmel, mit Hammer und Meißel an diesem leuchtenden Stein zu arbeiten anstatt in der finsteren Unterwelt der Kohleflöze? Wäre dort oben ein anderer Mann aus ihm geworden – so nah bei den Engeln?

Er senkt den Kopf und bekreuzigt sich auf die orthodoxe Art, nur für alle Fälle. Keiner sagt ein Wort. Marta schließt die Augen und schlägt ebenfalls das Kreuz. Jola zupft sich den Rocksaum über die Knie und bekreuzigt sich mit beiden Händen. Tomasz geht zurück in den Wohnwagen und zieht sich eine Hose an. Die chinesischen Mädchen staunen nur.

Emanuel flüstert Andrij zu: »Was sind das für Biesterige und Kobolde? Warum haben sie Symbole von Hexerkunst auf eine christliche Kirche gesetzt?«

»Keine Angst«, flüstert er zurück. »Alles okay.«

Liebe Schwester,
heute wurde ich mit der Visitation der Kathedrale von Canterbury gesegnet, eines vorzüglichen Bautums ganz aus Stein und wundersam geschmückt mit furchterregenden Teufeln und Kobolden, welche mit offenem Rachen auf den Dächern hocken. Das Innere aber ist von geheimnisvollem Frieden erfüllt, denn die Kathedrale hat viele wunderbare Fenster, wie ich sie nie zuvor sah, nicht einmal in Sankt Peter auf Likomo, und sie färben das Sonnenlicht rot und blau und erzählen Geschichten von Unserem Herrn Jesu und Seinen Heiligen, in farbenprachtvoller Kunstfertigkeit.

Und also kam ein Priester über uns und fragte, ob wir beten wollten, und ich hatte Angst, am protestantischen Glauben teilzunehmen, aber unsere liebe Marter flüsterte, dass alle Kathedralen eigentlich unserer Einen Guten Religion gehörten und einst von den sündhaften Protes-

tanten gestohlen wurden. Also gingen wir in eine kleine gebetreiche Kapelle, die so schön dalag in Stille und Licht, und wir baten den Herrn, unsere Schwester Irina zu entbinden, die von Satans Spross entführt wurde, und niemand weiß von ihrem Befindlichkeitsort. Und ich habe auch für den Gottlosen gebetet, der durch das Fischernetz der Liebe schlüpfte. Nach den Gebeten sagten wir alle Amen, sogar der Hund. Ich wünschte, du könntest diesen Hund sehen, der so vortrefflich ist in seiner Frömmigkeit. Denn in dieser stillen, schimmernden Kapelle spürte ich die Gegenwart des Herrn, der dicht bei uns steht und unsere Gebete erhört, und ich spürte Seinen Atem in der kühlen, steinigen Luft.

Dann erscholl Orgelmusik, und ein Chor sang Schafe können sicher weiden, *welches mich tief rührte, denn die Kapelle ist dem heiligen Augustin geweiht. Da klopfte der gute Pater Augustinus aus Zomba an die Tür meiner Erinnerung mit seinen freundlichen Taten, und meine Augen tränten im Gedenken an die Heimat.*

Nach den Gebeten in der Kathedrale fühlt Andrij sich besser, mehr im Frieden mit sich. Erst als sie wieder beim Wohnwagen sind, merkt er, dass sie Emanuel verloren haben. Er kehrt in die Kirche zurück, um nach ihm zu suchen, aber Emanuel bleibt verschwunden. Irgendwo in der Kathedrale spielt eine Orgel und ein Chor singt. Von der Musik angelockt folgt Andrij einem steinernen Gang mit uralten Glasfenstern, die bunte Lichtflecken auf den Boden werfen. Es findet gerade ein Gottesdienst statt, und dort, in der ersten Reihe der versammelten Gemeinde, entdeckt er Emanuel.

Er hat die Augen geschlossen und sieht die schiefen Blicke der anderen nicht, aber sein Mund ist weit geöffnet, überraschend rosa in seinem jungen braunen Gesicht, und er singt mit süßer hoher Stimme mit dem Chor. Und während er singt, strömen ihm Tränen über die Wangen. Es ist etwas so Verwundbares und doch Starkes an ihm, an seinen geschlossenen Augen, dem offenen Mund, den Tränen und der Musik, dass Andrij der Atem stockt. Wer ist dieser junge Mann? Andrij hat das Bedürfnis, ihn in den Arm zu nehmen, aber er hält sich zurück, so wie man zögert, einen Schlafwandler zu wecken, aus Angst, der plötzliche Einbruch der Wirklichkeit bricht ihm das Herz.

Eine Erinnerung aus seiner Kindheit taucht vor ihm auf – der Kreis entrückter Gesichter während eines geheimen orthodoxen Gottesdienstes tief im Wald in einer Schlucht. Seine Großmutter hatte ihn mitgenommen. Der Priester sang die Liturgie, als er ihnen die Stirn mit Weihwasser benetzte, Vergebung für alle Sünden versprach und Trost für die zermürbende Not des täglichen Lebens. »Kyrie eleison. Herr, erbarme Dich.«

Sein Vater hat immer gesagt, Religion sei Opium für das Volk und es sei eine Schande, dass seine Mutter an so einen Quatsch glaubte, wo sie sonst in jeder Beziehung eine gute Frau und eine gute Kommunistin war.

In der Stille, nachdem die Musik verklungen ist, geht er zu Emanuel und berührt seinen Arm. Emanuel öffnet die Augen, sieht sich um und lächelt.

»Ndili Bwino, mein Freund.«

Nach den Gebeten fühlt sie sich angenehm rechtschaffen, und nach so viel Rechtschaffenheit ist es nur natürlich, dass sie Hunger und Durst hat. Was Jola anbelangt, ist die vorrangige Dringlichkeit, wenn sie nach Dover kommen, das Mittagessen.

Aber anders als in Canterbury, wo alles geöffnet war, sind

in Dover alle Läden geschlossen. Schließlich finden sie in einer Seitengasse ein kleines, düsteres Geschäft mit zwei schmalen Gängen, wo es nach Gewürzen riecht und nach Moder, nicht sehr angenehm. Die Inhaberin, eine füllige Inderin in Jolas Alter, trägt einen grünen Sari und hat einen roten Punkt auf der Stirn. Jola mustert sie neugierig. Die Frau ist nicht unattraktiv, auf ihre orientalische Art. Nur der rote Fleck scheint irgendwie falsch zu sitzen. Wahrscheinlich gehört er auf die Wangen.

Natürlich entscheidet Jola als Vorarbeiterin über den Einkauf, doch im Interesse der Harmonie darf jeder einen Wunsch äußern. Sie einigen sich auf fünf Laib geschnittenes Weißbrot (besser als das grobe polnische Brot, und ziemlich günstig), Margarine (moderner als Butter, und billiger), Aprikosenmarmelade (Tomasz' Lieblingssorte), Teebeutel und Zucker (bisher haben sie die alten Teebeutel getrocknet und wiederverwendet, aber irgendwann ist Schluss), Bananen (Andrijs Wahl, typisch Ukrainer), gesalzene Erdnüsse (Emanuels besonderer Wunsch), eine große Tafel Rum-Rosinen-Schokolade (Jolas kleine Schwäche), zwei große Flaschen Coca-Cola für die chinesischen Mädchen und eine Dose Hundefutter. Tomasz treibt sich vor den Spirituosenregalen herum und sieht sich die Etiketten an, doch sein Wunsch nach einer Flasche Wein wird von Jola abgeschmettert. Unnötig. Zu teuer. Auch Andrij lungert bei den Spirituosen herum und sieht sich das Bier an.

»Hast du gesehen, welchen Aufschlag Vitali für das Bier verlangt hat?«, fragt er verdrossen. Typisch Ukrainer.

Marta ist mit dem Hund im Landrover geblieben, und Jola hat vergessen, was sie sich gewünscht hat.

Die indische Inhaberin schnalzt mit der Zunge, als sie die Dinge in die Kasse eingibt.

»Sie ernähren sich nicht ausgewogen.«

»Ausgewogen?« Jola trägt die Verantwortung für die Ernährung der Gruppe.

»Protein. Sie brauchen Protein. Wenn Sie das alles essen, wird Ihnen schlecht.«

Jola betrachtet die Einkäufe und erkennt, dass die Frau recht hat. Schon beim Hinsehen wird ihr schlecht.

»Was raten Sie?«

Die Ladenbesitzerin macht »hmm« und denkt nach.

»Sardinen.« Sie zeigt den Gang hinunter. »Fische. Gesund. Billig. Aus der Dose.«

Die Fische auf dem Bild auf der Dose sehen fett und ansprechend aus, und Jola ist angenehm überrascht von dem Preis. Sie nehmen zwei Dosen.

Zwischen dem Rock des Saris der Ladenbesitzerin und dem Saum der Bluse ist eine Falte weicher brauner Haut zu sehen. Normalerweise ist dieser Teil des Frauenkörpers in zivilisierten Ländern bedeckt, und Jola bemerkt, dass der Ukrainer wie gebannt hinstarrt.

»Lady«, sagt er sehr höflich, »ich würde gern fragen, wo haben Sie so viel Weisheit gelernt?«

Was für ein Charmeur dieses Rotebetehirn ist, fast so schlimm wie ein Pole. (Polnische Männer sind in der ganzen Welt bekannt dafür, dass sie gern flirten, wegen ihrer Vorliebe für Handküsse, aber leider macht das noch lange keine guten Ehemänner aus ihnen, wie Jola zu ihrem Kummer festgestellt hat.) Die Inhaberin lacht bescheiden und zeigt auf ein gerahmtes Foto über der Theke, auf dem eine lächelnde runzlige alte Frau zu sehen ist, in Himmelblau gekleidet, mit einer dreifachen Perlenkette und einem schicken blauen Hut.

»Diese Lady ist meine Inspiration.«

Alle versammeln sich, um besser sehen zu können. Die alte Frau auf dem Bild blickt fröhlich lächelnd zurück und winkt mit einer behandschuhten Hand. Jola findet, der Schleier *und* die kleinen blauen Federn am Hut sind zu viel: Das eine oder das andere allein hätte genug Aussagekraft gehabt.

»Sie ist eine Lady, die hohes Alter und große Weisheit erlangt hat. Während ihres langen Lebens, das leider vorüber ist, hat sie mir viele gute Hinweise über die wichtigen Dinge des Lebens gegeben. Freunde, die von weither kommen, sind stets willkommen – das ist einer ihrer berühmten Aussprüche.« Mit einem freundlichen Lächeln verschränkt die Inhaberin die Arme auf der Theke. »Sie sind nicht von hier. Sie kommen von weither, nicht wahr?«

»Da haben Sie recht, Madam.« Tomasz lächelt einnehmend. »Wir kommen aus allen Ecken der Welt – Polen, Ukraine, Afrika, China.«

Auch er starrt die braune Rundung an. Also wirklich, was soll man mit diesen Männern bloß machen?

»Und Malaysia«, sagt das chinesische Mädchen Nummer zwei.

»Dann wünsche ich Ihnen eine schöne Zeit, meine Lieben, und guten Appetit.« Die Ladeninhaberin strahlt über die Theke. »Das ist auch einer ihrer Aussprüche.«

»Ein sehr guter Ausspruch«, sagt Emanuel. »Ich werde ihn zu meiner Erinnerung legen.«

Das chinesische Mädchen Nummer eins flüstert dem chinesischen Mädchen Nummer zwei ins Ohr: »Ich glaube, die Weisheit, die sie von der alten blauen Lady hat, ist eigentlich von Konfuzius.«

Und Nummer zwei zeigt auf den roten Punkt auf der Stirn der Ladenbesitzerin und flüstert: »Ich glaube, das ist ein Einschussloch.«

Sie kichern.

ICH BIN HUND ICH BIN GUTER HUND ICH SITZE BEI MEINEM MANN ICH ESSE HUNDEFUTTER FLEISCH MEIN MANN ISST MENSCHENFUTTER BROT FISCH WIR ESSEN WIR SITZEN AUF KLEINEN STEINEN BEI GROSSEM WASSER DIE SONNE SCHEINT HEISS DAS WASSER SCHMECKT SCHLECHT NICHT GUT GROSSES WASSER JAGT HUND HUND JAGT GROSSES WASSER GROSSES WASSER ZISCHT SSSS HUND BELLT WUFF HUND SCHNUPPERT GROSSES WASSER KEIN HUNDEGERUCH KEIN MENSCHENGERUCH NUR GROSSES WASSER GERUCH ÜBERALL STEINE BÄUME GRAS ABFALL HUND FINDET MÄNNERSCHUH AM GROSSEN WASSER NASSER SCHUH GUTER-MANN-GERUCH HUND BRINGT NASSEN SCHUH ZU SAURE-PISSE-STARKER-FÜSSEGERUCH-MANN ER IST FROH GUTER HUND ER SAGT ICH BIN GUTER HUND ICH BIN HUND

Nach dem Mittagessen ist Andrij schlecht. Diese Sardinen in Tomatensoße – sie waren lecker, aber vielleicht hätte er nicht so viele essen sollen. Während die anderen zu Fuß zum Fährhafen gehen, breitet er sein Handtuch auf dem Kiesstrand aus und legt sich in die Sonne. Hund legt sich neben ihn. Das träge Kommen und Gehen der Wellen am Wasserrand ist beruhigend. Hund schläft sofort ein und schnauft und schnarcht so rhythmisch wie das Meer. Andrij ist todmüde, aber immer wenn er fast eingeschlafen ist, überfällt ihn eine flatternde Panik und er wacht wieder auf. *Ich habe nichts getan.* Das Linksfahren, die anstrengenden Passagiere, der aufmüpfige Wohnwagen, der Streit mit Ciocia Jola und eine nagende, verschwommene Nervosität, die in seinem Kopf herumspukt wie ein Nebel, ohne Form anzunehmen, von all dem ist er völlig erschöpft, doch er kommt einfach nicht zur Ruhe.

Aber anscheinend ist er doch weggedöst, denn plötzlich

lässt ihn ein donnerndes Krachen, wenige Meter von ihm entfernt, hochfahren. Das Blut stockt ihm in den Adern, dann fängt sein Herz wild zu hämmern an. Noch halb im Schlaf lauscht er dem alptraumhaften Getöse – ein langsames Anschwellen, ein furchtbar widerhallendes Dröhnen, ein langsam verebbendes Rumpeln. Es ist das langgezogene Gebrüll der Erde, die vor Schmerz laut aufschreit. Es ist das Donnern des Stollens, der in der Finsternis unter Tage einstürzt.

Er setzt sich auf, reibt sich die Augen. Da ist nichts. Nichts außer den Wellen, die wenige Zentimeter vor seinen Füßen auf den Kies klatschen. Die Flut ist da. Doch im Augenblick des Erwachens hat er das Grauen nochmals erlebt, die brausende Schwärze, den Lärm und den Staub, und die Gewissheit, dass sein Vater da nicht lebend herauskommen wird.

Dieses Geräusch – nein, er kann nie wieder unter Tage arbeiten. Er kann nicht zurück. Er hatte nie Bergmann werden wollen. Lieber wäre er in der Schule geblieben und hätte studiert und wäre Lehrer geworden oder Ingenieur. Aber als er sechzehn war, hat sein Vater ihm die Spitzhacke in die Hand gedrückt – die Zeit der Maschinen war längst Vergangenheit – und zu ihm gesagt: »Lerne, Sohn. Lerne, ein Mann zu sein.«

Mit der frechen Klappe eines Teenagers, für die er sich heute noch schämt, hatte Andrij damals erwidert: »Ein Mann – ist das einer, der in der Erde wühlt wie ein Tier?«

Und sein Vater antwortete: »Ein Mann ist einer, der Brot nach Hause bringt, die Sicherheit seiner Kameraden über die eigene stellt und sich nicht beklagt.«

Im Donbass gab es nur eine Möglichkeit, Brot nach Hause zu bringen. Als beschlossen wurde, dass die Grube unwirtschaftlich war, half weder die internationale Solidarität noch die Bergbaugewerkschaft. Und so waren sie allein unter Tage gegangen und hatten sich selbst geholfen. Man muss schließlich leben, oder? Als der Stollen einstürzte, hatte Andrij überlebt, er und zwei andere. Sechs waren umgekommen. Außerhalb des Donezbeckens hatte die Geschichte nicht mal für eine Schlagzeile gereicht.

Warum er? Warum hat er überlebt, während die anderen gestorben sind? Weil die Stimme in seinem Kopf sagte, lauf, wenn du leben willst, lauf – lauf immer weiter. Schau nicht zurück.

Er sieht, dass sich am Horizont eine graue Wolkenbank zusammenzieht.

Warum Sheffield? Weil Sheffield der Ort ist, wo es rosa Nachtisch gibt und Mädchen, die einem Zungenküsse geben. Und diesen blinden Mann, die Sanftmut in seiner Stimme, als er die Fremden in seiner Stadt willkommen hieß, die Art, wie er Andrijs Hand festhielt und ihm direkt ins Herz zu sehen schien, obwohl er natürlich nicht sehen konnte. Ja, jetzt erinnert er sich wieder, Vlunki war sein Name.

Und was machst du, wenn du in Sheffield bist? So weit hat er noch nicht gedacht. Morgen wird er nach Irina suchen, und sobald er sie gefunden hat, macht er sich auf den Weg.

Egal wie lange Vulk wartete, ich würde länger warten.

Aus meinem Laubversteck sah ich zu, wie die Sonne ihren trägen Bogen am Himmel beschrieb, von den waldigen Hügeln im Osten über den sanft gewellten Flickenteppich der grünen und goldenen Felder bis zum Horizont auf der anderen Seite. Es war seltsam, denn obwohl ich dem Fortschreiten der Sonne zusah, schien in mir die Zeit stillzustehen. Ich wartete – wartete und versuchte dabei, nicht über den Grund meines Wartens nachzudenken, denn der Gedanke war so schrecklich, dass ich fürchtete, wenn ich ihn erst einmal im Kopf hatte, würde ich ihn nie mehr loswerden. »*Gefällt dir, Blume?*«

Wenn ich wieder in Kiew bin, dachte ich, schreibe ich ein Buch darüber. Einen Thriller über die Abenteuer einer schneidigen Heldin, die vor einem finsteren, aber lächerlichen Gangster durch England flieht. Mir ihre Geschichte auszumalen, half mir. Wenn man eine Geschichte schreibt, entscheidet man über das Ende selbst.

Während die Sonne über den Himmel wanderte, bildeten sich in ihrem Kielwasser streifige Wölkchen, die langsam dichter und schwerer wurden. Seltsam, ich hatte nie zuvor bemerkt, wie ausdrucksvoll Wolken sein konnten, wie Menschen, die sich verändern, altern, auseinanderdriften.

Irgendwann musste ich eingeschlafen sein, denn als ich die Augen wieder öffnete, war die Sonne verschwunden, und was ich für eine Hügelkette gehalten hatte, blau am Horizont, war in Wirklichkeit eine lange Wolkenbank, die inzwischen den Himmel verschluckt hatte. Bald würde es regnen. Ich war am Verhungern. Wenn ich nicht bald etwas zu essen bekam, dachte ich, würde ich ohnmächtig werden.

Schließlich kletterte ich aus meiner Höhle und spähte den Waldweg hinunter. Dort, wo ich vorher etwas in der Sonne hatte blitzen sehen, war jetzt nichts als grünes Laub. War er fort, oder lag es nur daran, dass die Sonne nicht mehr schien? Versteckte er sich, wartete? Vielleicht lauerte er in Zukunft überall, wo ich hinging. *Stopp. Denk das nicht. Wenn du das denkst, bist du seine Gefangene, lebenslänglich.*

Zuerst musste ich etwas zu essen finden. Ich sah mich um. Hier gab es Bäume, Büsche, Gras, Blätter. War irgendwas davon genießbar? Ich rupfte eine Handvoll Gras ab – wenn Kühe sich davon ernährten, musste es essbar sein. Ich kaute auf dem Gras herum, aber ich schaffte es nicht, es herunterzuschlucken. Da war ein Busch mit roten Beeren, die giftig glänzten. *Mama, Papa, ihr kennt euch mit so was aus. Sei nicht dumm, Irina. Du weißt, dass du keine Beeren oder Pilze essen darfst, wenn du dir nicht absolut sicher bist. Wie oft soll ich dir das noch sagen?*

Während ich noch darüber nachdachte, wanderte ich den Weg zurück. Bei Tag wirkte die Strecke viel kürzer. Ich schlüpfte durch die Hecke und ging auf der anderen Seite, auf dem Feld, damit mich keiner sah. Unten, wo der Weg breiter wurde, stand ein alter Picknicktisch mit zwei Holzbänken, an denen ein paar Bretter fehlten. Es war kein Auto da, aber es gab viele Reifenspuren. Entweder war er mehrmals zurückgekehrt oder es waren noch andere Leute hier gewesen. Ich sah mich um. Da, neben einer der Reifenspuren, lag der Stummel einer Zigarre. Mein Herz begann zu hämmern – bumm, bumm. Ich dachte an die Zigarre, die er am Abend geraucht hatte. War es dieselbe? Oder war er noch einmal zurückgekommen? Hatte er hier irgendwo in seiner Mafiakutsche gesessen, Zigarren gepafft und auf mich gewartet? »*Kleinerr Blume* ...« Heftig zertrat ich den Zigarrenstummel, bis seine Überreste im Gras verschwunden waren. Und dort lag noch etwas, ein graues Stück Gummi. Es sah aus wie ein Teil von einem Schuh. Was für ein Gestank! Aber Vulks Schuhe waren glänzend und schwarz gewesen.

Dann entdeckte ich unter dem kaputten Tisch eine zerknüllte Papiertüte. Ich wusste sofort, was es war. So ein Glück! Ich hob sie auf. Dieser Duft! Ich konnte nicht anders. Wie ein Hund fing ich zu sabbern an. Ich wickelte das Päckchen auf und zählte. Eins, zwei, drei ... so viele! Ich stopfte sie mir in den Mund. Mein Magen knurrte glücklich. Sie waren kalt und steif, wie die Finger eines Toten. Aber sie schmeckten absolut köstlich. Und da war noch etwas unter den Pommes. Golden, knusprig. Ich brach ein Stück ab und ließ es mir auf der Zunge zergehen. Es war wie Manna. Es war ... nichts mehr da.

Dann dachte ich, was für ein Dummkopf bist du bloß, stehst hier am Straßenrand, wo dich jeder sehen kann, und stopfst den Abfall anderer Leute in dich rein. Wenn Mutter dich so sehen könnte ... *Aber sie sieht dich nicht, oder?*

Der Abfall ... wessen Abfall? Hatte er die Pommes frites gestern Abend im Auto dabeigehabt? Nein, das hätte ich gerochen. Also musste jemand anders sie weggeworfen haben. Oder er war weggefahren, um sich etwas zu essen zu holen, und dann war er zurückgekommen, um mir aufzulauern. Mir aufzulauern, damit er ... *Stopp. Denk nicht daran. Jedes Mal, wenn du an ihn denkst, hat er dich schon.*

Das Fährterminal ist fast menschenleer, und es ist still bis auf ein heulendes, müdes kleines Mädchen mit schokoladenverschmiertem Gesicht, das am Rock seiner ebenso müden Mutter zerrt. Marta erinnert sich an das Gedränge und die Aufregung bei ihrer Ankunft, es ist gerade mal ein paar Wochen her. Jetzt wirken alle hier niedergeschlagen. Andrij ist am Strand geblieben. Emanuel will sich die Schiffe ansehen. Die beiden chinesischen Mädchen sind draußen und essen Eis. Jola und Tomasz suchen den Schalter, wo man die Fahrkarten umtauschen kann. Jola hat ein ganz rotes Gesicht: vielleicht vom Stress, oder aber sie hat vorhin am Strand zu viel Sonne abbekommen, als ihr der Hut wegwehte – die Flüche, die sie ausgestoßen hat, waren schlimm. Tomasz hat einen stinkenden Turnschuh an einem Fuß und einen Turnschuh, der nass und zwei Nummern zu groß ist, am anderen. Auf der Nase hat er einen Sonnenbrand. Doch Marta kann sich nicht weiter darauf konzentrieren, was die anderen machen, denn sie muss dringend auf die Toilette.

Während Jola und Tomasz sich auf die Suche nach dem Fahrkartenschalter machen, der sich in einem anderen Teil des Gebäudes befindet, folgt Marta den Schildern zum WC. Sie ist schon wieder auf dem Rückweg, als sie einen jungen Mann entdeckt, der an der Kaffeebar steht und in ein Mobilfon spricht. Er scheint sich suchend nach jemandem umzusehen. Er ist groß und schick angezogen, mit einem Goldkettchen um den Hals und einem funkelnden Diamantohrring. Sein rasierter brauner Schädel glänzt, und er trägt eine schwarze Sonnenbrille, mit der er etwas zwielichtig aussieht. Irgendetwas an ihm kommt ihr bekannt vor. Marta versucht, einen zweiten Blick zu erhaschen, ohne dass es zu auffällig wird. Plötzlich grinst er sie an und winkt. Soll sie zurückwinken? Dann nimmt er die dunkle Sonnenbrille ab, und jetzt erkennt sie ihn sofort: Es ist Vitali.

Er verstaut das Mobilfon in seiner Tasche und schlendert zu ihr herüber.

»Hallo, Marta. Wie läuft es so?«

»Okay.« Sie zögert. Es ist so viel passiert seit ihrem letzten gemeinsamen Abendessen. »Also, ehrlich gesagt, Vitali, nicht so gut. Wir mussten die Erdbeeren verlassen. Der Bauer ist verletzt, und Ciocia Jola hat Angst wegen der Polizei.«

»Hm. Polizei ist nicht gut.«

»Im Moment versuchen sie, die Fahrkarten umzutauschen.«

»Sie gehen zurück nach Polen?«

»Wir gehen alle, so schnell wie möglich. Und du, Vitali, was machst du? Du siehst schick aus. Bist du fertig mit Erdbeeren?«

»Bye-bye Erdbeer. Hello Mobilfon.« Er lächelt geheimnisvoll, dann senkt er die Stimme. »Agent für Personalvermittlung«, sagt er auf Englisch.

»Vitali!« Marta ist beeindruckt. »Was ist das?«

»Dynamische Beschäftigungslösungen. Aktive«, er macht eine schnelle, schneidende Bewegung mit der Handkante, »organisatorische Antwort auf flexible Personalanforderungen.« Seine Ausdrucksweise ist atemberaubend.

»Du bist Businessmann geworden, Vitali! Englischer VIP.«

Als sie ihn so ansieht, schämt sie sich plötzlich für ihre eigene Schäbigkeit. Der lockige, grinsende, erdbeerpflückende Vitali mit seiner sympathischen unberechenbaren Art hat sich in einen gewieften, selbstbewussten Geschäftsmann verwandelt, der mühelos zwischen Polnisch und Englisch hin- und herspringt.

»Zu schade, dass ihr so schnell zurückmüsst. Ich kann euch Eins-a-Jobs hier in der Gegend besorgen. Hohe Bezahlung. Komfortable Unterkunft.«

»Ach, Vitali, du sprichst Versuchung! Ich würde bleiben, aber ich glaube, Ciocia Jola will nach Hause. Sie vermisst ihren Sohn.« Sie bemerkt das sündige Funkeln in seinen Augen und denkt, wie schön es wäre, ihn auf den Pfad der Tugend zurückzuführen.

In diesem Moment tauchen Jola und Tomasz auf, mit wütenden Gesichtern. Sie haben die Fahrkarten nicht umtauschen können. Der Schalter ist geschlossen. Eine Frau hat ihnen gesagt, dass sie morgen zurückkommen sollen, oder sie müssen zur Verkaufsstelle in die Stadt gehen und sich dort anstellen, möglicherweise bekommen sie dann eine Stornierung. Jetzt streiten sie, wer die Frau war, die ihnen die Auskunft gegeben hat, und was genau sie gesagt hat. Jola meint, sie war die Putzfrau oder vielleicht eine verärgerte Kundin, und dass man ihrem Wort nicht trauen kann. Tomasz sagt, sie war von der Hafenbehörde, und es sei bedauerlich, dass Jola so herablassend war und sie einfach stehen gelassen hat, ohne zuzuhören.

»Warum können die nicht einen Zettel aufhängen, statt die Leute in der Hitze rumrennen zu lassen wie die Rindviecher?«, schäumt Ciocia Jola. »Wo ist das Klo? Hast du das Klo gefunden, Marta? Wer ist denn das?« Sie reißt die Augen auf. »Vitali?«

Vitali schüttelt ihr herzlich die Hand.

»Ich höre, ihr wollt nach Polen zurück, Jola.«

»Wer hat dir das erzählt?«

»Ciocia, ich habe es ihm erzählt«, sagt Marta so sanft wie möglich. »Sei nicht ärgerlich. Vitali sagt, er kann uns Eins-a-Arbeit in der Gegend besorgen. Vitali, sag Ciocia Jola, was du tust.«

»Agent für Personalvermittlung. Aktive dynamische Beschäftigungslösung mit Flexibelkapazität im Voraus zu organisatorische Personalanforderungen.« Beim zweiten Mal scheint er noch schneller zu sprechen.

»Mein Gott!«, sagte Jola. »Vitali, aus dir ist was geworden.«

Er senkt bescheiden den Kopf.

»Ich arbeite für britisches Unternehmen. Nightingale Human Solutions. Ich habe Training Seminar besucht.«

»Training Seminar. Was ist das, Vitali?« Marta kann die Bewunderung in ihrer Stimme nicht verhehlen.

»Ach, nichts Besonderes«, Vitali lächelt bescheiden. »Kann jeder. Man muss nur ein paar Wörter auf Englisch lernen. Und natürlich Kontakte. Das Wichtigste sind Kontakte.«

»Du hast Kontakte, Vitali?«, fragt Jola. Trotz ihrer früheren Stellung als Vorarbeiterin und Anführerin der Gruppe flößt der neue Vitali auch ihr Respekt ein.

»Er hat Mobilfon«, flüstert Marta.

Nur Tomasz scheint nicht beeindruckt.

»Wir sind nicht auf der Suche nach Jobs, vielen Dank,

Vitali. Wir planen die Rückreise nach Polen, sobald wir die Fahrkarten umgetauscht haben.«

»Oh, Fahrkarten umtauschen geht nicht. Ihr müsst neue Fahrkarten kaufen. Dafür braucht ihr Geld.«

»Die Eins-a-Arbeit, von der du redest«, fragt Jola, »was ist das für eine Bezahlung?«

Vitali zögert einen Moment, als würde er ein paar Kopfrechnungen anstellen.

»Bewegt sich zwischen fünf- und sechshundert Pfund die Woche. Abhängig von Leistung. Vielleicht mehr.«

Alle schnappen nach Luft, sogar Tomasz. Das ist dreimal so viel, wie sie auf dem Erdbeerfeld verdient haben, vor den Abzügen.

»Und ihr könnt Caravan bye-bye sagen. Ihr wohnt in Luxusunterkunft.«

»Und die Arbeit – was müssen wir tun?«, fragt Marta.

»Geflügel.« Vitali wechselt wieder ins Englische. »Ihr helft mit bei dynamische Ankurbelung der Geflügelindustrie auf Britische Inseln. Oder, wie wir auf Polnisch sagen«, er zwinkert Marta zu, »ihr füttert Hühner.«

Marta stellt sich vor, wie sie mitten in einer Schar wohlgenährter brauner Vögel steht, die fröhlich gackern und scharren, während sie Händevoll Körner unter sie streut. Ihr geht das Herz auf.

Aber Tomasz flüstert Ciocia Jola zu: »Denk an Mirek. Denk an die Polizei.«

»Ja«, Ciocia Jola macht ein niedergeschlagenes Gesicht. »Wir wollen keine Probleme. Besser, wir gehen heim. Wenn wir bei diesen Idioten von der Fähre irgendwann drankommen. Wir versuchen es morgen noch mal. Was sagst du, Marta?«

Bevor Marta irgendetwas sagen kann, mischt sich Vitali ein.

»Durch meine Kontakte habe ich erfahren, da der Bauer nicht tot ist, sondern nur verletzt, gibt es kein Problem mit Polizei.«

»Auch wenn er nur verletzt ist«, entgegnet Tomasz, »sie müssen doch Nachforschungen anstellen.«

»Das sind nur Formalitäten. Ist doch schade, wenn ihr die Chance verpasst, viel gutes englisches Geld zu verdienen. Denkt an Investition, die ihr mit dem Geld für Reise hierher schon gemacht habt. Denk an Luxus, den du mit dem Geld für deinen Sohn kaufen kannst, Jola.«

»Mhm«, sagt Jola. Marta kann die Gedanken sehen, die über ihr Gesicht wandern.

Plötzlich erschallt dicht bei ihrem Ohr laute, fröhliche Musik. »Di di daah da! Di di daah da!« Marta zuckt erschrocken zusammen. Es ist Vitalis Mobilfon.

»Entschuldigung!« Er reißt das Telefon aus der Brusttasche und fängt an, in einer Sprache zu reden, die weder Englisch noch Polnisch noch Ukrainisch noch Russisch ist, und wedelt dabei mit der freien Hand durch die Luft. Er wird immer aufgeregter. Anscheinend streitet er sich mit irgendwem. Zwischendrin hält er das Telefon mit einer Hand zu und flüstert: »Entschuldigung, sorry. Dringende Geschäfte.«

Marta versucht irgendein Wort aufzuschnappen, aber er redet zu schnell. In der Zwischenzeit besprechen sich Jola und Tomasz und wägen die Freuden der Hühner gegen die Freuden der Heimkehr nach Polen ab, und plötzlich tauchen die chinesischen Mädchen auf, mit schon fast leergeleckten Eistüten in der Hand. Mitten im Schlecken halten sie inne und fangen zu kichern an, als sie Vitali wiedererkennen. Auch sie sind von seiner Verwandlung beeindruckt.

»Er ist jetzt ... was bist du, Vitali?«

Vitali strahlt sie an, steckt das Telefon in die Tasche und setzt die dunkle Sonnenbrille wieder auf.

»Dynamische Beschäftigung aktiver Agent für Personalvermittlung mit Flexibellösungen.«

Er macht eine kleine Verbeugung. Die chinesischen Mädchen kichern noch mehr, aber Vitali bringt sie mit einer dramatischen Handbewegung zum Schweigen. Dann fährt er in beeindruckend flüssigem Englisch fort: »Wenn ihr Ladys neue Beschäftigung sucht, ich wäre glücklich, euch eine ganze Reihe von interessante Angebote zu präsentieren.«

Aufgeregt tauschen sie einen Blick.

»Vielleicht ich könnte gute Stellung in Amsterdam für euch finden. Wart ihr schon in Amsterdam? Es ist eine Stadt mit außergewöhnlicher Schönheit, alles auf Wasser gebaut. Wie Venedig, nur besser.«

»Ich habe Fotos gesehen«, sagt das chinesische Mädchen Nummer zwei. »Ist noch schöner als Kuala Lumpur.«

»Aber ihr habt sicher Freund in China, der auf euch wartet? Habt ihr doch alle möglichen Tricks drauf?« Plötzlich wird Vitalis Stimme tief und honigsüß. »Schlimme chinesische Mädchen, schlaft ihr manchmal mit eurem Freund, oder? Macht schön Liebe?«

Das hört sich mehr nach dem alten Vitali mit dem sündigen Lächeln an als nach dem neuen Geschäftsmann, denkt Marta, obwohl sie über seine Fragen ziemlich erstaunt ist.

»Kein Freund«, sagt das chinesische Mädchen Nummer eins. Nummer zwei schüttelt traurig den Kopf.

»Kein Freund. Das sind sehr gute Nachrichten. Also«, er holt wieder sein Telefon heraus und drückt ein paar Tasten. »Ich glaube, ich habe gute Stellung für euch, Kinderbetreuung in Familie von Diplomat. Chinesischer Diplomat in Amsterdam. Hat sechs Kinder, drei Jungen und drei Mädchen, und jede passt auf drei auf, deswegen sind zwei Personen nötig. Es sind sehr intelligente Kinder, deshalb braucht ihr große Sorgfalt und Geduld. Ihr dürft sie nicht schlagen oder anschreien. Glaubt ihr, ihr könnt das?«

»Ja, ja«, rufen sie, »aber …«

Er fängt den Blick von Nummer zwei auf und sagt schnell: »Nur vorübergehend. Nur drei Monate. Normale Kindermädchen sind in Ferien. Hey, keine Angst, ihr kennt mich. Ihr könnt mir vertrauen – ich bin euer Freund, ich pass auf euch auf.« Er zwinkert. »Ihr wohnt bei der Familie in große Luxusvilla in Herz von Altstadt von Amsterdam. Ihr habt euer eigenes Elite-Apartment, und ihr fahrt überallhin per Boot. Ist sehr renommierte Stellung mit hoher Verantwortung, und Bezahlung ist angemessen. In Euro.« Er wirft noch einen Blick auf das Telefon. »Fünftausend Euro in Monat.«

Sie schnappen nach Luft. Das klingt nach sehr viel, auch wenn sie keine Ahnung vom Wechselkurs von Euro zu Pfund oder zu Yuan oder Ringgit haben.

»Ich muss telefonieren, um Details zu vergewissern, und rausfinden, ob diese Stellung noch frei ist. Ich treffe euch morgen Mittag hier. Bringt euer Gepäck mit. Und eure Pässe.«

»Ich würde mich auch sehr für eine Stellung mit Kindern interessieren«, sagt Marta.

Die flauschigen braunen Hühner kommen ihr plötzlich gar nicht mehr so attraktiv vor. Doch Vitali sieht sie an, mustert sie eine Weile, vor allem ihre Nase, und lächelt liebenswürdig.

»Ich glaube, eine Stellung mit Hühnern ist besser für dich.«

Nach dem unangenehmen Schläfchen am Strand beschließt Andrij, dass es Zeit ist, sich mal in Dover umzusehen. Hund, der immer noch die orange Schleife um den Hals hat, kommt mit. Er trottet an Andrijs Seite, nur ab und zu macht er einen Abstecher, um eine Fährte zu verfolgen, dann kommt er wieder hinter ihm hergerannt.

Der Himmel ist schwer geworden, und das Licht hat jetzt eine schmutzig graue Färbung. Vom Schlafen in der Sonne hat er Kopfweh, und über ihm schwebt eine Wolke von Pessimismus. Er war sich so sicher gewesen, dass er Irina in Dover finden würde – es war eigentlich nur ein Gefühl gewesen, hatte aber auch damit zu tun, dass er wie sie über Dover nach England gekommen ist, nur mit einer anderen Agentur. Jetzt weiß er nicht, wo er mit der Suche anfangen soll. Die Straßen von Dover deprimieren ihn, alle Läden sind geschlossen, die Häuser und Hotels heruntergekommen, und die Menschen sind mürrisch und machen verkniffene Gesichter. Es fühlt sich an wie eine Stadt, deren Herz abgestorben ist. Es erinnert ihn sogar ein bisschen an Donezk, die arbeitslosen Nichtstuer, die auf den Straßen rumhängen, trinken, betteln oder nur vor sich hin starren. Zu viele Fremde wie er, die auf der Suche nach etwas sind, das nicht da ist, die darauf warten, dass das Glück sie findet. Und im Hintergrund die ganze Zeit das trostlose, knirschende Rauschen des Meeres und das klagende Geschrei der Möwen.

Während er durch die Straßen wandert, wird ihm immer mehr bewusst, wie unmöglich seine Aufgabe ist. Wo soll er anfangen? Und warum sucht er das Mädchen überhaupt? Was passiert ist, ist passiert – natürlich hättest du es verhindert, wenn du gekonnt hättest, aber es ist wirklich nicht deine Verantwortung. Soll sich ihr Boxerfreund um sie kümmern. Bye-bye, Ende, aus.

Er geht zum Strand zurück und kommt an einem jungen Mann mit einem Eimer und einer Angelrute vorbei. Er hat ein rundes Gesicht und dunkle Augen wie ein Ukrainer, aber es stellt sich heraus, dass er Bulgare ist. In einer Mischung aus gebrochenem Englisch, Bulgarisch und Russisch sagt er, dass er am Pier geangelt hat – er zeigt am Strand entlang in die andere Richtung –, und jetzt verkauft er seinen Fang. Für fünfzig Pence kauft Andrij ihm eine kleine Makrele und zwei nicht identifizierbare Fische ab, und seine Laune fängt an sich zu bessern.

Die anderen sind schon beim Wohnwagen, als er zurückkommt. Die chinesischen Mädchen sitzen drinnen und tuscheln aufgeregt über ihrem Horoskop. Tomasz hat eine alte Plane und ein blaues Seil auf einem Lastwagenparkplatz gefunden, und er scheint große Pläne damit zu haben. Jola und Marta essen Eis, und Marta hat Andrij auch eins mitgebracht. Emanuel war so schlau, die beiden leeren Colaflaschen in der öffentlichen Toilette mit sauberem Wasser zu füllen.

Als sie von ihrem Treffen mit Vitali berichten, überkommt Andrij stiller Ärger. Bye-bye Erdbeer? Hello Mobilfon? Soso. Die anderen erzählen aufgeregt von ihren neuen Jobaussichten. Muss er seinen Stolz runterschlucken und Vitali bitten, auch für ihn etwas zu finden? Und wenn, wird Vitali wieder einen Aufschlag machen, wie bei den Bierdosen – Profit, getarnt als Freundschaftsdienst?

»Komm, Andrij«, sagt Marta. »Der letzte Abend, an dem wir alle zusammen sind. Wir müssen feiern.« Genau in diesem Moment kommt Hund angesprungen und hat ein noch halb gefrorenes Hühnchen im Maul.

Liebe Schwester,
unsere kleine Erdbeerfamilie ist vorüber. Die Mzungus aus Polen werden sich einer Hühneranstellung unterziehen, und die chinesischen Mädchen sind nach Amsterdam bestimmt. Nur Andree, ich und der Hund werden im Caravan überdauern. Tomasch hat für unsere Abschiedsfeier eine

Flasche italienischen Wein herbeigeführt, und in der Nähe von Dover entdeckten wir ein Feld, welches mit übermäßigen Karotten gesegnet ist, denen Marter mit Eifer begegnete. Sogar der Hund spendete ein gefrorenes Huhn.

Während Marter die Karotten zerschnitt, begaben Andree und ich uns in den Wald, um Feuerholz zu sammeln, und wir kamen an einen schattigen Ort, wo wir Tomasch und Jola begegneten, die miteinander einhergingen und in leisen Zungen redeten. Später, bei ihrer Rückkehr zum Caravan, hielt Jola Tomaschs Hand und in der anderen ein Paar Damenunterbekleidung.

Tomasch und Andree errichteten ein 1-A-Zelt mit einer Zeltplane und einem blauen Seil, gesammelt von Tomasch, und man gab mir einen eigenen Schlafplatz hinten im Landrover, der meiner geringen Größe entgegenkam.

Das Festmahl, das Marter zubereitete, war vorzüglich, und Tomaschs Wein auch, und bald kam die Zeit, da wir zu singen begannen. Tomasch hat ein vorzügliches Lied verfasst über eine Reisegruppe und die Geschichten ihrer Liebe und Abenteuer, welches er zu seiner Gitarre sang. Ich möchte sehr gern lernen, wie man die Gitarre bespielt, und Tomasch hat mich bereits in einigen Akkorden unterrichtet. Als die Reihe an mir war, sang ich das Benedictus aus Bachs h-Moll-Messe, welches Schwester Theodosia mich gelehrt hat, und wir alle dankten für die Freundschaft, die wir zusammen auf dem Erdbeerfeld erleben durften. Und in meinem Herzen betete ich wieder, dich liebe Schwester wiederzusehen, und für die baldige Rückgabe von Irina, denn ich wusste, dass ein Sturm im Anzug war, weil die rote Sonne in einem wütenden Schwellen weißer und grauer Wolken unterging, die den Aufgang des Mondes verdunkelten.

Nachdem ich die Pommes aufgegessen hatte, leckte ich die Krümel vom Papier. Dann leckte ich das Fett vom Papier. Und dann dachte ich über meine Möglichkeiten nach.

Wenn ich nach rechts ging, kam ich zu den Pappeln und dem glitzernden weißen Feld. Falls es die richtigen Pappeln waren, befand sich dahinter das Erdbeerfeld, wo ich meine Tasche und das bisschen Geld, das ich gespart hatte, holen konnte, und die anderen würden sich um mich kümmern und mir bei der Flucht helfen. Nach links ging es wahrscheinlich nach Dover. Dort konnte ich zur Polizei gehen, und man würde mich nach Kiew zurückschicken, wo Mutter mit Tränen in den Augen auf mich warten würde. »Ich habe dich gewarnt, Irina, aber du wolltest ja nicht auf mich hören«, würde sie sagen und sich dabei die Nase schnäuzen. Und dann würde ich den Rest des Sommers in der Wohnung herumhängen, nur ich und Mutter und der Kater, wir würden einander schrecklich auf die Nerven gehen, ich würde mir wünschen, dass Papa zurückkäme, und von England träumen.

Also ging ich nach rechts.

Die Sonne war bereits untergegangen, es dämmerte, und jetzt kam auch noch ein unangenehmer Wind auf. Wenn ich nicht in Bewegung blieb, würde ich erfrieren.

Ich marschierte los und schwang energisch die Arme, um warm zu werden, denn ich hatte nur ein dünnes Sweatshirt an. Wenigstens hatte ich mir gestern Abend, als die Mücken zu stechen anfingen, noch die Jeans über die Shorts gezogen. Die Straße war gewunden und verlief zwischen hohen Hecken, so dass ich die meiste Zeit nicht sehen konnte, wo ich war. Erst ging es aufwärts, dann abwärts. Nichts kam mir bekannt vor. Die Pappeln waren völlig aus meinem Blickfeld verschwunden.

Ich wusste nicht mehr, wie lange ich schon gelaufen war.

Ein Auto mit grellen Schweinwerfern fuhr vorbei, doch es hielt nicht an. Dann fing es zu regnen an. Zuerst war es nicht so schlimm, denn ich hatte Durst und streckte die Zunge raus, um Regenwasser aufzufangen. Aber bald war mein Sweatshirt ganz durchweicht, und ich begann zu zittern. Der Wind riss an meinen nassen Kleidern und der Regen peitschte mir ins Gesicht. Ich litt entsetzlich!

Schließlich fing ich zu rennen an, den Kopf gesenkt, die Hände in den Taschen meines Sweatshirts. Wieder fuhr ein Auto vorbei, doch als ich winkte, brauste es in einer Spritzwasserwolke davon. Als der Regen allmählich meine Haut aufweichte, entdeckte ich einen alten Wellblechschuppen, ein Stück von der Straße zurückgesetzt. Ich drückte gegen die Tür, und sie öffnete sich quietschend. Drinnen roch es nach Schmieröl. In der Ecke unter einer Plastikplane rostete ein Teil von einem alten Motor vor sich hin. Es gab sogar einen alten Stuhl. Was für ein Glück! Ich setzte mich. Der Stuhl kippelte. Er hatte nur drei Beine. Na ja, es blieb mir nichts übrig, als dazusitzen und den Morgen abzuwarten.

Marta liegt gemütlich in ihrer Koje und lauscht dem Regen, der auf das runde Dach des Wohnwagens prasselt – ein leises, heimliches Klopfen, wie von einem Freund, der eingelassen werden will. Sie denkt an Irina. Im anderen Bett liegt Ciocia Jola und murmelt im Schlaf vor sich hin, offenbar in eine nächtliche Zankerei verstrickt. Selbst im Traum findet die Tante noch jemanden, an dem sie herummeckern kann. Die Regentropfen werden lauter, drängender. Ein frischer Wind ist aufgekommen, der an den dünnen Wänden ihres klapprigen Heims rüttelt und durch die karierten Vorhänge vor den offenen Fenstern bläst. Die chinesischen Mädchen im Doppelbett sind ebenfalls hellwach und kuscheln sich aneinander. Mit einem letzten Schnauben gewinnt Ciocia Jola ihr Traumgezank, dann steht sie auf und schließt die Fenster. Marta stellt den Kessel auf und schmiert ein paar Brote mit Margarine und Aprikosenmarmelade, und bald ist es im Wohnwagen dampfig und warm. Alle vier sitzen sie im Nachthemd auf dem Doppelbett, essen Marmeladebrot und unterhalten sich ohne Grund im Flüsterton.

Plötzlich klopft es lauter, und sie hören Männerstimmen. Marta öffnet die Tür. Andrij und Tomasz stehen draußen, nass wie zwei Socken an der Wäscheleine. Ihnen ist die Plane weggeflogen. Der Frauenwohnwagen ist zwar eigentlich nur für Frauen, aber Ciocia Jola macht eine Ausnahme, als sie sieht, wie triefnass die beiden sind.

»Kommt rein. Ihr könnt euch unterstellen.«

Sie trocknen sich ab und setzen sich mit aufs Bett. Marta schenkt ihnen dampfenden, süßen schwarzen Tee ein. Dann hört sie es leise bellen, und wieder klopft es an die Tür. Es sind Hund und Emanuel. Nass sind sie nicht – auf der Pritsche des Landrovers war es trocken –, aber sie sehnen sich nach Gesellschaft. *Freunde, die von weither kommen, sind stets willkommen*, sagt Emanuel und tritt sich die Füße an der Matte ab, bevor er hereinkommt.

Und irgendwie passen sie rein, alle sieben, Andrij sitzt auf einem Hocker, Tomasz, Emanuel und Hund sitzen auf dem Boden, die Frauen eng beieinander auf dem Doppelbett, und so trinken sie Tee, essen das restliche Brot und die Marmelade auf und lauschen dem Regen, der auf das Dach trommelt. An diese Nacht werde ich mich immer erinnern, denkt Marta. Freundschaft wie diese ist ein Gottesgeschenk.

Als nach einer Weile alle wieder müde werden, strecken sich Tomasz und Andrij auf den Einzelkojen aus, und Emanuel rollt sich zwischen ihnen auf dem kleinen Stück Fußboden zusammen. Marta und Jola quetschen sich mit den chinesischen Mädchen ins Doppelbett, und Hund legt sich unten drunter. Marta, die in der Mitte liegt, muss sich mit den Ellbogen gegen ihre Tante und eins der chinesischen Mädchen zur Wehr setzen. Die Chinesin fühlt sich überraschend fest und warm an. Marta fragt sich, welche der beiden es ist. Auch wenn sie nie viel über die chinesischen Mädchen erfahren hat, durch die Enge im Wohnwagen ist eine gewisse Vertrautheit zwischen ihnen entstanden.

Im Dämmerzustand zwischen Schlafen und Wachen lässt Marta noch einmal das gestrige Mahl Revue passieren. Es ist ihr ein wahres Meisterstück gelungen. Zuerst hat sie Andrijs Fisch mit Bärlauch in Margarine angebraten und die Pilze dazugegeben, die Tomasz auf dem Feld gefunden hat. Für das Huhn, das sie in Streifen geschnitten und in Kräutern und Tee geschmort hat, hat sie mit einem Spritzer Wein eine herrliche Soße zubereitet. Schade, dass sie so wenig eingekauft haben, hat sie ihrer Tante nicht ohne Vorwurf sagen müssen, aber wenigstens war noch etwas altes Brot da, aus dem sie Croutons machte, die sie mit einem Zweig frischem Majoran vom Wegrand in der Pfanne anbriet, als würzige Beilage. Die Karotten schnitt sie in feine Julienne, dünstete sie und richtete sie mit Margarine und Aprikosenglasur an. Sie bedauert zwar den Diebstahl der Karotten, der, wie sie weiß, eine Sünde war, aber sie betet, dem Besitzer möge der Verlust im Himmel vergütet werden, denn wer den Armen gibt, der gibt dem Herrn. Und auch wenn es für jeden nur eine kleine Teetasse Wein gab, reichte es, um auf die Freundschaft anzustoßen, und auf eine glückliche Wiedervereinigung irgendwann in der Zukunft.

»Auf alle Caravanbewohner auf der ganzen Welt!«, sagte Tomasz und hob seine gesprungene Tasse.

Keiner von ihnen bekommt in dieser Nacht viel Schlaf. Sie

liegen alle wach, lauschen dem Sturm draußen und flüstern leise, bis der Wind abflaut, der Regen sich verzieht und der Himmel allmählich heller wird.

Am nächsten Tag wartet Vitali am Fährterminal auf sie. Wieder spricht er in sein Handy und sieht sich dabei ständig um, unruhig, nervös. Zum ersten Mal bemerkt Marta die Rastlosigkeit in seinen Augen, und sie hat ein unbehagliches Gefühl dabei. Nach der Harmonie der letzten Nacht klingen seine lauten Handysprüche irgendwie falsch. Aber er lächelt freudig, als er sie sieht.

Er hat einen Begleiter dabei, einen Mann mit dem gleichen rasierten Schädel und vom gleichen dunklen Typ wie er, nur dass er etwas älter ist und seine Züge gröber sind. Er hat eine Narbe auf der linken Wange, die bis zur Lippe geht. Vitali stellt ihn als Mr. Smith vor.

»Mr. Smith begleitet euch«, sagt Vitali zu den chinesischen Mädchen. »Er bringt euch nach Amsterdam und stellt euch Familie von hochrangigen Diplomat vor. Nicht wahr, Mr. Smith?«

Mr. Smith lächelt, und die Narbe zieht seine Oberlippe straff.

»Ladys. Bitte kommen Sie. Haben Sie Ihre Pässe?«

Er führt sie durch die Menge zu einem großen silbernen Auto, das vor dem Tor parkt.

»Bye-bye«, rufen die Chinesinnen und winken hinter den getönten Scheiben.

Song Ying, für die anderen das chinesische Mädchen Nummer eins, kommt aus der Provinz Guangdong im Süden Chinas. Ihr Vater arbeitet in einer neuen Bank in einer großen Industriestadt und ist dort ein angesehener Mann. Ihre Mutter ist Lehrerin. Song Ying ist ihr einziges Kind, und ihre Eltern verhätscheln sie und scheuen keine Ausgabe für sie, so dass sie mit hohen Erwartungen an ihre Zukunft groß wird. Sie ist ein kluges Mädchen, und ihre Eltern haben ihr Privatstunden bezahlt. Mit neunzehn hat sie die Aufnahmeprüfung der renommierten Beijing University Business School bestanden. Ihre Eltern haben genug Geld für die Studiengebühren zur Seite gelegt. Im Herbst fängt sie mit dem Studium an. So war es jedenfalls geplant.

Vor sechzehn Monaten wurde ihre Mutter schwanger. Die Behörden hatten das Ein-Kind-Gesetz längst nicht mehr so scharf verfolgt, und ihre Mutter dachte, sie würden sie in Ruhe lassen, doch dann gab es wieder einmal einen reaktionären Umschwung, und die Gesetze wurden wieder strenger ausgelegt. Ihre Mutter wird vor den Provinzrat beordert, wo man sie vor die Wahl stellt, abzutreiben oder eine hohe Steuer zu zahlen. Song Yings Mutter nimmt etwas von ihren Ersparnissen, um eine heimliche Ultraschalluntersuchung durchführen zu lassen. Die Untersuchung ergibt, dass sie einen Jungen erwartet. Song Yings Eltern diskutieren die Entscheidung, vor der sie stehen, bis spät in die Nacht. Ihr Vater drängt ihre Mutter zur Abtreibung, aber ihre Mutter weint so sehr, dass er am Ende einlenkt. Sie bekommen das Kind, und sie zahlen die Steuer.

Die Steuer frisst das ganze Geld auf, das sie für Song Yings Ausbildung gespart haben, und noch mehr, sie müssen Schulden machen. Der Junge ist wunderschön. Er wird von allen Familienmitgliedern verwöhnt und wird schnell dick. Song Yings Mutter ist glücklich und schenkt Song Ying kaum noch Aufmerksamkeit, außer um zu ihr zu sagen: »Schau dir an, was für einen wunderschönen Bruder du hast. Reicht dir das nicht?« Song Yings Vater beantragt eine Beförderung, um die Steuer zahlen zu können, und arbeitet zusätzlich abends in einem Restaurant. »Keine Sorge«, beruhigt er seine Tochter, »ich besorge dir eine gute Stelle bei der Bank, da brauchst du keinen Universitätsabschluss.« Song Ying weint nachts in ihr Kissen, aber keiner hört es.

Dann hört Song Ying von einem College in England, wo sich Studenten aus Übersee gegen eine bescheidene Gebühr einschreiben können, um ein Studentenvisum zu erhalten, ohne die Kurse besuchen zu müssen. Mit einem Studentenvisum könnte sie zum Studieren nach England gehen und nebenher Teilzeit arbeiten. Keiner wird kontrollieren, wie viele Stunden sie arbeitet. Solange sie die Gebühren zahlt, bescheinigt ihr das College, dass sie alle Kurse besucht. Man würde ihr sogar helfen, einen Job zu finden. Sie kann so viele Stunden arbeiten, wie sie will, und der Wechselkurs ist so günstig, dass sie, selbst nach Abzug der Kosten für das Flugticket und die Studiengebühren, immer noch genug hat, um ihr erstes Jahr an der Universität Peking zu finanzieren – und sie rechnet alles sehr sorgfältig durch, denn Fehler kann sie sich nicht leisten. Also bewirbt sie sich bei dem College, wird angenommen und unterschreibt eine Vereinbarung, dass sie das Flugticket und die Gebühren von dem Geld bezahlen wird, das sie in England verdient.

Das College ist nicht so, wie sie erwartet hat – es sind nur ein paar schlichte Räume über einem Wettbüro auf einer heruntergekommenen Straße, kilometerweit vom Zentrum Londons entfernt. Es gibt lediglich vier Unterrichtsräume. Die meisten Studenten sind, wie sie, nicht wegen des Studiums gekommen. Von ihrem Job in einem vielbesuchten Restaurant ist sie oft zu erschöpft, um sich in den wenigen Englischstunden, die sie besucht, zu konzentrieren (neben den anderen Aktivitäten finden im College tatsächlich ein paar echte Kurse statt). Dann lernt sie Soo Lai Bee im College kennen, eine Chinesin aus Malaysia, die sich für den gleichen Sprachkurs eingeschrieben hat. Für Song Ying, die ohne Brüder und Schwestern in der übertrieben fürsorglichen Umgebung ihres Elternhauses aufgewachsen ist, ist die Gesellschaft eines Mädchens in ihrem Alter herrlich. Sie sprechen dieselbe Sprache, und sie haben so viel zu reden. Soo Lai Bee versteht Song Yings Sorgen, und sie hat selbst ein paar Probleme, von denen sie Song Ying erzählt. Bald sind sie unzertrennlich. Als im College nach Aushilfen beim Erdbeerpflücken gesucht wird – die notwendige Bescheinigung, dass sie Landwirtschaft studieren, wird (natürlich gegen eine Gebühr) von der Collegeleitung ausgestellt –, beschließen beide spontan, es damit zu versuchen.

Trotz des Jobs auf dem Erdbeerfeld, den das College für sie gefunden hat, hat Song Ying noch nicht genug Geld verdient, um die Collegegebühren zu bezahlen, geschweige denn um für die Universität zu sparen. Aber sie ist fleißig, intelligent und ehrgeizig. Ganz bestimmt findet sie einen Weg, ihre Träume zu verwirklichen.

Als Chinese in Malaysia musst du doppelt so clever sein und doppelt so hart arbeiten, um etwas zu erreichen, das hat Soo Lai Bees Vater ihr mit auf den Weg gegeben. Und selbst das reicht manchmal nicht. Als Soo Lai Bee, den anderen als chinesisches Mädchen Nummer zwei bekannt, im malaysischen Abitur lauter Bestnoten erzielt und trotzdem keinen Platz an der medizinischen Hochschule bekommt, während eine Anzahl ihrer Bumiputra-malaysischen Mitschüler mit schlechteren Noten die Quotenplätze abräumen, ist sie bitter enttäuscht. Das liegt daran, dass die Chinesen in Malaysia zu erfolgreich sind, murmelt ihr Vater finster. Und wenn die Mehrheit der Bumiputra-Bevölkerung sich gegen die Chinesen wendet, wird es zu Krawallen kommen. Sieh dir Indonesien an. Aber es tat trotzdem weh. Ihre Eltern, die große Pläne mit ihr hatten, erklärten sich einverstanden, dass sie in England studieren sollte.

Ja, es würde viel Geld kosten. Aber ihr Vater hatte Rücklagen, denn er hatte ein erfolgreiches Familienbauunternehmen aufgebaut. In Malaysia hat man als Chinese nur eine Chance, wenn man mit einer Bumiputra-Firma zusammenarbeitet. Die erhält den Auftrag nach der strengen Quotenregelung, die die Auftragsvergabe an Nicht-Malaysier beschränkt, und dann kauft man ihr den Auftrag ab. Sie kriegt das Geschäft, du kriegst die Arbeit, das Gesetz wird befolgt und alle sind zufrieden.

Tatsächlich kam Soo Lai Bees Vater sehr gut mit seinem Bumiputra-Geschäftspartner Abdul Ismail zurecht, der Millionen gemacht hatte, indem er Auto-Import-Genehmigungen nach der Bumiputra-Quote an Chinesen verkaufte und nebenbei mit Bauaufträgen handelte. Sie trafen sich manchmal sogar privat. Bei einem dieser Treffen lernte Soo Lai Bee Zia Ismail kennen, Abduls Sohn. Es lag zum Teil daran, dass er Bumiputra war, dass sie sich von ihm angezogen fühlte; es lag zum Teil daran, dass sie keine Malaysierin war, dass er sich zu ihr hingezogen fühlte. Es ist das Privileg der Jugend, sich in den Falschen zu verlieben, und genau das taten sie.

Abdul Ismail schäumte vor Wut. Er stellte seinem Geschäftspartner ein Ultimatum: Entweder die Beziehung würde sofort beendet, oder die Geschäftspartnerschaft würde sofort beendet. Soo Lai Bee weinte und weinte, doch sie hatte keine Wahl. Ihre Mutter und die zwei älteren Schwestern setzten sie unter Druck. Der Vater warnte sie, dass sie ohne die Geschäftspartnerschaft und ohne die lukrativen öffentlichen Aufträge das Studium in England vergessen konnte. Mach dir keine Sorgen, ich warte auf dich, sagte Zia Ismail.

Für den Platz an der englischen medizinischen Hochschule brauchte sie im IELTS-Englischtest mindestens die Note 7, und ihre Eltern hielten es für das Beste, sie gleich wegzuschicken. Also schrieb sie sich an einem Londoner College für Studenten aus Übersee ein, um Englisch zu lernen. Zwei Wochen nach ihrer Abreise erfuhr Soo Lai Bee, dass Zia sich mit einer anderen verlobt hatte.

Zuerst war sie traurig, dann war sie wütend, dann war sie froh, von zu Hause weg zu sein, in einem neuen Land, wo es niemanden kümmerte, welcher Rasse sie angehörte. Am College freundete sie sich mit Song Ying an, einer Chinesin, die nicht einmal studierte, sondern nur wegen der Arbeitserlaubnis da war. Sie unterhielten sich stundenlang über Mütter, Väter, Jungs, Brüder, Schwestern, Polen, Ukrainer, Malaysier und Engländer. Sie lachten und weinten zusammen. Sie gingen zusammen Erdbeeren pflücken. Sie gingen zusammen nach Amsterdam.

Butterblumenwiese

Das Majestic Hotel in Shermouth war vielleicht in den 1950ern luxuriös – verglichen mit Hotels an der Ostsee, aber seitdem ist in Sachen Renovierung oder Instandhaltung wenig geschehen. Zu den vielen Unannehmlichkeiten gehören der kaputte Aufzug (Jolas und Martas Zimmer befindet sich im fünften Stock), die Tatsache, dass in den Gemeinschaftswaschräumen um neun das Wasser abgestellt wird (eigenes Bad? Soll das ein Witz sein?), und die Kakerlaken, von denen das ganze Gebäude befallen ist. Immerhin haben sie wirklich einen sehr hübschen Blick aufs Meer.

Das Schlimmste am Majestic ist jedoch, dass in seinen dicken ziegelroten, neugotischen, von Kakerlaken wimmelnden Mauern mindestens zweihundert Menschen untergebracht sind, und zwar keine Reisenden oder Feriengäste, sondern Leute, die hier ihr Dasein zu fristen versuchen – Wanderarbeiter wie sie selbst, Asylbewerber aus jedem von Unruhen heimgesuchten Winkel der Welt, obdachlose Familien aus den Slums der englischen Großstädte –, einer über den anderen gepfercht wie Seelen in der Hölle, sie drängeln sich in den Schlangen vor den schmutzigen Klos, klauen einander die Milch aus den schimmligen Gemeinschaftskühlschränken und halten sich nachts gegenseitig wach mit ihren Streitereien, Feiern und Alpträumen.

Gemeinsame Mahlzeiten gibt es nicht. Entweder nehmen die »Hotelgäste« ihre Mahlzeiten in Cafés ein oder sie sorgen für sich selbst und essen auf den Zimmern – schön für die Kakerlaken. Und auch wenn es hier kein Vogelgezwitscher gibt, herrscht niemals Ruhe: Selbst in der tiefsten Nacht muss immer irgendwer zur Frühschicht aufstehen oder es kommt jemand von der Nachtschicht heim und macht Musik an oder streitet sich oder zeugt ein Kind oder tröstet ein schreiendes Baby, so dass man, wenn man nicht den Verstand verlieren will, versuchen muss, sich abzuschotten, diese ganze Last des menschlichen Elends auszublenden, das von allen Seiten auf einen hereinbricht, durch die Wände, die Decke, den Fußboden. Jola fasst es mit drei Worten zusammen: »Zu viele Ausländer.«

Wenn das hier wirklich die Hölle wäre, müsste es Teufel mit Mistgabeln geben, denkt Jola. Stattdessen haben sie zwei Slowakinnen im Zimmer, die ihnen nicht gerade ein freundliches Willkommen bereiten, denn sie hatten das Zimmer bisher für sich allein und haben sich darin ausgebreitet, überall hängt ihre nasse Unterwäsche zum Trocknen, so dass das Zimmer nicht nur unordentlich ist, sondern auch feucht. Natürlich ist es nicht ihre Schuld, dass man in diesem Hotel nicht richtig waschen kann, aber noch schlimmer findet Jola die Unterhosen, die die Slowakinnen tragen, bei denen es sich um Stringtangas handelt. Die hemmungslose Art, wie ihre kräftigen Hinterbacken darunter herumhüpfen, ist einfach ungeheuerlich, und Jola kann beim besten Willen nicht verstehen, warum sich Frauen so was Unbequemes antun, wo es überall großzügig geschnittene weiße Baumwollschlüpfer gibt, die günstig und vor allem erwiesenermaßen hygienischer sind, und außerdem, im Gegensatz zur landläufigen Meinung, von feinsinnigeren Männern als äußerst verführerisch erachtet werden, wobei es in der Slowakei solche Männer anscheinend nur selten gibt.

Auch Marta sieht die Stringtangas mit Abscheu, allerdings aus anderen Gründen.

Als Jola und Marta vor dem Hotel abgesetzt wurden, erhielt Tomasz die Anweisung, im Wagen zu bleiben, denn er wird auf der Sunnydell-Hühnerfarm in Titchington gebraucht. Er hat lautstark Protest eingelegt, weil er nur dahin will, wo Jola ist, und der neue Job ist ihm egal, er wäre zufrieden, einfach nur dazusitzen, Gitarre zu spielen und ihr vorzusingen. Aber der Wagen war längst wieder losgefahren, und Jola und Marta winkten ihm nach, bis sie am Horizont verschwunden waren.

»Keine Sorge. Nix weit«, sagte der Fahrer. »Du kommst wieder mit gut Geld in die Tasche, dann läuft es bei euch. Hehe.«

Aus irgendeinem Grund fehlten hinten im Minibus die Sitze, und die Passagiere mussten auf dem Boden sitzen. Aus dieser Position bekam Tomasz nicht viel von der Landschaft mit, aber da waren Felder und Wälder, und irgendwann erhaschte er sogar einen Blick auf das Meer. Dann fuhren sie über einen langen asphaltierten Weg mit mehreren Stolperschwellen und waren da.

Der Minibus blieb vor einem kleinen Doppelhaus aus Backstein stehen, das hinter einem Holzzaun in einem verwilderten Garten stand. Es hätte recht hübsch aussehen können, aber schon auf den ersten Blick merkte Tomasz, dass der Ort etwas Zwielichtiges, Abschreckendes hatte. Die Vorhänge waren zugezogen, obwohl es fast Mittag war, und neben den Eingangstüren standen mehrere überquellende schwarze Müllsäcke, die mit ihrem üblen Gestank die Luft verpesteten.

»Hier«, sagte der Fahrer und zeigte auf die linke Doppelhaushälfte. »Hier du wohnen.« Und dann, wie um ihn zu trösten, zeigte er auf die rechte Seite. »Und hier ich.«

Tomasz nahm seinen Seesack und hängte sich die Gitarre über die Schulter. Na ja, es war nicht schlecht, zur Abwechslung mal in einem richtigen Haus zu übernachten, dachte er, und wenigstens würde er nachts die Augen zumachen können und die Tür.

»Wenn du fertig, gehen Büro da drüben.«

Der Fahrer zeigte auf ein Tor, hinter dem sich ein großer Hof und ein niedriges Backsteingebäude befanden, vor dessen Tür mehrere Autos geparkt waren. Dahinter führte ein Asphaltweg zu mehreren riesigen grünen hangarartigen Hallen, etwa zwanzig Meter voneinander entfernt. Daher kam der Gestank, stellte Tomasz fest.

ICH BIN HUND ICH BIN TRAURIGER HUND MEIN GUTER-FÜSSEGERUCH-MANN IST FORT MEINE SALBE-AUF-PFOTE-FRAU IST FORT MEINE GUTER-GERUCH-UNTERM-ROCK-FRAU IST FORT ALLE FORT LEBWOHL HUND SIE SAGTEN LEBWOHL HUND ICH BIN GUTER HUND ICH BIN TRAURIGER HUND ICH BIN HUND

Der Gestank, der von der Hühnerfarm kam, war schon schlimm, aber Tomasz war nicht gefasst auf das, was ihn erwartete, als er die Tür des kleinen Häuschens öffnete: Es stank nach toter Luft, nach Schweiß, Urin, Fäkalien, Sperma, ungewaschenem Haar, Mundgeruch, schlechten Zähnen, verrottenden Schuhen, schmutziger Wäsche, altem Essen, Zigaretten und Alkohol. Es war der Gestank der Menschheit. Und obwohl Tomasz eigentlich gegen solche Gerüche weniger empfindlich war als die meisten, musste er würgen und sich Mund und Nase zuhalten.

Im Erdgeschoss gab es zwei Zimmer. Durch die offene Tür des einen Zimmers sah er einen Tisch mit sechs Stühlen, auf dem die fettigen Reste einer Mahlzeit darauf warteten, dass jemand sie wegräumte. Das andere Zimmer ging nach vorn, und als Tomasz die Tür öffnete, schlug ihm eine heiße, stinkende Wolke verbrauchter Luft entgegen. Sechs – nein, sieben schlafende Körper lagen auf Matratzen am Boden, umgeben von ihren armseligen Besitztümern, die aus Taschen und Tüten quollen – ein Durcheinander von Schuhen, Kleidern, Wäsche, Papieren, Zigarettenpäckchen, Flaschen und anderem menschlichem Schutt. Die Schläfer schnarchten und röchelten leise im Chor. Hastig wich Tomasz zurück und schloss die Tür wieder.

Oben war es das Gleiche. In einem Zimmer, dem kleineren der beiden, lagen vier Matratzen auf dem Boden, so dicht beieinander, dass man darauftreten musste, um auf die andere Seite des Raums zu kommen, und auf jeder Matratze lag ein schlafender Mann. Im anderen Zimmer, dem größeren, lagen sechs Matratzen mit sechs Schläfern. Nein – eine Matratze in der Ecke war noch frei, und Tomasz sank der Mut, als ihm klar wurde, dass sie für ihn gedacht war.

Er ging wieder hinunter ins Esszimmer, setzte sich auf einen Stuhl, und mit einer Niedergeschlagenheit, die schon beinahe beglückend war, begann er Gitarre zu spielen. Das also waren seine neuen Verhältnisse. Was war er mehr als das Bruchstück einer kaputten, zerrütteten Menschheit, angespült an diesem fernen Gestade? Hierher hatte ihn seine Reise geführt.

Da musste ein Song drin sein.

Ich wurde von Vogelgezwitscher geweckt, das so süß und nah war, dass ich eine Minute lang glaubte, ich sei wieder in unserem Wohnwagen. Dann öffnete ich die Augen und sah mich um. Wo war ich? Schräge Sonnenstrahlen fielen durch ein staubiges Fenster. Jetzt erinnerte ich mich wieder: Irgendwann in der Nacht war ich von dem dreibeinigen Stuhl gestiegen und hatte mich in die Plastikplane am Boden eingerollt. So musste ich geschlafen haben. Meine Kleider waren immer noch feucht. Kein Wunder, dass ich völlig steif war. Ich stand auf und streckte mich, meine Arme und Beine schmerzten, als ich sie dehnte. *Ushas!* Was für eine Nacht. Ich erinnerte mich, dass ich geträumt hatte – einen dieser schrecklichen Träume, wo man läuft und läuft, aber nicht von der Stelle kommt. Einer dieser Träume, wo man froh ist, wenn man dann an einem sonnigen Morgen aufwacht.

Mein Magen knurrte – die Pommes von gestern Abend hatten nicht lange vorgehalten. Als ich die Tür aufschob und ins Freie trat, hatte der Regen aufgehört, und der Himmel war klar, nur am Boden standen noch ein paar Pfützen. Wenn es in Kiew geregnet hat, glänzen die goldenen Kuppeln morgens in der Sonne wie frisch gewaschen, und auf den Straßen steht Wasser in den Schlaglöchern.

»Pass mit den Pfützen auf«, sagte meine Mutter immer, wenn ich zur Schule ging, aber ich wurde trotzdem jedes Mal nassgespritzt.

Ich stand in einem Garten. Die alte Garage befand sich am Ende einer Kieseinfahrt. Hinter ein paar Bäumen sah ich die Schornsteine eines großen Hauses. Meine Schritte knirschten auf dem Kies, und irgendwo bellte ein Hund. War er angekettet? War er bissig? Ich blieb still stehen und lauschte. Das Bellen hörte auf. Dann hörte ich leise und von ferne ein anderes Geräusch – das Brummen eines Autos, das näher kam.

Ein paar Minuten später sah ich es. Es war ein weißer Transporter. Ich stellte mich an den Straßenrand und winkte. Der Fahrer fuhr langsamer und winkte zurück. Blödmann –

sah er nicht, dass ich ihm nicht aus Spaß zuwinkte? Ich sprang direkt vor ihn auf die Straße, so dass er keine Wahl hatte, als quietschend anzuhalten. Jetzt ließ der Fahrer das Fenster herunter und schrie: »Du verrückt? Was das soll?«

Der vertraute Akzent! Das runde Gesicht! Das schreckliche Hemd! Ich erkannte sofort, dass er Ukrainer war. Aus irgendeinem dummen Grund schossen mir Tränen in die Augen.

»Bitte«, sagte ich auf Ukrainisch. »Bitte helfen Sie mir.«

Er öffnete die Beifahrertür.

»Steig ein, Mädchen. Wo willst du hin?«

Doch als ich versuchte zu sprechen, musste ich weinen, was albern war, denn schließlich war ich am Leben und es war nichts Schreckliches passiert.

»Schon gut, Mädchen. Wein doch nicht«, sagte der Fahrer. »Du kannst mit uns kommen.«

Als der Transporter weiterfuhr, hörte ich Gemurmel hinter mir. Ich drehte mich um und entdeckte etwa ein Dutzend Leute, Männer und Frauen, die hinten im Transporter auf dem Boden hockten. Lauter junge Leute. Ein paar unterhielten sich leise. Ein paar dösten vor sich hin. Sie sahen aus wie Studenten. Ehrlich gesagt, sie sahen aus wie ich.

»Hallo«, sagte ich auf Ukrainisch. Zur Antwort bekam ich einen gemischten Chor von Hallos auf Ukrainisch, auf Polnisch und in ein paar anderen slawischen Sprachen, die ich nicht einordnen konnte.

»Erdbeerpflücker«, erklärte der Fahrer.

»Was für ein Glück! Das bin ich auch.«

Und dann erzählte ich ihm von den Wohnwagen und dem Erdbeerfeld, und plötzlich sah ich es – erhaschte im Vorbeifahren einen Blick auf das Wäldchen, und das Tor, und das idyllische nach Süden geneigte Feld. Aber was war mit unserem Wohnwagen passiert?

»Anhalten, bitte!«, rief ich. Kopfschüttelnd bremste der Fahrer.

»Anhalten. Losfahren. Anhalten. Losfahren. Typisch Frau.«

»Warte. Bitte. Nur einen Moment.«

Ich rannte ein Stück zurück und öffnete das Tor. Der Frauenwohnwagen war fort – wie vom Erdboden verschluckt. Nur der Duschvorhang war noch da, die schwarze Plastikplane flatterte trübselig im Wind. Der Männerwohnwagen stand noch an seinem Platz, doch er hing völlig schief auf einer Achse. Auf Zehenspitzen schlich ich mich heran und spähte durchs Fenster. Er war leer. Niemand da. Nur das Feld voller reifer Erdbeeren. Oben auf der Kuppe konnte ich die Drossel im Wäldchen ihr Morgenlied singen hören.

Ich kletterte wieder in den Transporter.

»Anhalten? Losfahren?«, fragte der Fahrer.

»Fahren wir los.«

Nachdem die chinesischen Mädchen mit Mr. Smith weggefahren sind und Vitali die Polen zu ihrem Rendezvous mit dem Minibusfahrer gebracht hat (den er »Transportmanager« nennt), gehen Andrij, Emanuel und Hund zum Trost ein Eis essen, um aus der Hitze rauszukommen. Sie verabreden sich für später mit Vitali in einem Pub in der Stadt.

Andrij hofft, dass Vitali mit seinem neuen Mobilfon-Wohlstand sie zu einer Runde einlädt, doch es zeigt sich, dass er leider kein Bargeld dabei hat, und so muss Andrij mit dem bisschen, was vom Lohn von zwei Wochen Arbeit übrig ist, die zwei kleinen Bier für Emanuel und sich und den doppelten Scotch Cola für Vitali bezahlen.

Sie nehmen ihre Getränke mit durch eine Tür, an der »Biergarten« steht, in einen feuchten Hinterhof, wo ein paar Bierfässer stehen und die Sonne es kaum über die hohen, mit rußigem Efeu bewachsenen Backsteinmauern schafft. Hier draußen sind sie die einzigen Gäste. Hund findet die Reste eines Sandwichs in einer Serviette und verschlingt es, wobei er überall Krümel und Papierschnipsel versprüht. Emanuel und Andrij trinken ihr Bier langsam, um mehr davon zu haben.

Sofort will Vitali wissen, was aus Irina geworden ist, und die Art, wie er redet, wie er zwischen Ukrainisch und Englisch hin- und herspringt, ist unangenehm großspurig.

»Ich dachte, du und sie, ihr habt Chance gemacht. Ich kann für sie netten Job in London finden. Tanzen. Kann sie tanzen? Gutes Geld. Luxusunterkunft.«

Als Andrij von der nächtlichen Entführung berichtet, pfeift er durch die Zähne.

»Dieser Mr. Vulk ist sehr schlechter Mann. Wirft schlechtes Licht auf Beruf des Personalvermittlungsagent.«

»Er ist Personalvermittlungsagent?«

»Ja, klar. Aber nicht so wie ich. Nicht dynamisch Personalberater mit Qualifikation für Flexivorausbeschäftigung. Er macht mehr Auslandskontakt. Mein Kontakt ist Arbeit für Leute, die mit Fähre ankommen. Dynamische Führungslösung für jede Art Beschaffungsorganisation.«

»Und er wohnt hier in Dover?«

»In einem Hotel, nicht weit, glaube ich.«

»Kannst du mich zu ihm bringen?«

»Aha! Denkst immer noch an Chance bei ukrainisches Mädchen.«

Andrij zuckt betont gleichgültig die Schultern. »Na ja. Natürlich will ich wissen, wo sie ist. Aber sie hat schon Freund, glaube ich. Box-Champion.«

Vitali sieht ihn komisch an. »Boxer? Ist ungewöhnlich für hochklassiges Mädchen. Angliski?«

»Vielleicht. Ich glaube.« Auch er hat seine Zweifel, was diesen Freund angeht.

Aus irgendeinem Grund ist er wütend auf Vitali. Wo hat er die Kleider her, die Sonnenbrille, das Telefon? Und wie ihn am Fährterminal die Frauen angehimmelt haben! Das hat er doch nicht nur mit dem Aufschlag auf das Bier geschafft, oder? Und warum behält er alles für sich? Die Erdbeerpflücker haben alles geteilt, nur Vitali hat die ganze Zeit heimlich was auf die Seite geschafft. Und wie schnell die Verwandlung vom Gleichgestellten zum Höherrangigen gegangen ist. Verflucht noch mal! Über Nacht. Er kennt das aus der Ukraine – an einem Tag waren sie alle Genossen, und am nächsten Tag waren ein paar Millionäre und der Rest hatte ... Zuteilungskarten. Wie war das passiert? Wusste keiner. Aber es hatte einen üblen Nachgeschmack hinterlassen.

Was kann man schon mit Zuteilungskarten machen? Essen kann man sie nicht. Ausgeben kann man sie nicht. Man kann sie höchstens verkaufen. Aber wer will sie schon kaufen? Plötzlich waren die Millionäre Milliardäre, und der Rest hatte gerade genug für die Kohle im Winter, und das war's, bye-bye, Ende, aus. Heute wurde das ganze Land von Mobilfon-Männern regiert.

Und dieser Vitali – wenn er Irina findet, glaubst du etwa, er ruft auf dem Mobilfon an und sagt, hey, Andrij, mein Freund, komm und hol dir deine Chance? Unwahrscheinlich. Und was würde sie von diesem neuen Personenvermittlungs-Mobilfon-Mann Vitali halten? Sie hält sich für was Besseres – die neue hochklassige ukrainische Frau –, vielleicht ist dieser Vitali genau ihr Geschmack. Hallo, Mobilfon-Geschäftsmann – hier ist Irina am Apparat – willst du eine Chance? Und wenn sie Vitali eine Chance gibt, was kümmert es dich, Andrij Palenko? Auf einmal ist er stinkwütend auf beide, Irina und Vitali.

»Und ich habe ein Mädchen, eine Angliska«, sagt er nachdrücklich. »Vagvaga Riskegipd. In Sheffield. Ich bin auf dem Weg zu ihr.«

Wieder sieht Vitali ihn komisch an. »Hör zu, mein Freund, wenn ich Vulk sehe, frage ich, was mit diesem ukrainischen Mädchen passiert ist.«

Fast hofft er, dass Vitali ihm einen Job anbietet – gutes Geld, Luxusunterkunft und so weiter –, nur damit er in den Genuss kommt, ihn auszuschlagen. Aber das tut er nicht, und Andrijs Stolz lässt nicht zu, dass er ihn bittet. Sie verabreden sich im selben Pub am nächsten Tag um die gleiche Zeit. Als Vitali davonschlendert, nimmt er das Handy aus der Tasche, fängt zu reden an und gestikuliert mit der freien Hand, wie um seine Worte zu unterstreichen. Andrij versucht zu verstehen, welche Sprache er spricht.

Die Sonne brennt herunter und wirft kurze, scharfe Schatten auf den rissigen Bürgersteig. Mit Hund und Emanuel wandert Andrij zum Wohnwagen zurück. Er ist immer noch wütend, und er ärgert sich auch über das Geld, das er für Vitalis doppelten Scotch ausgegeben hat. Aber am schlimmsten ist, er fühlt sich schäbig, arm und unattraktiv. Ist er neidisch auf Vitali? Wie erbärmlich ist es, neidisch auf jemanden zu sein, der auf allen Ebenen minderwertig ist, außer dass er ein Mobilfon und bessere Hosen besitzt. So weit hat Vitali ihn also gebracht. So weit haben Vitali und Irina ihn gebracht. Ja, er hat gedacht, Vitali wäre sein Freund, dabei hat er die ganze Zeit was auf die Seite geschafft. Das hier, das sind seine wahren Freunde. Hey, Hund! Aber Hund schnüffelt an den Straßenlaternen herum. Hey, Emanuel! Emanuel hat eine halbvolle Tüte Chips mit Bacongeschmack im Biergarten gefunden, die er mit Andrij teilt, er schüttelt die letzten Krümel auf die Hand. Die künstlichen Aromasalze lösen sich auf der Zunge auf, geschmacksverstärkt und giftig.

»Hey, Emanuel. Du magst Angeln? Vielleicht wir haben großes Glück.«

»Sikomo. Angeln ist sehr interessant. Doch wo erhalten wir gute Netzwerke?« Dann singt Emanuel: »*Ich werde euch zu Menschenfischern machen.*«

Sie schlendern zum Pier hinunter. Der bulgarische Junge, der ihm gestern den Fisch verkaufte, hat gesagt, so könnte man hier in der Stadt am besten schnelles Geld machen. Am Ende einer Seitenstraße, mitten in einem Labyrinth von PKW- und LKW-Parkplätzen, gar nicht weit von der Stelle, wo der Wohnwagen steht, finden sie den Eingang zum Admiralty Pier. Es muss einmal ein prächtiges Gebilde gewesen sein, doch jetzt sind die verschnörkelten Eisenträger baufällig und schmutzig, voller Taubendreck, und hinter der Brüstung verwesen ein paar tote Tauben. Wenn man den Pier betritt, schlägt einem der Gestank entgegen.

Am Eingang hängen ein paar Männer herum mit einer Auswahl von Angelruten und blauen und gelben Eimern.

»Wollt ihr kaufen oder mieten?«, fragt der ältere der beiden, der trotz der Hitze eine schwarze Wollmütze tief über die Ohren gezogen hat. Auf seinen Armen und Schultern unter dem schwarzen Unterhemd hat er eine unglaubliche Menge von Tätowierungen. »Miete macht fünf Kröten pro Tag. Oder ihr kauft für fünfundzwanzig. Super Gerät. Super Kapitalanlage. Das habt ihr in fünf Tagen wieder drin, und ab dann macht ihr reinen Profit. Bleibt ihr 'ne Weile in der Stadt?«

Der Mann redet zu schnell. Andrij ist mit seinem Englisch am Limit. Was soll es kosten, fragt er sich.

»Was ist das?«

»Qualitätsware. Die Dinger werden auch von Weltklasse-Sportanglern verwendet. Neulich hat ein Typ von hier oben einen fünfundzwanzig Pfund schweren Dorsch geangelt.

Hat fünfzig Piepen dafür eingestrichen. Cash auf die Hand.« Er mustert Andrij und Emanuel, als würde er ihr Potential abschätzen.

»Ihr habt jeden Abend Essen auf dem Tisch, und den Überschuss könnt ihr an uns verkaufen. Ein Pfund pro Kilo. Leicht verdientes Geld. Keine Steuer. Keine Fragen. Könnt damit machen, was ihr wollt. Fünfer pro Tag. Probiert es aus.«

Andrij nimmt sich eine Angelrute und sieht sie sich an. Seit seiner Kindheit war er nicht mehr angeln, aber so schwer kann es nicht sein – dieser Bulgare hat auch nicht besonders helle gewirkt.

»Fünf Kröten? Fünf Pfund?«

»Du hast's erfasst, Kumpel. Mit der Flut ist ein großer Makrelenschwarm angesagt. In null Komma nichts hast du die Kohle drin, und den ganzen Rest kannst du deiner Lady nach Hause bringen.«

Andrij gibt ihm fünf Pfund. Der Mann überreicht ihm eine Angelrute und einen blauen Eimer.

Als der ukrainische Fahrer das Tor passiert hatte, lag vor uns das schimmernde weiße Feld, das ich gestern von den Hügeln aus gesehen hatte. Von oben hatte es ausgesehen wie in Plastik eingepackt, und jetzt zeigte sich, dass es genau so war – Reihe für Reihe von Plastiktunneln, Folienplanen über Metallreifen gespannt. In der Mitte jedes Tunnels verlief eine Reihe von Strohballen, bedeckt von mit Erdbeeren bepflanzten Kompostsäcken. Ein Undercover-Obstgarten. Die Luft war feucht und warm, süß von den reifen Erdbeeren, und da war noch ein anderer, chemischer Geruch, der mir am Gaumen klebte. Ich hatte solchen Hunger, dass ich trotz des Geruchs nicht anders konnte – mit beiden Händen fing ich an, mich mit Erdbeeren vollzustopfen. Die anderen lachten.

»Du kannst keine echte Erdbeerpflückerin sein, Irina! Es ist verboten, die Erdbeeren zu essen. Wenn sie dich erwischen, schmeißen sie dich raus«, sagte Oksana, die mich anscheinend unter ihre Fittiche genommen hatte. Oksana kam aus Charkiw, war ein bisschen älter als ich und sehr nett, wenn auch nicht besonders kultiviert – aber das schien inzwischen nicht mehr so wichtig.

Auch Boris, der Vorarbeiter, kam aus der Ukraine. Er war ein bisschen dick und nicht sehr intelligent, und er sprach mit einem Dialekt aus Saporishshja. Die ganze Zeit stierte er mich an und sagte, wenn ich heute zeigte, was ich draufhatte, würde er im Büro ein gutes Wort für mich einlegen und dafür sorgen, dass das mit meinen Papieren geregelt wurde. Er war zuversichtlich, dass sie mich nehmen würden, sagte er, weil wegen des warmen Wetters die Erdbeeren früher reif waren und weil er – warum wiederholte er das jetzt zum dritten Mal? – ein gutes Wort für mich einlegen könnte.

Als er mir den Lohn nannte, staunte ich. Es war doppelt so viel wie auf unserem alten Feld, und ich fing schon an zu überlegen, was ich mir alles davon kaufen würde: eine duftende Seife, gutes Shampoo, neue Unterwäsche – kleine, sexy Höschen, die Mutter grässlich finden würde –, eine große Tafel Schokolade, ein Paar Riemchensandalen, und ich brauchte eine Bürste, ein neues T-Shirt oder zwei, einen wärmeren Pullover, und außerdem durfte ich das Mitbringsel für Mama nicht vergessen. Und das Pflücken war so einfach hier – kein Bücken, kein Heben. Ja, dachte ich, ich habe wirklich Glück, dass ich diese Chance bekomme, und ich sollte das Beste daraus machen, und so pflückte ich wie eine Besessene, weil ich zeigen wollte, was ich draufhatte.

Am Ende der Schicht, als wir zur Farm zurückkehrten, kam Boris zu mir und sagte, jetzt sei es an der Zeit zu zeigen, was ich draufhatte. Und dann drückte er sich an mich, auf ganz ekelhafte Art, und küsste mich auf den Mund, mit nassen, schleimigen Küssen. Angst hatte ich keine – Boris kam mir einfach nur dumm und harmlos vor –, also machte ich mich schlaff und ließ mich von ihm küssen, denn ich wollte diesen Job wirklich unbedingt haben. Sein keuchender Atem in meinem Gesicht hatte die Wirkung, dass ich im Innern ganz kalt wurde. Auf der Skala für Sex-Appeal bekam er eine Null. Okay, sagte ich mir, das hier ist eine geschäftliche Transaktion, sonst nichts. Ich versuchte mir vorzustellen, wie Natascha und Pierre sich küssten, ganz ineinander versunken. Waren die Männer damals anders? Als er endlich genug hatte, wischte ich mir den Mund an meinem T-Shirt ab und folgte ihm die Treppe hinauf zum Büro.

Mit der Angelrute und dem blauen Eimer marschiert Andrij den Admiralty Pier hinunter, Emanuel geht neben ihm her. Der Pier ist ein riesiger, karger Betonsteg, fast einen Kilometer lang, der sich in einer langen Kurve, wie ein gekrümmtes Hundebein, ins Meer hinausstreckt, und jeder Meter scheint bereits von einem Angler besetzt zu sein, der, einen Eimer zu seinen Füßen, die Rute oder die Schnur ausgeworfen hat und aufs Meer hinausblickt. Manche haben ein paar kleine Fische im Eimer, aber nichts Erwähnenswertes.

Etwa auf halbem Weg bis zum Knick treffen Andrij und Emanuel den Bulgaren, der Andrij den Fisch verkauft hat. Er stellt sie seinen beiden Freunden vor, einem Rumänen und einem Moldawier.

»Meistens zwei, drei von uns hier«, sagt der Bulgare. »Nächste Meter kommen Balten. Gebraten-Fisch-Esser. Weiter oben«, er zeigt in die Richtung und sieht Andrij an, »Ukrainer und Weißrussen. Rote-Bete-Esser. Da drüben«, er zeigt in die Richtung und sieht Emanuel an, »sogar Afrika. Wer weiß, was die da essen. Da hinten Balkan – Serben,

Kroaten, Albaner. Von denen haltet ihr besser fern. Zu viel kämpfen.«

»Und Angliski?«

Der Bulgare zeigt zum Ende des Piers. »Da gehen Angliskis hin. Ganz ans Ende. Hinter Balkan. Ihr erkennt Angliski. Alle haben Wollmütze auf. Sogar die Frauen. Über die Ohren. Sogar im Sommer. Sind sehr gute Angler.«

»Angelst du gute Fische?«

»Viele. Überall viele Fische. Leicht verdientes Geld.«

Andrij wirft einen Blick in den Eimer des Jungen. Ein paar winzige Fischchen sind darin. Wem will er was vormachen?

»Seit wann machst du die Fischsache?«

Der Kleine sieht ihn verlegen an. »Paar Tage.«

»Wo hast du die Angelschnur und den Eimer her?«

»Mann vom Pier. Genau wie du. Leicht verdientes Geld.«

»Leicht für ihn.«

Der Bulgare sieht weg und fummelt an seiner Angel herum. Andrij hätte ihn am liebsten am Kragen gepackt, aber was hätte er davon?

»Er sagt, viele viele Makrelen kommen heute Morgen rein«, ruft ihm der Kleine traurig hinterher, als Andrij ihm den Rücken zukehrt und davongeht. Armer Trottel, er hat noch nicht mal gemerkt, dass es schon Nachmittag ist.

»Ich gehe nach Afrika!« Emanuel geht auf zwei schwarze Männer zu, die kurz vor dem Knick sitzen und sich tief über ihre Angeln beugen. Andrij nimmt seinen Eimer und seine Angel und macht sich auf die Suche nach den Ukrainern. Er findet zwei magere Jugendliche, einer mit rasiertem, knubbeligem Schädel, der andere mit einem Klitschko-Bürstenschnitt.

»Hallo, ihr zwei.«

»Hallo, Kumpel.«

»Und, habt ihr Glück?«

»Nicht viel.«

Um genau zu sein, gar keins, wenn man nach dem Inhalt ihrer Eimer geht.

»Woher kommt ihr?«

»Vinniza. Und du?«

»Donezk.«

Andrij stellt sich in die kleine Lücke neben ihnen und betrachtet seine Rute – er hat dafür gezahlt, und er sollte besser loslegen, um das Geld wieder reinzukriegen. Dann stellt er fest, dass er keinen Köder hat. Er fragt die Jungs, ob er sich welchen borgen darf.

»Brauchst keinen Köder. Mach einfach eine Feder dran. Die Makrelen halten sie für Fisch«, sagte der mit dem knubbeligen Schädel.

»Müssen ziemlich blöd sein.«

»Ja. Haha.« Der andere kichert.

»Fängt hier überhaupt mal jemand was?«

»Ja. Klar. Muss ja so sein.«

»Ich meine, genug, um den Eimer und die Angel abzuzahlen?«

»Ja. Ich glaube schon. Muss ja. Warum hast du den blauen genommen?«

Andrij sieht, dass ihre Eimer gelb sind.

»Blau, gelb. Was ist der Unterschied?«

»Blau heißt gemietet. Musst du abends zurückgeben. Gelb kannst du behalten. Jeden Tag damit angeln.«

»Ihr meint, ich muss den Eimer am Abend zurückgeben? Auch wenn ich gar nichts gefangen habe?«

»Vielleicht bist du der Fisch, und er hat dich an der Angel.« Der mit dem knubbeligen Schädel grinst. »Hat nicht mal 'ne Feder gebraucht. Hahaha.«

»Himmel, Arsch und Zwirn!«

Andrij sieht sich auf dem Pier um. Die meisten haben gelbe

Eimer, ein paar haben blaue, und dann gibt es noch ein paar Eimer in anderen Farben, rot, grün, schwarz, grau. Selber schuld, Andrij Palenko, was musstest du auch auf diesen mondgesichtigen Schwachkopf hören. Er zählt die gelben und blauen Eimer und versucht auszurechnen, wie viel Profit Mr. Tattoo an einem Tag gemacht hat. Leicht verdientes Geld.

Drüben in Afrika ist Emanuel anscheinend von seinen Landsleuten allein gelassen worden und soll auf ihre Angelausrüstung aufpassen. Was ist da los? Emanuel hat etwas, das bei Andrij Beschützerinstinkte auslöst: Er ist eine unschuldige Seele, verloren in dieser Mobilfonwelt. Andrij winkt ihm zu und streckt den Daumen hoch, aber Emanuel sieht ihn nicht. Eindringlich starrt er aufs Meer hinaus.

Also starrt Andrij auch auf die Wellen, trostlose, wenig aussichtsreiche Wellen, die gurgelnd gegen den Beton klatschen, mit fragwürdigem, ekelhaftem Müll, der ab und zu an die Oberfläche treibt. Das Meer wird überschätzt, findet er.

Das nächste Mal, als er sich nach Emanuel umsieht, macht Emanuel ein sorgenvolles Gesicht und winkt ihn herüber. Er wirkt ziemlich beunruhigt.

»Die Afrika-Mosambik-Männer haben gesagt, bitte pass auf unsere Fischi-Sachen auf, wir gehen zur Toilette. Eine Stunde. Zwei Stunden. Jetzt sind sie noch nicht zurück.«

Wovon zum Teufel redet er?

»Kein Problem, Freund.« Andrij legt ihm beruhigend die Hand auf den Arm. »Alles normal.«

Seltsam, denkt er. Warum ist dieser Eimer rot?

Nach ein paar Stunden sind die Mosambiker immer noch nicht zurück, und die zwei Ukrainer, die zusammen vier Fische gefangen haben, feiern ihren Erfolg mit einer selbstgedrehten Zigarette und einer Flasche Bier und dann noch ein paar Flaschen. Sie bieten Andrij auch eine an, aber er schüttelt den Kopf. Er trinkt genau so gern Bier wie jeder andere, aber an der Art, wie diese Kerle trinken, ist etwas Verzweifeltes. Von Donezk kennt er das zur Genüge – einer trinkt ein Bier, dann noch ein paar, und dann springt er aus Spaß in den Fluss, zur Abkühlung, und das war's, bye-bye, die Leiche wird nie gefunden, Ende, aus.

Ein kühler Wind ist aufgekommen, und die, die eine Jacke dabeihaben, machen den Reißverschluss zu. Die, die keine dabeihaben, Andrij und Emanuel eingeschlossen, fangen an zu frieren. Das Wasser klatscht und gurgelt jetzt lauter, und manchmal spritzt die Gischt bis zu ihnen herauf. Die Flut ist da. Dann breitet sich Aufregung am Pier aus. Ein Makrelenschwarm wurde gesichtet und ist eindeutig auf dem Weg zum Pier. Aber er scheint nie anzukommen.

Gegen Abend fangen die meisten Angler an einzupacken. Unten am Angliski-Ende wurden ein paar größere Fische gefangen. Auch der Balkan hatte Glück, und dort bricht ein Streit um den Fang aus. Andrij hat immer noch nichts gefangen.

»Hey, Kumpel«, sagt der Ukrainer mit dem Klitschko-Bürstenschnitt. »Du solltest den Eimer und die Angel einfach behalten. Warum soll Mr. Tattoo ihn wiederkriegen? Dann hast du wenigstens was für dein Geld. Fünf Mäuse, das ist doch Diebstahl. Nächstes Mal holst du dir besser einen gelben wie wir. Gute Investition.«

Hm. Scheint was dran zu sein an dem, was der Typ sagt.

»Aber steht der Tattoo-Mann nicht am Eingang zum Pier und wartet?«

»Du kommst ganz leicht an ihm vorbei. Komm, Landsmann, wir helfen dir ein bisschen. Wir stecken deinen blauen Eimer einfach in unseren gelben.« Er greift nach seinem Eimer und kippt mit einer schnellen Bewegung die vier kleinen Fische in Andrijs Eimer. »Siehst du? Wir nehmen jeder eine Angel. Und dann treffen wir dich im Pub – da drüben.« Er zeigt ans Ufer. »Du kaufst uns ein Bier und kannst Eimer und Angel behalten.« Er strahlt ihn mit vielen Zähnen an. »Okay?«

»Okay.«

Andrij fragt sich, wo der Haken ist, aber wenn man nicht mal seinen Landsleuten trauen kann, wem dann?

Plötzlich hört er einen Schrei aus dem afrikanischen Sektor.

»Hol ihn rein! Hol ihn rein!« Ein großer Mann mit Wollmütze sagt Emanuel, der mit seiner Angel kämpft, was er tun soll. Die Angel ist zu einem Bogen gespannt. Emanuel holt die Schnur ein, doch plötzlich geht es nicht weiter und er fängt zu zerren und zu reißen an.

»Ruhig, ruhig«, sagt der mit der Wollmütze. »Du musst ihn ganz sanft reinholen.«

Emanuel fängt wieder zu kurbeln an. Dann durchbricht etwas Großes, Silbernes die Wasseroberfläche und zappelt und spritzt über den Wellen. Aufregung erfasst die Angler, und auf einmal stehen alle da und sehen dem Spektakel zu. Der Fisch ist schwer und wild und kämpft um sein Leben. Vorsichtig holt Emanuel ihn ein, und er landet mit einem unglaublichen Klatschen auf dem Pier, wo er auf dem Beton herumzappelt und springt.

»In den Eimer damit!«, ruft einer, aber der Fisch ist zu groß für den Eimer.

»Hast du kein Netz?«, ruft ein anderer.

»Oder ein Messer? Gebt ihm jemand ein Messer!«

»Nein!«, schreit Emanuel.

Er steckt den zitternden Fisch in den roten Eimer, mit dem Maul voran in die paar Zentimeter Wasser. Der große Schwanz hängt zuckend über den Eimerrand. Andrij drängt sich durch die Menge, um Emanuel auf den Rücken zu klopfen.

»Gut gemacht, mein Freund. Wir verkaufen den Fisch und machen gutes Geld.«

Inzwischen haben sich mehrere Wollmützen versammelt, und alle spekulieren über das Gewicht des Fischs, das Höchstgebot liegt bei zwölf Kilo.

Mr. Tattoo wartet am Ausgang und hält die Leute mit den blauen Eimern auf, wenn sie rauskommen. Sein Handlanger hat eine Federwaage, mit der sie die mickrigen Fische wiegen, bevor sie mickrige Geldbeträge ausgeben. Als er den riesigen Fisch in Emanuels Eimer sieht, leuchten seine Augen auf.

»Schönen Dorsch hast du da, Kumpel. Dickes Ding, wie 'n Niggerschwanz«, sagt Mr. Tattoo. »Ungewöhnlich für die Jahreszeit. Leg ihn hier auf die Waage.«

»Dieser Fisch ist nicht zu verkaufen. Er ist mein«, verkündet Emanuel entschlossen. »Ich habe ihn gefangen. Und ich behalte ihn.«

Mr. Tattoo kneift die Augen zusammen. Die Nixe auf seinem Bizeps scheint die Stirn zu runzeln.

»Schön und gut, Kumpel. Dem Angler sein Fang. Ist 'n freies Land. Aber du musst mir die Angel und den Eimer zurückgeben.«

Er greift nach der Angel. Doch Emanuel hält sie fest.

»Nein! Das ist die Angel und der Eimer von den Afrika-Mosambik-Männern.«

Eine kleine Menschenmenge hat sich gebildet. Andrij hält sich am Rand der Gruppe und versucht sich unsichtbar zu machen.

»Und was ist mit dem Gerät, das ihr gemietet habt?« Mr. Tattoo kann den Blick nicht von dem Fisch losreißen. »Du musst das Zeug zurückgeben, Kamerad. Gibbi zurücki

Eimeri. Oder gibbi Fischi. Comprendi?« Er ist laut geworden.

»Nein!« Emanuel wird nervös. »Eimeri ist von meinen Mosambik-Freunden, gehen Toilette.«

Mr. Tattoo verzieht das Gesicht. »Igitt! Das ist ja ekelhaft. Seid ihr Neger nicht stubenrein? Am Ende vom Pier gibt es ein Scheißhaus für so was.«

Selbstgefällig sieht er sich in der Menge nach Lachern um. Andrij zieht den Kopf ein. Er wartet auf den Moment, sich dünnzumachen und unbemerkt vom Kai zu verschwinden, aber der Handlanger sieht ihn und will ihn festhalten.

»Da ist er. Das ist der, der das Gerät von uns hat.«

»War ich nicht. Muss anderer Ukrainer gewesen sein«, weicht Andrij aus. »Der mit Hund.« Er will weglaufen, aber er kann Emanuel nicht allein lassen. Im Augenwinkel sieht er, dass die jungen Ukrainer den Pier verlassen haben und abhauen, den blauen Eimer geschickt in ihrem gelben versteckt.

Ein anderer wollmütziger Angler tritt aus der Menge und stellt sich vor Mr. Tattoo.

»Lass ihm den Fisch, Bert. Ein Angler kann seinen Fang behalten.«

»Du halt dich da raus, Derek«, sagt Mr. Bert Tattoo. »Der Scheißkerl will mit meinem Gerät abhauen. Und er hat den Eimer als Klo benutzt.«

Er baut sich vor Emanuel auf und greift nach dem Henkel. »Gib das Ding her oder gib mir den Fisch. Tidge, knöpf ihn dir vor.«

Drohend tritt Tidge einen Schritt vor.

»Wart mal, Bert. Das is nich dein Eimer. Das is ’n roter. Muss einer von Charlies sein.«

Der Bulgare, der in der Schlange vor der Waage steht, wo er seinen Fang wiegen lassen will, ist ungeduldig geworden, und jetzt drängelt er sich vor und versucht, seine drei mickrigen Fischchen auf die Waage zu legen. Doch Mr. Tattoo will davon nichts wissen.

»Hundefisch. Bringt nichts. Hab ich dir gestern schon gesagt. Bist du blöd oder was? Iss den Scheiß selbst, oder gib's dem Hund.«

Wie aufs Stichwort taucht Hund auf der Straße auf und wedelt freudig mit dem Schwanz.

Andrij sieht ihn. Er sieht auch, dass die zwei Ukrainer am Pub vorbeigegangen sind und die Straße hinauflaufen. Jetzt fangen sie zu rennen an. Himmel, Arsch und Zwirn! Diese rattengesichtigen Halunken!

Er bricht durch die Menge, packt Emanuels Fisch und rennt hinter ihnen her.

»He! Gib den Fisch her!«, schreit Mr. Tattoo, lässt den Eimer fallen und stürzt los. Er erwischt den Fisch beim Schwanz. Der Fisch gleitet Andrij aus den Händen, und dann schlüpft er auch Mr. Tattoo durch die Finger und schlittert mit flappendem Schwanz über den Boden. Ein Dutzend Hände greifen nach ihm.

»Lasst dem Angler seinen Fang! Haltet euch an das Gebot!«, ruft Derek.

»Der rote Eimer muss von Charlie sein. Bevor er den Löffel abgegeben hat. Gott sei seiner Seele gnädig!«, schreit eine andere Wollmütze.

Am Ende werfen sich alle übereinander wie beim Rugby und versuchen den Fisch zu packen, der zwischen ihren Füßen herumzappelt. Interessiert beobachtet Hund das Ganze von der Seitenlinie. Schließlich sieht es so aus, als hätte Mr. Tattoo den Fisch erwischt, aber er kann ihn nicht halten. Plötzlich sprengt Hund wie die rettende Kavallerie ins Geschehen, setzt zum geduckten Angriff zwischen den Beinen an, schnappt sich den Fisch und ist weg.

ICH BIN HUND ICH LAUFE ICH LAUFE MIT FISCH FÜR MEINEN MANN GROSSER LEBENDIGER FISCH FLAPP FLAPP ICH HALTE FISCH FEST IM MAUL VORSICHTIG NICHT ZUBEISSEN GUTER HUND MEIN MANN MAG FISCH ICH BRINGE FISCH FÜR MEINEN MANN ICH LAUFE MÄNNER JAGEN MICH PISS-HOSE-MANN JAGT MICH ER SCHREIT ICH LAUFE SCHNELLER ICH LAUFE AUF DER STRASSE ICH LAUFE AUF KLEINEN STEINEN AM GROSSEN WASSER ICH LAUFE MÄNNER SIND WEIT HINTEN HIER IST NUR GROSSES WASSER ICH WERDE LANGSAMER ICH KEHRE UM ICH GEHE ICH BRINGE MEINEM MANN FISCH LEBENDIG ICH GEHE AM STRAND GROSSES WASSER IST BÖSE SPRINGT MICH AN MIT SCHLANGENZISCHEN SSSS PFOTEN NASS ICH BELLE WUFF MAUL OFFEN WUFF FISCH SPRINGT AUS MEINEM MAUL IN GROSSES WASSER FLAPP FLAPP SSS WUFF FLAPP SSS GROSSES WASSER VERSCHLUCKT DEN FISCH GANZ FISCH IST FORT ICH HABE KEINEN FISCH FÜR MEINEN MANN ICH BIN TRAURIGER HUND ICH LAUFE HEIM ICH LAUFE ICH BIN HUND

Andrij sitzt auf der Stufe des Wohnwagens am Strand und wartet auf Emanuel und Hund. Schweiß steht ihm auf der Stirn. Er trinkt Wasser aus einer Flasche und brütet grimmig über den Ereignissen des Nachmittags. Er hat die Jungs erwischt; er ist den ganzen Hügel hinauf hinter ihnen hergerannt und hat sie erwischt und ihnen gesagt, sie sollen ihm die Angelausrüstung zurückgeben. Aber sie haben ihn einfach ausgelacht. Rattengesichtiger, diebischer, ukrainischer Abschaum. Als er ihnen den Eimer abnehmen wollte, hat der Kerl mit dem Klitschko-Schnitt plötzlich ein Messer gezogen. Natürlich hat Andrij aufgegeben. Er riskiert sein Leben nicht für einen gestohlenen Eimer. Aber der Vorfall hat ihn zutiefst deprimiert. Was ist los in diesem Land? Was ist los auf der Welt? Sein Vater ist tot, und seine Träume und Ideale sind mit ihm gestorben: Solidarität, Menschlichkeit, Selbstachtung. Alles, woran er geglaubt hat, ist zu Staub zerfallen, und die neue Welt wird von Mobilfon-Männern regiert.

Später, als Emanuel mit der Angel und dem Eimer der Mosambiker zurückkommt, hellt sich seine Stimmung ein bisschen auf.

Liebe Schwester,
nun bin ich in Dover. Alle Mzungus abgesehen auf Andree sind abgereist, und anstelle von Erdbeerpflücker bin ich heute Fischer. Dies rührt in alten Erinnerungen an unsere glücklichen Kindertage am Fluss Shire, und ich frage mich, was aus dir wurde, liebe Schwester, und ob wir uns jemals wiedersehen. Wenn dich meine Briefe erhalten, bitte komm nach Dover, wo du mich stets am Pier findest, denn ich bin geworden wie ein Jünger Unseres Herrn in Galiläa, auch wenn wir hier nicht mit Netzen, sondern mit Ruten fischen.

Als wir an den Pier kamen, trafen wir einen Mzungu mit einer vorzüglichen Tätowierung auf dem Arm, das Bild einer Frau, zur Hälfte Fisch, welche sich die Haare kämmte und in einen Spiegel in Form eines Herzens blickte. Die uneingeschränkten Wellen ihres Haars bedeckten ihre Blöße, und unten trug sie sittsame Schuppen, die glänzten, wenn der Mzungu den Arm bewegte. Und ich erinnerte mich an eine Geschichte, die mir ein abenteuerlicher Fischer von den Mosambiker Gestaden unseres Sees erzählt hatte, von einer wunderschönen Frau, unten herum Fisch, die auf einem Felsen saß und die Seemänner zu Tode lockte. Handelte es sich hier etwa um die gleiche Person!!

Auf dem Pier fand ich die Gesellschaft einiger Mosam-

biker Fischer, welche mit dem Schwager unseres Cousins Simeon in Cobué befreundet sind. Nachdem wir uns ein wenig plauderten, vertrauten sie mir ihre Rute und ihren Eimer an und gingen fort. Doch als sie lange nicht wiederkehrten, war ich sorgenvoll, denn ich konnte ihre Besitztümer nicht einfach zurücklassen – lautet das Sprichwort auf Chichewa nicht: Die Rute eines Mannes ist sein größter Schatz? Also betete ich für ihre Rückkehr. Nach einigen Weilen biss plötzlich ein großer Fisch in meine Rute, und ich erzitterte, denn der Fisch glich der schönen Frau aus der Geschichte, und es war eine schwere Aufgabe, sie aus dem Meer zu heben, und alle Mzungus scharten sich um uns und riefen in verschiedenen Zungen durcheinander. Als ihr Zappeln schwächer wurde, legte ich sie in einen Eimer Wasser, denn sie konnte nicht atmen, und wieder dachte ich an die Mosambiker und fragte mich, ob sie nun mir gehörte oder ihnen? Sie war die hervorragendste Fischdame, die ich je kennenlernte, fast genau wie die Frau aus der Geschichte.

Doch am Ende wurde meine Frage geschickt von unserem Hund gelöst, der die Fischdame ins Maul nahm und sie zurück ins Meer brachte. Und seitdem bin ich jeden Tag mit dem Eimer und der Rute der Mosambiker an den Pier gekommen, aber weder die Mosambiker noch die Fischdame sind je zurückgekehrt.

Zum Büro ging es durch eine Tür auf der anderen Seite des Hofs. Zuerst dachte Tomasz, es sei keiner da, aber dann tauchte hinter dem Schreibtisch ein großer, dünner Mann mit schrecklicher Akne im Gesicht auf. Er schien hocherfreut, Tomasz zu sehen.

»Ja, Kumpel, hier bist du goldrichtig. Zur richtigen Zeit am richtigen Ort. Ich bin Darren Kinsman, der Vorarbeiter. Nächste Woche machen sie im Supermarkt schon wieder so eine verfluchte Werbeaktion – zwei zum Preis von einem! –, und uns fehlt noch ein Paar Hände im Fangteam. Normalerweise fangen wir sie nachts, aber die Jungs haben noch einen zweiten Job bei Ladywash und müssen dann los. Es ist ganz einfach. Du musst nur die Hühner einfangen und auf die Lastwagen packen. Nichts dabei. Mein Neil zeigt dir, wie es geht. In einer halben Stunde legt ihr los.«

»Kein Problem.« Tomasz fragte sich, wann der richtige Zeitpunkt war, um die Sache mit der Unterkunft zu klären.

»Und danach musst du nur die Halle schrubben für den nächsten Schwung. Nichts dabei.«

»Wie viele Hühner?«

»Reichlich. Vierzigtausend.«

»Oh.« Tomasz versuchte sich vierzigtausend Hühner vorzustellen, aber dafür reichte seine Phantasie nicht aus.

»Wo kommst du her, Kumpel? Ukraine? Hast du Papiere? SAWS? Concordia?«

»Polen.«

»Ach, Polen? Dann brauchst du keine Papiere. Wir kriegen heute nicht mehr viele Polen. Nicht seit die in der EU sind. Hör mal, Kumpel – wie heißt du?« Er warf einen Blick auf den Pass, den Tomasz über den Tisch geschoben hatte. »Tomasz? – Wenn dich jemand fragt, arbeitest du für die Agentur, nicht für uns, okay? Du kriegst sechs Pfund die Stunde, aber für jede Stunde, die du arbeitest, setzt du noch eine freiwillig drauf, okay?«

»Also, sechs Pfund für eine Stunde oder für zwei Stunden?«

»Nein, sechs Pfund pro Stunde. Die andere ist freiwillig, wie ich gesagt habe. Du musst es nicht machen. Wir haben hier immer genug Leute, die es machen. Ukrainer, Rumänen, Bulgaren, Albaner, Brasilianer, Mexikaner, Kenianer,

Simbabwer, keine Ahnung. Unglaubliches Geschnatter die ganze Zeit. Tag und Nacht. Wie bei den verdammten Vereinten Nationen hier. Haben immer viele Litauer und Letten gehabt, aber das hat Europa jetzt alles kaputt gemacht. Die sind alle legal heute. Wie die Polen. Was für eine verdammte Zeitverschwendung. Plötzlich wollen sie alle Mindestlöhne. Die Besten sind noch die Chinesen. Keine Papiere. Kein spreche Englisch. Keine beschissene Ahnung, was läuft. Zugegeben, manche Arschlöcher nutzen so was aus. Die armen Schweine unten in Morecambe. Schnatter schnatter ins Handy, die Flut kommt, und keiner hat kapiert, was die wollen. Tja, und dann sind sie alle ersoffen. Aber wieso soll man Ausländer einstellen, wenn man ihnen das Gleiche zahlen muss wie Engländern, oder? Deswegen arbeiten wir jetzt auch mit der Agentur. Sollen die sich drum kümmern.«

Darren machte den Papierkram fertig und schob Tomasz mit einer ausladenden Handbewegung den Pass über den Tisch hin. Tomasz verstand, dass er jetzt über irgendeinen verschlungenen Pfad bei Vitali angestellt war. Langsam bekam er ein ungutes Gefühl, was diesen Job anging.

»Und Unterkunft?«

»Ist eine andere Agentur. Na ja, eigentlich ist es dieselbe. Sie ziehen es dir von deinem Lohn ab, also musst du dir darum schon mal keine Gedanken machen. Krankenversicherung. Steuer. Transport. Um alles kümmern sie sich für dich.«

»Und das Haus ...« Er zeigte auf die andere Straßenseite.

»Haargenau, Kumpel, das ist es. Das linke. Hat Milo es dir nicht gezeigt?«

»Doch. Ich habe gesehen. Ist sehr voll.«

»Ach, keine Sorge. Um sieben sind die alle weg. Die arbeiten Nachtschicht. Da karren wir sie nach Shermouth.«

»Ich habe ein gutes Wort für dich eingelegt, Irina.« Boris stieg vor mir die Treppe zum Büro der Sherbury-Erdbeerfarm hinauf. Offensichtlich hatte ich genug drauf. Das nächste Mal, wenn er irgendwas versuchte, würde ich ihm das Knie in den Bauch rammen.

Das Erste, was die Frau hinter dem Schreibtisch fragte, war: »Haben Sie Ihre Papiere dabei? Ich brauche Ihren Pass und eine gültige Beschäftigungserlaubnis.«

Ich erklärte ihr, dass all meine Papiere gestohlen worden waren. Sie hob die Brauen – wenn man das so nennen konnte, denn eigentlich waren es nur zwei hauchdünne, mit Kajal gezeichnete Bögen.

»Der Agent, der mich hergebracht hat. Er hat versucht ... Er wollte ... Er hat mich ...«

Doch mir fehlten die englischen Worte, um dieses grauenhafte Erlebnis zu beschreiben.

»Er hat meine Papiere behalten.«

Die Frau nickte. »Das tun manche Agenten, obwohl es verboten ist. Wir müssen das klären, wenn Sie hier arbeiten möchten. Wir arbeiten nicht mit Illegalen. Manche Supermärkte sind da etwas eigen. Aber überlassen Sie es mir. Ich muss ein paar Anrufe machen. Erinnern Sie sich an den Namen des Agenten?«

»Vulk. Er heißt Vulk.« Allein den Namen auszusprechen, verursachte mir eine Gänsehaut.

»Ich glaube, von dem habe ich schon mal gehört. Und der Bauer?«

»Leapish. Nicht weit von hier.«

Wieder sprangen die kleinen nackten Brauen nach oben. Ich finde, die Leute sollten lieber die Finger von ihren Augenbrauen lassen.

»Der, der von seinen Erdbeerpflückern überfahren wurde? Hatten Sie etwas damit zu tun?«

»Oh, nein. Davon weiß ich nichts. Das muss passiert sein, als ich schon weg war.«

Na gut, das war eine Lüge, aber nur eine kleine.

»Warum sind Sie weggegangen?«

»Es gab nicht genug reife Erdbeeren. Ich wollte mehr Geld verdienen.«

Okay, zwei kleine Lügen. Die Frau nickte. Sie schien jedenfalls mit meiner Antwort zufrieden.

»Hier werden Sie gutes Geld verdienen. Nach den Abzügen.« Schon wieder dieses Wort! »Es würde mich ja nicht wundern, wenn Leapish einen korrupten Agenten hatte. Auf dem Hof war sowieso nicht alles koscher.« Die Frau senkte die Stimme. »Es heißt, Lawrence Leapish hatte eine Affäre mit einer der Pflückerinnen, und Wendy Leapish hatte einen moldawischen Lustknaben.«

Was um Himmels willen, fragte ich mich, war ein moldawischer Lustknabe?

»Ich habe gehört, nachdem ihr Mann aus dem Krankenhaus kam, hat sie ihn in einen Rollstuhl gesetzt und zusehen lassen, wie sie es taten. Ist das zu glauben? Hier, mitten in Sherbury.«

»Das muss auch passiert sein, nachdem ich weg war.«

Die Frau mit den Brauen notierte etwas. In der Ukraine habe ich schon so einige Augenbrauenkatastrophen gesehen, inklusive der von Tante Vera, aber die hier gehörte zu den allerschlimmsten. Sie gab mir eine vorläufige Nummer, bis die Sache mit meinen Papieren geklärt war, und wies mir eine Koje in Wohnwagen sechsunddreißig zu, bei Oksana. Dort wohnten noch zwei ukrainische Mädchen, alles ehemalige Arbeiterinnen aus einer Schuhfabrik in Charkiw, die früher die sowjetische Armee ausgerüstet hatte und jetzt geschlossen war, und alle hatten die gleiche Bescheinigung von demselben nicht existierenden Landwirtschafts-College wie ich.

»Willkommen im Irrenhaus«, sagte Lena, die jüngste von uns vieren. Sie hatte sehr dunkle traurige Augen und einen jungenhaften Kurzhaarschnitt. Dann holte sie eine Flasche Wodka aus ihrem Spind und reichte sie herum. Ich wollte »Nein danke« sagen, aber stattdessen sagte ich »Was soll's« und nahm einen tiefen Schluck.

Seht ihr, Mutter, Papa? Mir geht es gut. Alles ist gut. Sobald ich ein Telefon fand, würde ich sie anrufen. Ich fragte mich, was mit dem Foto passiert war, das ich im Wohnwagen aufgehängt hatte. Ich fragte mich, was mit dem Wohnwagen passiert war, und mit den anderen – mit den Chinesinnen, mit denen ich das Bett geteilt hatte; mit Marta, die immer so lieb war; mit dem nett aussehenden ukrainischen Bergarbeiter aus Donezk. Würde ich sie je wiedersehen?

Tomasz fällt es schwer, sich vorzustellen, wie vierzigtausend Hühner auf einmal aussehen, und selbst als er es mit eigenen Augen gesehen hat, kann er es immer noch nicht ganz glauben.

Als Neil die Tür zur Halle aufmacht, schlägt ihnen eine Welle von Hitze und Gestank entgegen, und im Halbdunkel sieht er nichts als einen dicken Teppich aus weißen Federn; dann, als Neil das Licht anknipst, bewegt sich der Teppich; nein, er kriecht; nein, er brodelt. So dicht stehen die Viecher, dass man unmöglich sehen kann, wo ein Huhn aufhört und das nächste anfängt. Und der Gestank! Es beißt in seinen Augen, seiner Nase – eine stinkende Wolke reiner Ammoniak, die auf den Schleimhäuten brennt, er muss husten und weicht zurück und hält sich die Hand vor den Mund. Er hat Bilder von den Verdammten in der Hölle gesehen, aber das war nichts im Vergleich zu dem hier.

»'ne Menge Hühner, was?«, sagt Neil, der ihm alles zeigen soll. Neil ist Darrens Sohn, siebzehn Jahre alt, dünn und groß wie sein Vater, und er hat die gleichen Hautprobleme. »Das ist alles, was du machen musst – du packst sie an den Füßen, immer vier oder fünf aufs Mal, und steckst sie hier in die Käfige rein. Mehr musst du nicht machen.« Er schlägt die Tür wieder zu.

»Viel. Zu viel Menge.«

»Ja, zu viel Menge. Hehehe«, der Junge kichert. »Das ist gut. Liegt daran, weil sie fett werden. Zuerst sind es noch kleine gelbe Küken, und sechs Wochen später sind sie so – zu fett, um auf ihren eigenen Beinen rumzulaufen. Na ja, gibt's auch bei Menschen, oder? Richtige Fettsäcke. Hast du das mit der Frau gelesen, die im Flugzeug zwei Plätze brauchte, und da haben sie sie zwei Tickets bezahlen lassen?«

»Zwei Tickets?« Tomasz wünschte, der Junge würde nicht so schnell reden.

»Im Büro kannst du dir einen Overall holen.«

»Aber das ist normal?«

Tomasz hat immer noch nicht verkraftet, was er gesehen hat. Allein auf dem kleinen Stück vor seinen Füßen – einem Quadratmeter vielleicht – hat Tomasz eins, zwei, drei ... zwanzig Hühner gezählt, die sich panisch drängeln, als sie versuchen, vor den Männern zu flüchten. Sie nennen sie Hühner, dabei sehen die armen Viecher eher aus wie missgebildete Enten – riesige aufgeblasene Körper auf verkümmerten Beinen, auf denen sie unter ihrem eigenen Gewicht grotesk schwankend herumtorkeln – die, die sich überhaupt noch bewegen können.

»Ja, die züchten sie irgendwie so, dass sie schneller fett werden.« Neil holt ein Päckchen Zigaretten aus der Tasche, steckt eine in den Mund und bietet Tomasz auch eine an. Tomasz schüttelt den Kopf. Neil zündet sich mit einem Streichholz die Zigarette an, bläst eine große Wolke Rauch aus, dann fängt er an zu husten und zu würgen. »Wegen den

Supermärkten, verstehst du? Die wollen große Brüste. Wie die Männer, was?« Hust, hust. »Hast du die eine Frau bei ›Big Brother‹ gesehen?«

»Wer ist ›Big Brother‹?«

»Du kennst ›Big Brother‹ nicht? Was läuft denn in der Glotze, wo du herkommst? Das ist die Sendung, wo sie alle in ein Haus einsperren, und dann guckt man ihnen zu.«

»Hühner?«

»Ja, ja, genau wie Hühner. Das ist gut«, der Junge kichert wieder. Eigentlich ist er ein ganz netter Junge, denkt Tomasz. Freundlich und gesprächig. Vielleicht so alt wie Emanuel, mit der gleichen ungelenken Naivität. »Und dann ist da so 'ne Stimme, die ihnen sagt, was sie machen müssen. Und eigentlich dürfen sie da drin ja keinen Sex haben, aber die eine hat's doch gemacht, die mit den dicken – äh – Möpsen, die ich gemeint hab.«

»Dickenäh Möpse?«

»Ja, riesig.«

»Aber wie können sie laufen, wenn die Brüste so groß ist? Wie kann man so viele haben?«

Der Junge sieht ihn komisch an.

»Ist das so ... äh ... bei dir zu Hause?«

»In Polen haben alle ...«

»Polen?«, fragt der Junge ehrfürchtig. »Wow. Bin ich noch nie gewesen. Und bei euch haben sie alle dicke Möpse?«

»Ja, viele Leute. Im Stall hinter dem Haus.«

»Ach, du meinst Hühner.« Langsam geht dem Jungen ein Licht auf.

»Ja. Wir kümmern uns.«

»Ach, das geht hier alles automatisch.« Der Junge sieht seltsamerweise enttäuscht aus. »Siehst du die Rohre? Da kommt das Wasser raus, siehst du? Und das Futter kommt da raus. So viel sie fressen können, weil, sie sollen ja schnell fett werden. Fast Food, he? Verstehste? Das Licht wird nie ganz abgestellt, damit sie kein Nickerchen machen, sondern die ganze Nacht weiterpicken. Wie wenn man vor der Glotze Pizza isst. Schwaches Licht beruhigt sie. Deswegen werden sie normalerweise in der Nacht gefangen. Ist alles irgendwie wissenschaftlich.«

»Aber so viele auf einem Haufen – kann nicht gesund sein.«

»Ja, aber das haben sie alles geregelt. Die mischen so'n Antibio-Zeug ins Futter, damit sie nicht krank werden. Besser versorgt als bei der Krankenkasse, echt, mit allem Drum und Dran. Und das Beste ist, wenn du das Hühnchen isst, kriegst du auch jede Menge Antibio, und dadurch bleibst du dann auch gesund, wenn du's dir überlegst. Vorsorge ist besser als Nachsorge, sagt meine Oma immer. Guinness zum Beispiel.«

»Und Saubermachen?«

»Nee, das geht nicht. Du kommst ja nicht auf den Boden. Zu viele Hühner. Kommste nicht ran. Also lassen wir's einfach. Müssen sie eben drin rumlaufen. Hühnerscheiße. Verbrennt ihnen den Arsch und die Beine. Wer will schon ein Huhn sein, oder?« Während er redet, zieht er den Reißverschluss eines blauen Nylon-Overalls hoch. »Pass auf, dass du das Zeug nicht in die Schuhe kriegst. Wenn's dir reinschwappt, verbrennt's dir die Socken. Erst wenn sie draußen sind, gehst du rein und putzt und machst alles fertig für die nächste Fuhre.«

»Fuhre?«

»Ja, so nennen sie's. Komisch, oder? Klingt wie Gemüse oder so was. Nicht wie was Lebendiges. Aber Gemüse ist ja irgendwie auch lebendig, oder? Oder nicht? Ich weiß nicht.« Er kratzt sich am Kopf und zieht hustend an seiner Zigarette. »Gemüse. Eins von den großen Rätseln des Lebens.«

Dann drückt er die Zigarette aus und schiebt die nicht gerauchte Hälfte sorgfältig zurück in das Päckchen. »Ich fang gerade erst an, es mir irgendwie anzugewöhnen, einen Zug nach dem anderen«, erklärt er. »Langsam anfangen, bis zum vollen Programm. Na ja, jedenfalls brauchst du auch einen Overall, Kumpel. Wie heißt du eigentlich?«

»Tomasz. Meine Freunde nennen mich Tomek.«

»Tom-Mick ... aha. Macht's dir was aus, wenn ich einfach Mick sage? Du brauchst einen Overall, Mick. Komm, wir gucken mal, ob noch einer da ist.«

Sie gehen rüber ins Büro. Dahinter ist ein Lagerraum, und dort hängt ein blauer Nylon-Overall an einem Haken über einer Bank voller Männerkleidung.

»Glück gehabt«, sagt Neil.

Tomasz zieht den Reißverschluss hoch. Die Beine sind zu kurz, und es zwickt im Schritt. Neil mustert ihn kritisch von oben bis unten.

»Nicht schlecht. Bist nur ein bisschen zu groß dafür. Hier, die brauchst du noch.« Er reicht Tomasz ein Paar abgenutzte Lederhandschuhe und zieht selbst welche über. »Und Stiefel.«

Es ist nur noch ein Stiefel übrig, ein grüner, aber wenigstens hat er die richtige Größe.

»Einer ist besser als keiner«, sagt Neil. »*Wir danken dir für alle Segnungen* ... Kennst du das Lied? Singt meine Oma die ganze Zeit. Ist irgendwie sehr gläubig, meine Oma. Betet immer für die Hühner mit. Aber Guinness, das trinkt sie gern. Musst sie mal kennenlernen.«

»Das würde ich gerne.«

Neil macht sich auf die Suche und findet schließlich noch einen schwarzen Gummistiefel unter dem Schreibtisch im Büro, eine ziemlich kleine Größe. Scheint bei mir zur Gewohnheit zu werden, denkt Tomasz, als er seine zwei unterschiedlichen Turnschuhe unter die Bank stellt und die zwei unterschiedlichen Stiefel anzieht. Vielleicht hat das irgendwas zu bedeuten.

Auf dem Weg zurück zur Halle bewegt er sich steif, weil der linke Stiefel drückt und der Overall im Schritt zwickt.

»Bereit?«, fragt Neil. »Du kriegst den Dreh schnell raus. Wir üben ein bisschen, bevor das Team kommt.«

Er macht die Tür auf, und zusammen waten sie in ein aufgewühltes Meer von Hühnern. Die Hühner kreischen und gackern und versuchen, ihnen aus dem Weg zu flattern, aber sie können nicht weg. Sie versuchen hochzufliegen, aber ihre Flügel sind zu schwach für ihre überfütterten Körper, und so klettern sie verzweifelt übereinander und wirbeln ätzende, stinkende Wolken aus Federn und Hühnerdreck auf. Tomasz spürt etwas Lebendiges unter seinem Stiefel knirschen und hört einen schrecklichen Klagelaut. Er muss auf ein Huhn getreten sein, aber anders geht es ja gar nicht.

»Pack sie an den Beinen!«, schreit Neil durch das Inferno aus Geschrei und Federn und herumfliegendem Hühnerdreck. »So!«

Er hält die linke Hand hoch, in der er fünf Hühner hält, jedes an einem Bein. Die verstörten Hühner strampeln und flattern und scheißen sich voll vor Angst, dann scheinen sie plötzlich aufzugeben und hängen schlaff herunter.

»Siehst du, es beruhigt sie, wenn du sie mit dem Kopf nach unten hältst.«

Ein Knacken ist zu hören, und eins der Hühner dreht sich um sich selbst und baumelt mit flatternden Flügeln von einem ausgerenkten Schenkel. Am Ende der Halle steht ein Stapel Plastikkisten. Neil zieht eine heraus, wirft die Vögel hinein und macht den Deckel zu. Dann watet er in das Gedränge, um die nächsten fünf zu holen.

Tomasz wappnet sich und greift hinein in die schäumende

Masse der Hühner, mit angehaltenem Atem, die Augen geschlossen. Er packt zu, erwischt etwas – es muss ein Flügel sein –, doch das Huhn flattert und kreischt so erbärmlich, dass er es wieder loslässt. Dann packt er noch mal zu, und diesmal kriegt er die Beine zu fassen, er reißt das arme Vieh in die Luft, und um es nicht zu verlieren, steckt er es gleich in die Kiste. Dasselbe beim nächsten. Dann schafft er zwei auf einmal, und schließlich drei. Mehr kann er nicht halten, denn er kann sich nicht dazu bringen, sie nur an einem Bein zu packen. Nach einer halben Stunde hat er einen Käfig voll, und Neil hat vier.

»Besser du legst einen Zahn zu, wenn das Team kommt«, sagt Neil.

Wie aufs Stichwort geht die Hallentür auf und der Rest des Teams kommt herein – vier kleine, dunkelhaarige Männer, die sich in einer Sprache unterhalten, die Tomasz nicht versteht. Sie verteilen sich auf die ganze Länge der Scheune, und jetzt wird das Gackern und Flattern noch hektischer, und in der ganzen riesigen Halle bricht ein Sturm aus Federn und Staub und Gestank und Lärm los, als sie lospreschen, immer fünf Hühner auf einmal packen und sie in die Kisten stopfen.

»Portugiesen«, schreit Neil ihm über den Krach zu. »Oder Brasilianer! Respekt!« Und er hebt eine behandschuhte Hand. Tomasz tut es ihm nach. Was redet der Junge bloß? Vom Beispiel der Männer angespornt greift er mit neuer Energie in die Hühner und schafft es sogar, vier mit einer Hand zu halten, indem er sie nur an einem Bein packt. Und noch einmal. Und noch einmal. Und noch einmal. Es ist Knochenarbeit. Unter der Nylonhaut seines Overalls läuft ihm der Schweiß am ganzen Körper runter. Seine Augen brennen. Seine Haare starren vor Dreck. Selbst Mund und Nase scheinen mit dem ekelhaften Hühnermist verstopft.

Nach und nach werden die Käfige voll; die gefangenen, vor Angst erschöpften Hühner zittern und glucken hoffnungslos, besudelt von den Exkrementen der neu eingefangenen Vögel über ihnen, die noch am Flattern und Kämpfen sind. Nach ein paar Stunden haben sie so viele Hühner gefangen, dass hier und da der Boden der Halle zu sehen ist. Es ist eine stinkende Wüste aus Sägemehl, Urin und Fäkalien, in der verletzte und vom Ammoniak blinde Vögel umherwaten.

Direkt zu seinen Füßen sieht er ein Huhn mit einem gebrochenen Bein, das sich durch den Dreck schleppt und von seiner riesigen Brust zu Boden gezogen herzzerreißend krakeelt. Mit quälender Zerknirschung überlegt er, dass wahrscheinlich er dem Tier das Bein gebrochen hat, als er daraufgetreten war. Er bückt sich, packt den Vogel an beiden Beinen und zieht ihn in die Luft, doch im Schwung spürt er, wie auch das zweite Bein bricht. Das Huhn hängt schlaff an zwei gebrochenen Beinen herunter und starrt Tomasz voll Todesangst an.

»Es tut mir leid, kleines Huhn«, flüstert Tomasz auf Polnisch. Soll er es einfach in die Kiste werfen? Er fängt Neils Blick auf.

»Ja, mach ruhig. Keine Sorge, Mick. Das passiert ständig.« Mit vier Hühnern in der Hand winkt er Tomasz zu. »Brüchige Knochen. Keine Kraft, weißt du? Können sich nicht bewegen, und deshalb haben sie auch keine Kraft in den Haxen. Die sollten vielleicht Fußball spielen, was? Hühnerfußball. Gibt's natürlich, aber dann ist meistens das Huhn der Ball. Wer will schon ein Huhn sein, oder?«

Tomasz nimmt das verletzte Huhn und legt es in einen Käfig, wo es unter der Horde Hühner, die es sofort niedertrampeln, zusammenbricht. Ihm wird schlecht.

»Zeit für 'ne Pause, Kumpel«, sagt Neil.

Draußen in der Sonne atmen sie tief durch und waschen

sich unter einem Wasserhahn an der Hallenwand. Dann lassen sie sich in einer Reihe an der Mauer auf den Boden fallen. Neil nimmt seine halbe Zigarette heraus und zieht ein paar Mal hustend daran, mit entschlossener Miene.

»Das wird schon«, sagt er.

Die Portugiesen, oder Brasilianer, stecken sich ebenfalls Zigaretten an. Sie haben den Reißverschluss ihrer Overalls runtergezogen, und Tomasz sieht, dass sie nichts als die Unterhose drunter anhaben, einer offenbar nicht mal das. Sehr vernünftig, denkt er. Dann denkt er an den zwickenden Schritt seines Overalls. Wer hat ihn vor ihm angehabt? Er sieht den jungen Mann an, der neben ihm sitzt. Er ist ein bisschen kleiner als Neil und wahrscheinlich genauso jung, mit lockigem Haar und schönen Zähnen.

»Portugiese?«

»Ja«, sagt der junge Mann.

»Brasilianer?«

»Ja.«

Tomasz zeigt auf sich.

»Pole. Polen.«

»Ah«, der junge Mann strahlt. »Gregor Lato.«

»Pele«, sagt Tomasz. Sie schütteln einander die Hand.

»Du stehst auf Fußball?«

»Natürlich«, sagt Tomasz der Freundschaft zuliebe, auch wenn es eigentlich nicht stimmt, denn er findet alle Sportarten todlangweilig, und wenn, würde er sich am ehesten noch Juvenia Krakau beim Rugby ansehen. Das ist eine der kleinen Eigenheiten, die er kultiviert, genau wie seine Vorliebe für Wein statt Bier und ausländische Musik.

»Nachher wir spielen.« Die Zähne des jungen Mannes blitzen, als er lächelt.

»Nachher wir spielen Dudelsack.« Der Mann daneben hat ein leicht irres Glimmen in den Augen.

»Schottisch?«, fragt Tomasz.

Er zwinkert Tomasz zu. »Schottisch.«

Als sie mit den Zigaretten fertig sind, kommt ein riesiger Lastwagen angezuckelt, und die vier Männer springen auf und gehen rüber, um sich mit dem Fahrer zu unterhalten, der anscheinend auch Portugiese ist. Oder Brasilianer.

»Sind sie aus Portugal oder Brasilien?«, fragt Tomasz Neil.

»Ja, genau. Das eine oder das andere. Ein paar sind Portugiesen, die so tun, als wären sie Brasilianer. Die anderen sind Brasilianer, die so tun, als wären sie Portugiesen.«

»Sie tun wie Brasilianer?«

»Ja, verrückt, oder? Also, Brasilianer sind illegal, und deshalb tun sie beim Einreisen so, als wären sie Portugiesen. Nur, die Portugiesen sind legal, von wegen Europa und dem Markt und so, und da haben ein paar von ihnen Probleme gemacht, von wegen ihre Rechte, und deshalb will sie jetzt keiner mehr haben. Das hat jedenfalls mein Dad gesagt.«

»Wegen Rechte?«

»Ja, Gewerkschaft. Mindestlohn. Gesundheit, Sicherheit. Und die Brasilianer machen keine Probleme, weil sie ja illegal sind. Und deswegen, wenn die Portugiesen 'nen Job wollen, müssen sie so tun, als wären sie Brasilianer – also, Portugiesen, die so tun wie Brasilianer, die so tun wie Portugiesen. Verrückt, oder? Was für 'ne total, total verrückte Welt. Hast du den Film gesehen? Bin ich mit meiner Oma dringewesen, drüben in Folkestone. Der beste Film, den ich je gesehen hab.«

»Sehr.« Tomasz schüttelt den Kopf.

»Warst du schon mal in Folkestone? Meine Oma hat mich immer mitgenommen, als ich klein war. Sie nennen's Folkestone Freizeitstrand. Freizeit am Arsch. Hab ich auf das Straßenschild geschrieben. Wenn du mal nach Folkestone kommst, kannst du's noch sehen. Freizeit am Arsch. Ja, das hab ich geschrieben.«

»Interessant.«

»Ja, ich hab ein Zeichen gesetzt.«

»Was ist Mindestlohn in England?«

»Keine Ahnung. Nicht viel. Habt ihr so was, wo du herkommst? In Polen?«

»Wir haben sehr berühmte Gewerkschaft. Heißt Solidarność. Kennst du?«

»Klingt wie was zu essen. Hehe. Tja, ich schätze, ich geh nach Brasilien.« Die Information lässt er so beiläufig fallen, dass Tomasz, der noch über Gewerkschaften nachdenkt, es fast nicht mitkriegt. Er sieht den Jungen mit neuem Interesse an.

»Du willst auf Entdeckungsreise gehen?«

In dem Alter war er genauso gewesen, voller Träume davon, fortzugehen. Als er siebzehn war, waren die Zeiten natürlich noch kommunistisch und man konnte nur Reisen nach innen machen. Er erinnert sich, wie ein Freund eine Raubkopie von Bob Dylan ergattert hatte und sie zu viert in der geschlossenen Garage im Wagen seines Vaters saßen, bis die Fenster beschlugen. Wie gebannt hatten sie der Musik gelauscht und es war, als hörten sie die Freiheitsglocken läuten. In jedem Leben kommt ein Punkt, wo man sich freimachen kann von dem, was bis dahin selbstverständlich war, und eine neue Richtung einschlagen. Jener Abend in der Garage war in seinem Leben der Wendepunkt gewesen. Er hatte sich selbst Englisch beigebracht, um die Lieder zu verstehen, und ein paar Monate später kaufte er von einem tschechischen Zigeuner, der zufällig durch Zdroj kam, eine gebrauchte Gitarre. Und er hatte sich ein Versprechen gegeben: Eines Tages würde er in den Westen gehen.

»Entdeckungsreise? Hehehe. Das ist gut«, sagt Neil.

»Irgendwann, wenn ich genug Geld hab, geh ich nach Brasilien. Das is mein Traum. Hat doch jeder einen Traum. Deswegen bring ich mir das Rauchen bei.« Er wirft einen Blick zu den vier Portugiesen-Brasilianern, die die Overalls wieder zugemacht haben und zurück zur Halle gehen. »Vielleicht war denen ihr Traum, nach England zu kommen. Nach England zu kommen und knietief in der Hühnerkacke zu waten. Komischer Traum, oder?«

Die vier Portugiesen-Brasilianer fangen an, die Kisten auf die Lastwagenpritsche zu laden. Sie winken Tomasz und Neil, die widerwillig hinübergehen. Dann bilden sie eine kurze Kette und werfen einander die Kisten zu, in denen die zusammengedrängten Hühner panisch kreischen, wenn sie durch die Luft fliegen und schließlich mit einem Rums auf der Pritsche landen. Es ist kaum zu glauben, wie viele Kisten sie vollgekriegt haben, und doch scheinen die Hühner in der Scheune kaum weniger geworden zu sein.

Als der Lastwagen fort ist, geht es zurück in die Scheune, noch mehr Kisten mit Hühnern vollpacken. Der Tag zieht sich hin, öde, schmutzig und aufreibend. Tomasz' Arme fühlen sich an, als würden sie bald abfallen. Seine Beine und Unterarme sind voll mit blauen Flecken vom Picken und Treten der kämpfenden Hühner. Aber noch schlimmer fühlt sich seine wunde Seele an. Allmählich verliert er das Mitgefühl für die Hühner als lebendige, fühlende Kreaturen, und damit hört auch er auf, eine lebendige, fühlende Kreatur zu sein. Irgendwann wirft er fünf Hühner auf einmal in die Kiste, mit solchem Schwung, dass sich eins den Flügel bricht. Was passiert mit dir, Tomasz? Was für ein Mensch ist bloß aus dir geworden?

Am Ende des Nachmittags liegen überall auf dem Boden tote und sterbende Hühner, manche wurden in den Staub und den Kot getreten, manche flattern noch, kämpfen um ihr Leben. Auch Tomasz' Seele fühlt sich an wie ein sterbendes Huhn, flattert im Sumpf des … des … Vielleicht ist da ein Song drin, aber welche Akkorde wären melancholisch genug, um diese Trostlosigkeit auszudrücken?

»Haben wir so viele getötet?«, flüstert er.

»Nee, keine Sorge, Kumpel«, sagt Neil. »Die meisten waren schon tot. Wenn sich eins ein Bein bricht oder zu schwach ist, kommt es nicht mehr bis zur Futterstrecke und verhungert. Verrückt irgendwie, da gibt es so viel Futter, aber die schaffen's einfach nicht mehr hin. Na ja, sind ja nur fünf Wochen vom Küken bis zum Laster. Fünf Wochen! Nicht viel Zeit, um sich 'ne Persönlichkeit zuzulegen, oder?«

»Persönlichkeit?«

»Ja, genau, das will ich mir zulegen, Persönlichkeit.«

Der nächste Lastwagen kommt und zuckelt mit der nächsten Fuhre kakelnden Elends durch die baumbestandenen Straßen davon. Zeit für die nächste Pause. Neil raucht sorgfältig die nächste halbe Zigarette. Die Portugiesen-Brasilianer jagen einander zum Wasserhahn und spritzen herum, lachen und drücken sich gegenseitig den Kopf unters Wasser. Tomasz trinkt aus dem Hahn, dann wäscht er sich Gesicht und Haare unter dem fließenden kalten Wasser. In diesem Job sind lange Haare und ein Bart wirklich kein Vorteil. Wenn er nur ein Stück von Jolas duftender Seife hätte.

»O je.« Neil sieht hinüber zu den Portugiesen-Brasilianern, die immer wilder herumtoben. »Dudelsack. Mick, du schaust lieber weg.«

Aber Tomasz sieht wie gebannt hin.

Einer der anderen, der mit dem irren Blick, hat sich ein zerzaustes Huhn mit gebrochenen Beinen geschnappt und es sich unter den Arm gesteckt, so dass der Kopf hinten unter seinem Ellbogen raussieht. Dann schleicht er sich von hinten an seinen Freund heran, der sich gerade bückt, um eine Kiste zuzumachen. Als der sich wieder aufrichtet, drückt er mit dem Ellbogen auf das Huhn wie auf einen Dudelsack, und ein Strahl Scheiße spritzt dem Huhn aus dem Po und trifft den andern im Gesicht. Das Huhn kreischt und versucht sich freizustrampeln, während ihm die Scheiße noch aus dem Hintern rinnt. Der Getroffene brüllt vor Zorn und wischt sich mit den Händen über das Gesicht, aber damit verteilt er das Zeug nur noch mehr. Dann greift er selbst nach einem Huhn, steckt es sich rückwärts unter den Arm und drückt die Kreatur mit brutalen Pumpbewegungen in Richtung seines Freundes aus. Das Huhn stößt einen langen Schmerzensschrei aus. Exkremente spritzen. Der Ältere geht dazwischen und brüllt die beiden an, doch er rutscht in der Hühnerkacke aus, landet im Dreck und kommt nicht mehr hoch. Der Vierte steht daneben, hält sich den Bauch und lacht Tränen. Auch Neil steht da und prustet hysterisch, Tränen laufen ihm übers Gesicht. Zu seinem eigenen Entsetzen stellt Tomasz fest, dass auch er lacht.

Endlich rappelt sich der Vorarbeiter hoch und lässt eine Schimpftirade auf Portugiesisch los. Missmutig setzen die anderen ihre Arbeit fort. Eine unterschwellige Aufregung liegt in der Luft, als die Zahl der Hühner kleiner wird und das Fangen der übriggebliebenen schwieriger. Es ist unglaublich heiß, die Scheiße auf dem Boden dampft wie ein Misthaufen, aber sie dürfen die Hallentür noch nicht öffnen. Die letzten Hühner sind die zähen Vögel, die Kämpfer. Die Fänger müssen mehr rennen, und sie schlittern schreiend und fluchend durch den Dreck, als sie versuchen, die Hühner zu umzingeln.

Am Ende ist nur noch ein Huhn übrig, ein großer schlauer Vogel, der mit erstaunlicher Geschicklichkeit ausweicht und Haken schlägt, als sie zu sechst auf ihn losgehen. Irgendwann schafft es einer der Portugiesen-Brasilianer – der Fußballfan mit den schönen Zähnen –, dem Huhn einen Tritt zu versetzen, dass es durch die Luft fliegt. Seine Flügel sind zu schwach für den schweren Körper, und als es herunterplumpst, kommt der zweite Portugiesen-Brasilianer angerannt und kickt es mit voller Wucht wieder hoch. Kreischend trudelt das Huhn durch die Luft. Überall sind Federn. Der ältere Mann brüllt die beiden an, aber das Spiel ist zu spannend. Mit einem Tritt befördert der Erste das Huhn in den Futtertrog, reißt die Arme hoch und schreit: »Tor! Tor!« Benommen rappelt sich der zerrupfte Vogel auf und rennt hinkend los. Er läuft auf Tomasz zu. Dann bleibt er plötzlich stehen und sieht Tomasz an, seine seltsamen runden Augen blinzeln. Tomasz erwidert den Blick. Sie stehen einander gegenüber, Mensch und Huhn. Dann beugt Tomasz sich mit einer schnellen Bewegung vor, packt das Tier, hält es mit beiden Händen fest und rennt quer durch die Halle auf die Tür zu. Er reißt die Tür auf und stürzt hinaus. Das Huhn an die Brust gedrückt, läuft er über den Hof auf einen niedrigen Maschendrahtzaun zu, hinter dem ein Graben mit einer Hecke ist. Er beugt sich über den Zaun und setzt das Huhn auf der anderen Seite ab. Einen Moment bleibt es verwirrt stehen und blinzelt im hellen Tageslicht. Tomasz beugt sich noch einmal rüber, gibt ihm einen Schubs und flüstert auf Polnisch: »Lauf, Hühnchen, lauf!« Das Huhn zögert noch einen Moment, aber dann rennt es plötzlich los, so schnell es seine kurzen, verkümmerten Beine tragen, und verschwindet unter der Hecke.

Die anderen sind Tomasz nach draußen gefolgt und sehen ihn verblüfft an.

»Was machste da, Mick?«, fragt Neil.

Tomasz dreht sich mit einem irren Grinsen um. »Rugby. Punkt für mich.«

Bis sie abends fertig sind, ist er so ausgebrannt, dass er sich sogar nach der schmutzigen Matratze zwischen fünf verschwitzten Fremden sehnt. Die vier Portugiesen-Brasilianer sind mit dem Lastwagenfahrer irgendwohin losgezogen. Doch Tomasz ist zu müde, um mitzugehen, und beschließt stattdessen, frische Luft zu schnappen und runter ins Dorf zu gehen, vielleicht kann er dort was zu essen kaufen. Die beiden Doppelhaushälften stehen am Rand von Titchington, einem Dorf, wo sich reizende Cottages mit spitzen Giebeln und rosenbewachsenen Gärten um eine hübsche mittelalterliche Kirche drängen. Tomasz fragt sich, ob die Bürger wissen, welche Gräueltaten sich vor ihrer Haustür abspielen. Es heißt, dass die Landbevölkerung in der Gegend von Treblinka nur eine vage Vorstellung hatte, was hinter dem Stacheldrahtzaun ein paar Kilometer weiter geschah. Doch musste sie der Gestank gestört haben, wenn der Wind aus einer bestimmten Richtung kam, genau wie die Bewohner von Titchington.

Im Dorf gibt es weder Laden noch Gasthaus. Bestürzt stellt er fest, dass er gar nichts zu essen hat, und hier kann er sich auch nichts kaufen. Er geht zurück zum Haus. Es ist kein Mensch da. Die Schläfer sind verschwunden, nur der Geruch und die schäbigen Taschen und überquellenden Plastiktüten an der Wand erinnern daran, dass sie da gewesen sind. Tomasz durchsucht die Küchenschränke und findet ein paar Scheiben hartes Brot und eine Dose Tomaten. In einer Schublade ist ein Dosenöffner. Er isst die kalten Tomaten aus der Dose und stippt den Saft mit dem alten Brot auf. Danach hat er immer noch Hunger. Wenn es wenigstens ein paar Sardinen gäbe. Oder Schokoladenkekse. Und ein schönes Glas Wein. Chianti. Rioja. Er fragt sich, wo Jola und Marta sind, und was sie essen. Kaninchen vielleicht. Oder Fisch. Er kann es fast riechen, die aromatischen Kräuter und

Jolas duftende Seife, sie reicht ihm den Teller und lächelt ihn an. *Komm, iss, Tomek!*

Dann klopft es an der Tür, und bevor er sich aufgerappelt hat, kommt Neil herein. Statt des Overalls trägt er jetzt Jeans und eine schwarze Lederjacke, und er hat einen Motorradhelm unter dem Arm. Mit der anderen Hand hält er eine Papiertüte hoch.

»Hier, Mick. Ich hab was für dich.«

Die Tüte ist warm. Tomasz öffnet sie. Darin ist in einer Aluschale eine Pastete mit Hähnchen und Pilzen.

»Danke.« Er stellt die Schale auf den Tisch. Es duftet stark und köstlich nach Essen. Ob wegen der Müdigkeit oder der schrecklichen Erlebnisse auf der Hühnerfarm, oder einfach wegen der Einsamkeit, jedenfalls hat Tomasz Tränen in den Augen. »Danke. Du hast mich vor Trübsalstrakt gerettet.«

»Trübsalstrakt.« Neil nickt. »Das ist gut. Ist das ein Film?«

»Ein Song.«

»Das ist gut.«

»Und viel Glück auf deiner Reise.«

»Ja«, der Junge schlurft rückwärts zur Tür. »Ja. Ich komm da schon noch hin.«

In der Nacht scheint der Vollmond durch die offenen Vorhänge und beleuchtet die fünf Schläfer, die eingerollt auf den Matratzen am Boden liegen – fünf Fremde, die nach Mitternacht aufgetaucht sind und solchen Lärm gemacht haben, dass Tomasz, der drei Stunden zuvor ins Bett gegangen war, davon aufwachte. Jetzt kann er trotz seiner Erschöpfung nicht mehr einschlafen. Er lauscht dem tiefen rhythmischen Atmen der Fremden und starrt den Mond an. Er denkt an das Huhn, das fortgelaufen ist. Schläft es heute Nacht im Mondschein unter der Hecke? Genießt es die Freiheit? Was ist Freiheit?

»Die nächsten paar Tage musst du Hühnerkacke wegmachen, dann schicken sie dich zum Schlachthof«, hat Darren gesagt, und Tomasz schauderte.

»Gibt es nicht anderen Job, den ich machen kann?«

»Nee, Kumpel. Du musst dorthin gehen, wo man dich hinschickt.«

»Wo Schwarz die Farbe ist, und Null die Zahl.«

Darren hatte ihn komisch angesehen.

Ist er heute im Westen freier als in Polen im Kommunismus, als er von Freiheit geträumt hatte, ohne zu wissen, was das war? Ist er wirklich freier als die Hühner in der Halle, hier, eingepfercht in einen stinkenden kleinen Raum mit fünf Fremden, sich dem täglichen Grauen unterwerfend, das ihm bereits zur Routine geworden ist? Quäler und Gequälte, sie alle sind verdammte Kreaturen in der Hölle. Da muss ein Song drin sein.

Jola hatte üble Laune. Heute Morgen musste sie feststellen (fragen Sie nicht wie), dass die Slowakinnen, mit denen sie das Hotelzimmer teilten, kein Schamhaar hatten. Dass so was erlaubt ist! Bestimmt waren sie nicht so zur Welt gekommen – na ja, wahrscheinlich schon, aber im natürlichen Lauf der Dinge war da was gewachsen, und sie hatten zu unnatürlichen Maßnahmen gegriffen, um es zu entfernen. Es gibt viel Schlechtes, das man über den Kommunismus sagen kann, aber wenigstens haben in kommunistischen Zeiten die Frauen ihr Schamhaar nicht derart misshandelt – ein Eingriff, der unnatürlich, unansehnlich, unwürdig und, ohne genauer werden zu wollen, potentiell gefährlich ist.

Und wie sie so über die Dinge nachdachte, die Frauen sich selbst und anderen Frauen antaten, war Jola schon auf Krawall gebürstet, als sie bei »Buttercup Meadow Farmfrisches Geflügel« in der Nähe von Shermouth ankam. Ihre Laune verschlechterte sich weiter, als sie feststellte, dass sie – eine Frau der Tat mit zwei Jahren Vorarbeiterinnenerfahrung und guten Kenntnissen der Angielski-Lebensweise und des Lebens an sich (wovon später die Rede sein wird) – in der Fabrik nicht unverzüglich eine Vorarbeiterinnenstelle angeboten bekam. Stattdessen setzte man ihr eine ziemlich derbe und unangenehme Rumänin namens Geta vor die Nase, die furchtbares Englisch sprach und mit ihrer Belegschaft, die hauptsächlich aus Slawen bestand, Kommunikationsprobleme hatte und darüber hinaus keine Ahnung von der Bedeutung sexueller Harmonie zur Gewährleistung einer entspannten Atmosphäre am Arbeitsplatz. Geta hatte außerdem die ekelhafte Angewohnheit, sich auf die Finger zu spucken, bevor sie nach den Hühnerteilen griff, die über das Fließband kamen, und Jola nahm an, dass es nur ihre blonde Mähne gewesen war, der jeder Dummkopf ansah, dass sie gefärbt war, sowie ihr schamloser Busen, der eindeutig mit Latexschaum und Drahtgestellen unterfüttert war (eine Unart, zu der Jola eine deutliche Meinung hatte, aber davon später), und das Diplom für Lebensmittelhygiene des Polytechnischen Instituts Bukarest, dem jeder Dummkopf ansah, dass es gefälscht war, die ihr die beneidenswerte Position verschafft hatten.

Jedenfalls fängt die unterdrahtete falsche Blondine mit dem falschen Diplom dann auch noch an, Jola zu belehren, wie man zwei Stück Huhn auf eine Styroporschale zu packen hat, und tut dabei so, als bräuchte man eine Urkunde vom Polytechnischen Institut dafür, dabei muss man einfach nur zwei Stück Hühnerbrust vom Fließband nehmen, wo alle möglichen zerhackten Hühnerteile liegen, und muss sich nicht extra in die Hände spucken, wie die gefärbte Rumänin es macht, und als Jola sie darauf hinweist, ist sie beleidigt und sagt, ihr Polinnen, seit ihr legal, denkt wohl, wisst alles, dabei wisst gar nix, und hier, so muss die zwei Bruststücke auf Schale legen, und dann Fett und Haut darunterschieben, damit Brust hübsch und fett aussieht, was eigentlich das Gleiche ist, was die falsche Blondine mit dem Latexschaum und ihren eigenen unterdrahteten Brüsten macht, und sie verrät sogar, dass die Hühner mit Wasser, Salz, Schweinefleisch und anderen Sachen aufgespritzt sind, damit sie fett wirken, was noch schlimmer ist als Latex, wenn man darüber nachdenkt, weil, das Zeug muss man essen, und Latex nicht – auch wenn Jola bei den Männern von heute nichts mehr überraschen würde –, und dann verpackt man sie mit Frischhaltefolie von einer großen Rolle und schickt sie weiter auf dem Fließband zu den Frauen, die die Schalen wiegen und die Etiketten aufkleben, gelbe Etiketten für den einen Supermarkt, blaue Etiketten für den anderen, und so weiter. Dafür braucht man wohl keine Urkunde, oder?

Martas Job ist sogar noch weniger anspruchsvoll.

Als sie bei Buttercup Meadow ankamen, hatte sie deutlich gesagt, dass sie die Hühner füttern wollte. Aber der Vorarbeiter, ein netter, freundlicher Litauer, dem beide Vorderzähne fehlten, der aber trotzdem – oder vielleicht deswegen – gut Polnisch sprach, hatte erklärt, dass es den Job nicht mehr gebe, seit die Hühnerfütterung komplett automatisiert sei, wegen der Mischung von Hormonen und Antibiotika, die die Hühner brauchten, und außerdem rieche es im Geflügelstall sehr schlecht, das sei kein angenehmer Ort für eine junge Frau mit ihrem Zartgefühl.

Stattdessen hat man sie in die Abteilung der Fabrik geschickt, wo die Hühnchen sortiert werden. Sie kommen auf einem Fließband aus dem Schlachthaus, und alles, was Marta zu tun hat, ist, sich die Hühnchen anzusehen, diejenigen, die schön und unbeschädigt sind, herauszusuchen und auf ein anderes Fließband zu legen – das sind die, die als ganzes Huhn verpackt und verkauft werden. Die Hühner, die nur wenig geschunden sind, zum Beispiel ein gebrochenes Bein haben oder Ammoniakverbrennungen an den Haxen, bleiben auf dem Fließband liegen, sie kommen in einen anderen Teil der Fabrik, wo sie in Hühnchenteile zerlegt und dann verpackt werden, das ist die Abteilung, wo Ciocia Jola arbeitet. Die Hühner, die sehr schlimm zugerichtet sind, kommen in eine riesige Plastikwanne, sie werden für die Lebensmittelindustrie weiterverarbeitet – Frikassee, Pasteten, Chicken-Nuggets und Schulessen.

Am Anfang ist Marta so damit beschäftigt, die unbeschädigten ganzen Hühner herauszusuchen, dass sie sich keine Gedanken über das Verfahren macht und sich auch nicht fragt, weshalb so viele der Tiere, die durch die Gummischwingtür kommen, in einem so schrecklichen Zustand sind. Die Hühnchen, die sie heraussucht, machen, auch wenn sie leider tot sind, einen lieben, friedlichen Eindruck, und sie haben schöne fette Brüste, und die ganze Zeit gehen Marta die köstlichsten Rezepte durch den Kopf, mit denen sie den Geschöpfen einen würdevollen Übergang in die nächste Welt verschaffen würde. Zum Beispiel könnte man sie mit Haferflocken, Estragon, Zitrone und Knoblauch füllen, oder mit Preiselbeeren, braunem Zucker und Speck – das isst ihre Mutter am liebsten – oder mit Semmelbröseln, Butter und Trockenfrüchten, oder mit Maronen und ... Maronen genügen auch allein. Oder man legt das Hühnerfleisch in einer feinen Paprika-Joghurt-Marinade ein, oder in Honig und Meerrettich, aber nicht zu viel Meerrettich, sonst wird es zu scharf, vielleicht nur Pfeffer, zerdrückte schwarze Pfefferkörner, die krachen, wenn man daraufbeißt, und ein wenig Majoran, der immer gut schmeckt zu weißem Fleisch.

Den Vorarbeiter, der für einen Litauer wirklich ziemlich

nett ist, hätte sie gern gefragt, ob sie mal ein Hühnchen mit heimnehmen dürfte, um das Meerrettichrezept auszuprobieren – natürlich würde sie dafür bezahlen –, doch dann fällt ihr ein, dass sie ja gar nicht mehr im Wohnwagen wohnen, und in der überfüllten Herberge gibt es keine Möglichkeit zum Kochen. Na ja, noch so eine Sache, die warten muss, bis sie wieder zu Hause ist.

Wenn sie nicht gerade über Rezepte oder die Wundertaten der Heiligen nachdenkt, was auf die Dauer ein bisschen eintönig werden kann, denkt sie immer öfter an Zdroj, an zu Hause, an ihren älteren Bruder, der immer noch bei ihnen lebt, ihre Mutter, die Lehrerin ist, und ihren Vater, der im Rathaus arbeitet und ein Kollege von Tomasz ist – was, fragt sie sich, mag wohl aus Tomasz geworden sein? –, und an den kleinen Mirek, der so oft Teil ihrer Familie ist, wenn Jola mal wieder auf der Suche nach einem neuen Ehemann ist. Und auch wenn Jolas Leben manchmal sündig ist, ist es nicht an uns, Jola zu verurteilen, denn keiner von uns ist ohne Sünde, und wer weiß, was wir in ihrer Lage tun würden, und es war eine Schande, dass der Vater des Kindes sie einfach hat sitzen lassen und sie ihr Down-Syndrom-Baby allein aufziehen musste.

»Wann fahren wir nach Hause?«, fragt Marta Jola, als sie draußen vor der Fabrik in der Sonne stehen und ihren ersten Wochenlohn nachzählen.

»Wann? Wenn wir Millionäre sind.« Jola lächelt ihre Nichte grimmig an. Das hier muss ein Irrtum sein. Der Lohn ist gerade mal ein Viertel von dem, was Vitali versprochen hat. Da steckt ein Zettel mit im Umschlag, auf dem alle möglichen unverständlichen Buchstaben und Zahlen stehen. So einen Unsinn hat es beim alten Knödel nicht gegeben. Da gab es nur Cash auf die Hand.

»Abzüge – was soll das heißen?«, fragt sie Geta, die in der Nähe steht und ebenfalls ihren Lohn nachzählt. Ihr Umschlag ist bedeutend dicker als der von Jola, obwohl sie nichts tut als herumstolzieren und in alles ihre Nase stecken, und als Jola noch Vorarbeiterin war, ist sie den anderen wenigstens mit gutem Beispiel vorangegangen mit ihrer harten Arbeit.

»Abzüge ist was du zahlen«, kreischt Geta in ihrem furchtbaren Englisch. »Guck – Trasport, Wohn, Steuer, Sozialbetrag.«

»Sozialbetrag?«

»In England müssen alle zahlen. Ist Gesetz.«

»Und das hier – TG. Was ist das?«

»Das ist Trenning-Gebühr. Du kein Wissen wie geht muss haben Trenning.«

»Trenning? Was ist das?«

»Trenning ist lern. Du muss lern wie Arbeit geht.«

»Diese Arbeit kann jeder Dummkopf machen. Was soll ich lernen?«

»Ich zeig, du lern. Ich zeig, wie du Hühnchen auf Schale.«

»Und dafür bezahle ich?«

»Nach ein Woche du normal Satz.«

»Und du kriegst mehr?«

»Natürlich. Ich Vorarbeitersatz.«

Jola spürt, wie die Wut in ihr hochkocht, rotglühend, als würde sie jeden Moment explodieren, Marta muss sie zurückhalten, und wer weiß, was passiert wäre, wenn sich nicht plötzlich dieser blendend aussehende junge Mann eingemischt hätte, mit langen blonden Haaren und muskulösen Waden dick wie Preiskürbisse, von so was können die meisten Frauen nur träumen – und ja, er hat kurze Hosen an, die den meisten Männern überhaupt nicht stehen, aber bei ihm ist es annehmbar, um nicht zu sagen wirklich kleidsam, denn seine Beine sind von der Sonne gebräunt und mit feinen blonden Härchen bedeckt und haben Muskeln dick wie – ja, das wissen wir bereits. Jedenfalls kommt plötzlich dieser junge Adonis auf sie zu und fragt: »Brauchen Sie Hilfe bei Ihrer Lohnabrechnung?«

Welche Frau würde da wohl nein sagen?

Kürbisbein erklärt ihr alles – dass der Rentenbeitrag für ihre Versorgung ist, wenn sie sich zur Ruhe setzt, aber da sie sich in Polen zur Ruhe setzt und nicht in England, wird sie keinen Penny davon sehen, und sie würde wahrscheinlich sowieso keinen Penny davon sehen, weil diese Blutsauger das Geld gar nicht in den Rentenfonds einzahlen, sondern es für sich behalten, um es für Rolls-Royces und Luxusyachten auszugeben, ja, da sie es erwähnt, wahrscheinlich kaufen sie damit auch unbequeme Unterhosen für ihre schlampigen Frauen, und das Gleiche passiert mit der Krankenversicherung und vielleicht sogar mit der Lohnsteuer – wenn das Finanzamt einen Penny davon sieht, kann es von Glück sagen, und die Abzüge für Transport und Unterkunft sind nicht direkt illegal, aber sie sind viel zu hoch, und er sieht sich die ganze Sache gern mal an, wenn sie möchte. Und am Ende fragt er sie, ob sie bei der Gewerkschaft der Geflügelarbeiter Mitglied werden will. Welche Frau würde da wohl nein sagen?

Auch Tomasz ist von einem jungen Mann in Shorts für die Gewerkschaft der Geflügelarbeiter angeworben worden, der ihn auf dem Weg zur Arbeit angesprochen hat, auch wenn es nicht seine Beine waren, die Tomasz überzeugt haben; es war eine tiefe, unerklärliche Wut auf Vitali und auf alles, wofür er steht. Dieser Vitali, zu ungeduldig ist er – hat es so eilig, reich zu werden, dass er die Grundregeln der Menschlichkeit vergessen hat. Doch Tomasz ist auch wütend auf sich selbst: Er hätte sich nie auf Vitalis Geschäfte einlassen dürfen. Er ist nach England gekommen, um nach ein paar seltenen Bob-Dylan-Platten zu suchen und ein bisschen was von der Welt zu sehen, bevor er zu alt dafür ist, und ja, vielleicht auch, um die Liebe zu finden, falls sie ihm über den Weg läuft. Aber irgendwie hat er zugelassen, dass er immer tiefer sank, bis an einen Punkt, wo er anderen Kreaturen Leid zufügte, ohne etwas dabei zu empfinden. Er hat sich in ihrem Schachspiel zum Bauern machen lassen.

Es war erst sieben Uhr morgens, und ihm waren schon zwei schreckliche Dinge passiert. Als er im Morgengrauen in das verdreckte Esszimmer hinunterging, um ein paar Scheiben Brot mit Margarine und Marmelade zu essen, bevor um sechs Uhr der Transporter kam – ja, er hatte in Aprikosenmarmelade investiert –, wollte er sich noch kurz hinsetzen und an dem Song arbeiten, den er nachts komponiert hatte. Und da hatte er entdeckt, dass seine Gitarre weg war. Er konnte es erst gar nicht glauben. Doch er suchte überall, unter dem Tisch, wo Essensreste und Abfall von gestern Abend lagen, in den schimmeligen Küchenschränken, in den Schlafzimmern mit der verbrauchten Luft der erschöpften Schläfer, in dem modrigen Schrank unter der Treppe. Die Gitarre blieb verschwunden. Er hatte alles abgesucht. Jemand hatte sie gestohlen. Einer dieser verzweifelten, namenlosen Männer aus irgendeinem verarmten oder vom Krieg gebeutelten Land hatte seine Gitarre gestohlen und wahrscheinlich längst eingetauscht – wofür? Eine Flasche Wodka? Eine Pastete mit Hühnchen und Pilzen?

Diesmal weinte er nicht einmal. Wozu?

Milo ließ ihn vorn sitzen, weil er der Erste war, der abgeholt wurde. Als er einstieg, gab es ihm einen Stich, weil ihm einfiel, dass er sich nicht von Neil verabschiedet hatte, seinem einzigen Freund. Jetzt wurde er zu einer neuen Unterkunft in einem Strandhotel in der Nähe von Shermouth gebracht, näher am Schlachthaus der weiterverarbeitenden Fabrik, wo um halb sieben seine Schicht anfing. Hätte er hinten gesessen, hätte er es wahrscheinlich gar nicht gesehen. Aber vorn auf dem Beifahrersitz war ihm der Anblick nicht erspart geblieben: Dort an der Biegung vor ihnen, mitten auf der Straße, lagen die zerquetschten Überreste eines totgefahrenen weißen Huhns. Da hatte seine Freiheit also geendet. Milo trat aufs Gas und fuhr genau darüber. Da muss ein Song drin sein, dachte Tomasz; aber dann fiel ihm wieder ein, dass seine Gitarre weg war.

Das, was ihn endgültig davon überzeugte, wie viel er und die Hühner gemeinsam hatten, ereignete sich allerdings erst später am Vormittag: der Vorfall mit dem Daumen des chinesischen Schlachters.

Wenn die Hühner am Schlachthof ankamen, war es Tomasz' Aufgabe, sie mit den Beinen an den Halterungen einer Förderkette aufzuhängen, von der sie herunterbaumelten und hoffnungslos kreischten, vor allem die mit den gebrochenen Beinen (inzwischen war Tomasz gegen das Kreischen immun), bis das Förderband sie kopfüber durch ein Bad mit elektrisch geladenem Wasser schickte, das sie betäuben sollte, bevor ihnen von einem automatischen Messer die Kehle durchgeschnitten wurde.

Nur für den Fall, dass das Elektrobad nicht funktionierte oder die Klinge danebentraf, was nicht selten vorkam, standen ein paar Schlachter daneben, um ihnen den Hals durchzuschneiden, bevor sie durch den Dampfraum wanderten, wo sie in ein kochendheißes Becken getaucht wurden, das die Federn lockerte. Dann wurden sie automatisch gerupft und entfußt und anschließend von einem weiteren Schlachterteam ausgeweidet.

Die Schlachter waren Chinesen, die gut mit dem Messer

umgehen konnten, aber sie waren etwas zu klein für die Förderkette, so dass sie nicht immer sehen konnten, was sie taten; und so geschah es, dass einer von ihnen, als er nach einem Huhn griff, das im automatischen Fußabschneider steckengeblieben war, es irgendwie schaffte, sich die Daumenspitze abzusäbeln, genau oberhalb des ersten Gelenks. Zuerst konnte man ihn über dem Krakeelen der Hühner nicht mal schreien hören. Tomasz stoppte die Förderkette und rannte los, um den Vorarbeiter zu finden, der sofort sein Handy herausholte und hineinbrüllte, dass er unbedingt einen Ersatzschlachter brauchte, während die anderen im Blut, der Hühnerkacke und den Federn auf dem Schlachthausboden herumkrochen, um das Daumenstück zu finden; doch es blieb verschwunden, und die ganze Zeit schrie und stöhnte der Mann und ballte die Hand zur Faust und versuchte, die Blutung zu stoppen. Am Ende gaben sie die Suche nach dem Stück Finger auf und jemand fuhr ihn zum Krankenhaus, damit die Wunde eben so gut es ging genäht wurde.

Dann fing der Vorarbeiter an, Tomasz anzuschreien, weil er die Förderkette angehalten hatte.

»Wir verlieren Geld, du Blödmann, stell endlich die verdammte Förderkette wieder an, damit wir die verdammten Hühner weiterschicken können, Herrgott noch mal. Oder glaubst du vielleicht, wir sind hier im Robinson-Club?«

Er sah aus, als wäre er nur ein paar Jahre älter als Neil – ohne die Akne, aber auch ohne den Charme.

»Hier«, er drückte Tomasz das Messer des Schlachters in die Hand, das immer noch voll Blut war, wobei man nicht sehen konnte, ob es das vom Chinesen oder von den Hühnern war. »Du übernimmst, bis der Ersatz hier ist.«

Wenn ich einen Finger verliere, dachte Tomasz, kann ich nie wieder Gitarre spielen.

»Handschuhe. Ich brauche Lederhandschuhe.«

Der Vorarbeiter sah Tomasz mit zusammengekniffenen Augen an. »Willst du hier Ärger machen, oder was?«

»Handschuhe, wie wir hatten sie bei Hühnerfangen. Ohne Handschuhe ist zu gefährlich.« Aus irgendeinem Grund war er nicht auf den Vorarbeiter wütend oder auf die Fabrikbesitzer, sondern immer noch auf Vitali.

»Hör zu, Kumpel, die Leute hier machen diese Arbeit schon seit fast zwei Jahren ohne Handschuhe.«

»Und?«

»Wir haben erst drei Finger verloren. Na ja, vier, wenn du den Daumen mitzählst.«

»Ohne Handschuhe mache ich nicht.«

»Wo kommst du her?«, fragte der Vorarbeiter.

»Aus Polen.« Tomasz lächelte. Er wusste, das war nicht die Antwort, die der Mann hören wollte.

»Hätte ich mir denken können. Scheiß-Unruhestifter. Als Nächstes verlangst du Mutterschutz. Hier, warte. Dann machst du eben an der Kette weiter, bis ich ein paar beschissene Handschuhe für dich gefunden habe.«

»Nein«, sagte Tomasz, »auch für Arbeit an Kette brauche ich Handschuhe.«

Das Gesicht des Vorarbeiters nahm eine furchterregende lila Farbe an. »Hör mal, du polnische Krawallschachtel, das nächste Mal, wenn du mir frech kommst, sitzt du auf der Straße. Wenn wir den verdammten Chinesen nicht verloren hätten, wärst du schon längst draußen.«

Aber er zog los und fand ein Paar Handschuhe. Tomasz zog sie langsam, nachdenklich an, einen Finger nach dem anderen. Irgendwas von dem, was der unsympathische Vorarbeiter gesagt hatte, erinnerte ihn an Jola: Wo war sie? Was machte sie? Dachte sie noch an ihn?

In den anderen Abteilungen der Fabrik bedeutete der plötzliche Stillstand des Fließbands eine willkommene Pause. Jola seufzte und sah sich um. Solange es lief, hatte sie gar nicht gemerkt, wie laut das Fließband war. Die schmalen Fenster der Verpackungsabteilung waren so hoch oben, dass man nicht hinaussehen konnte, aber das Licht, das hereinfiel, erinnerte sie daran, dass draußen Sommer war. Wie war sie bloß in diesem Gefängnis gelandet? Der Druck auf ihrer Blase wurde immer stärker, aber der Gedanke, dass sie Geta um Erlaubnis bitten musste, wenn sie aufs Klo wollte, war einfach zu demütigend. Sie hielt es aus. Um sie herum nutzten die anderen die Gelegenheit, sich auszuruhen und mit ihren Nachbarinnen zu schwatzen. Zwei der Slowakinnen versuchten sogar, sich rauszuschleichen und frech eine Zigarettenpause einzulegen, aber Geta rannte hinter ihnen her und schrie: »Kein Rauch! Wegen Hygien!«

Jola fand, dies war ein guter Zeitpunkt, um selber unbemerkt durch die Tür zu schlüpfen, doch Geta entdeckte sie und bestand darauf, Jola zu begleiten, weil es, behauptete sie, in ihrer Verantwortung lag, dafür zu sorgen, dass die Toilettenbesuche nicht missbraucht wurden, vor allem von Polinnen und Ukrainerinnen, man wusste ja nie, was die da drin machten, und manchmal kam sogar Rauch unter der Tür durch. Wie sollte man sich bei einer kleinen Toilettenpause entspannen können, wenn dabei dieser unterdrahtete Drache vor der Tür stand und dauernd an die Tür klopfte und einen hetzte? Also schloss sich Jola unnötig lange in ihrer Kabine ein und machte alle möglichen Klogeräusche, nur um Geta zu ärgern.

»Und vergess nicht, danach Hand waschen«, keifte Geta.

»Warum sagst du mir das?«, zischte Jola hinter der abgeschlossenen Kabinentür zurück, »ich bin Lehrerin, kein Dreckschwein.«

»Ich bin Lebensmittelhygien Qualifikation, du nicht«, quäkte Geta.

»Ich pisse auf deine Urkunde.«

»Kein Urkunde, Diplom.«

»Ich scheiß auf dein Diplom.«

Jola furzte laut.

In der Zwischenzeit ging Marta um das Fließband herum und unterhielt sich mit den jungen Frauen auf der anderen Seite, die, wie sich herausstellte, aus der Westukraine kamen, und eine war schon mal in Polen gewesen, wenn auch nicht in Zdroj. Und so war Marta, wie viele andere in der Fabrik, gerade nicht an ihrem Platz, als sich das Fließband mit einem Beben wieder in Bewegung setzte, und musste rennen, um die ersten Hühnchen, die durchkamen, zu erwischen. Sie nahm sie vom Band; seltsamerweise fühlten sie sich abstoßend fest und holzig an – genau genommen wie gekocht –, mitsamt den Füßen und den Innereien in ihrem Bauch. Aber während sie sich noch fragte, was sie mit den grausigen, im Ganzen gekochten Viechern anfangen sollte, kam schon das nächste Huhn über das Fließband, das eindeutig nicht lebendig gekocht worden war, sondern – auch wenn ihm ein Großteil der Federn fehlte – noch ziemlich unversehrt aussah und irgendwie um das Fußabschneiden und Ausweiden herumgekommen war. Und als sie danach griff, fing das arme, schlaffe federlose Ding plötzlich in ihren Händen zu flattern an. Es lebte noch! Und auch das nächste Huhn, das durchkam, war zu ihrem Entsetzen noch lebendig. Zumindest halb. Und dann noch eins. Das Fließband hatte inzwischen beschleunigt und lief wieder im normalen Tempo. Was sollte sie nur tun?

Sie nahm die drei halblebendigen Hühner vom Laufband und schrie.

Der litauische Vorarbeiter war als Erster bei ihr. Er legte beruhigend den Arm um sie und reichte ihr ein Taschentuch. Dann kam Geta, die ihre schnöde Toilettenwache aufgegeben hatte. In der Zwischenzeit hatten sich die Hühner von ihrem Schrecken erholt und begannen auf dem Fabrikboden herumzurennen. Während die gekochten Tiere auf dem Fließband davonfuhren, kamen jetzt immer mehr halblebendige Hühner herein, und immer schneller. Geta fing an, Marta anzuschreien und die drei nackten Hühner, die den Leuten zwischen den Beinen herumrannten, und den litauischen Vorarbeiter, der zurückschrie, dass sie Marta, die eine zartfühlende Frau war, nicht so erschrecken dürfe.

»Polin nicht zartfühlig, sondern faul Sau!«, schrie Geta, was zu viel für Marta war, die in Tränen ausbrach. Dann stürzte eins der Hühner auf die Tür zu, die Geta offen gelassen hatte, und die beiden anderen folgten ihm bis in die Verpackungsabteilung. Auf der anderen Seite der Verpackungsabteilung öffnete sich eine weitere Tür, denn Jola, die gemerkt hatte, dass sie für ihre Klogeräusche kein Publikum mehr hatte, kam gerade zurück in die Halle geschlendert. Als sie die Hühner sah, die auf sie zugerannt kamen, hielt sie ihnen instinktiv die Tür auf. Und schon waren sie fort.

»Gefeuer! Gefeuer! Du gefeuer!«, schrie Geta, das Gesicht fleckig vor Wut, und versetzte Jola einen Stoß.

»Selber gefeuert!«, schrie Jola und schubste zurück.

Jola war in der Brustabteilung nicht ohne Freunde, und sie hatte Freunde von Freunden bei Schenkeln und Flügeln, und auch Marta würde nicht dabeistehen und zusehen, wie ihre Tante beleidigt wurde, und so fand sich Geta plötzlich von einer wütenden Menge umzingelt, die verlangte, dass sie sich bei Jola entschuldigte und sie sofort wieder einstellte.

Die Nachricht vom Daumen des chinesischen Schlachters verbreitete sich wie ein Lauffeuer in der Fabrik. In der Ausweideabteilung war es der ganze Daumen, den der arme Mann verloren hatte; bei den Schenkeln und Flügeln war es die ganze Hand, und in der Wiege- und Etikettierabteilung musste ihm der Arm oberhalb des Ellbogens amputiert werden. Die Chinesen marschierten mit stampfenden Füßen auf, die Taschen voll mit Hühnerfüßen, und stimmten unverständliche Parolen an, andere befreiten die Hühner aus den Förderketten, so dass sie tot und halbtot auf das Fließband und auf den Boden fielen.

Plötzlich flogen mehrere Türen gleichzeitig auf, und die gesamte Belegschaft stürmte hinaus in den hellen Sonnenschein. Die drei nackten Hühner auf dem Hof gluckten und fragten sich, was wohl als Nächstes passieren würde.

Tomasz sah, dass der blonde Mann mit den beeindruckenden Waden, der ihn für die Gewerkschaft angeworben hatte, immer noch am Tor herumstand. Es sah aus, als wollte er gerade auf sein Fahrrad steigen und Feierabend machen, doch dann bemerkte er den Aufruhr auf dem Fabrikgelände. Als Nächstes entdeckte Tomasz Jola. Sie kam aus einer der Türen gestürzt, lief dramatisch auf den Gewerkschaftsmann zu und warf sich ihm an den Hals. Und so mischte sich Tomasz' Wiedersehensfreude mit dem Schock, sie in den Armen eines anderen Mannes wiederzusehen (oder umgekehrt).

»Sie sagt gefeuert! Mich gefeuert!«, weinte sie.

»Immer mit der Ruhe.« Die Stimme des Gewerkschafters war ruhig, es lag nur ein Hauch von Nervosität darin. »Wir müssen hier geordnet vorgehen. Ist irgendjemand von der Geschäftsleitung da?«

Geta trat vor.

»Ist Polin nix gut arbeite. Zu viel Toilette. Hühner renne weg.«

Die drei befreiten Hühner gackerten laut, wie um den Beweis zu liefern.

»Immer mit der Ruhe«, sagte der Gewerkschaftsmann wieder, und inzwischen klang er mehr nervös als ruhig. »Nehmen wir erst mal die Fakten auf. Um was für Hühner geht es hier?«

Jetzt bahnte sich der Schlachthausvorarbeiter, mit dem sich Tomasz wegen der Handschuhe angelegt hatte, den Weg durch die Menge.

»Hör zu, Kumpel, keine Ahnung, wer du bist und was du hier machst, aber du ziehst jetzt Leine, okay?« Zu Geta sagte er: »Du hältst den Mund. Red nicht mit ihm. Der Wichser ist ein Niemand. Wir wollen ihn nicht auf dem Gelände haben.«

»Immer sachte. Ich vertrete hier die ...«

»Zieh Leine oder ich hol die Polizei.«

Plötzlich traten die Chinesen aus der Ausweideabteilung auf den Plan, und sie hielten immer noch die furchterregenden Messer in der Hand. Sie fingen an zu schreien und mit den Messern zu fuchteln, und obwohl keiner verstand, was sie sagten, konnte jeder sehen, dass sie fuchsteufelswild waren. Der Vorarbeiter zog sein Handy heraus, doch einer der Chinesen schlug es ihm aus der Hand und trampelte darauf herum, bis es Schrott war.

»Immer sachte!« Der Gewerkschafter hob die Hand. »Keine Gewalt, Genossen. Das lässt sich bestimmt alles friedlich regeln.«

Nur einen kurzen Moment lang sah der Vorarbeiter dankbar aus.

»Hör zu, Kleiner, das Einzige, was hier zu regeln ist, ist, wie wir die Penner wieder an die Arbeit kriegen.«

»Immer mit der Ruhe. Erst mal hören wir uns ihre Beschwerden an.«

Sofort erhob sich ein Chor von Klagen und Gackerlauten. Alle schienen Beschwerden zu haben, sogar die Hühner.

»Jede Minute, in der das beschissene Fließband stillsteht, geht uns Kohle flöten. Du hast gut reden, von wegen immer mit der Scheißruhe, aber die verfluchten Supermärkte stehen nicht auf Ruhe, kapiert? Zwei zum Preis von einem, Mann. Das müssen wir liefern. Bis Freitag. Sonst verlieren wir den Vertrag, und dann heißt es bye-bye Buttercup Meadow, und die ganzen Penner, die hier nach Arbeitsrechten schreien, können ihren verdammten Jobs bye-bye sagen.«

»Umso wichtiger, dass wir die Sache schnell klären. Also …«

»Okay, sag ihnen, wenn sie jetzt zurück an die Arbeit gehen, kommen wir allen Forderungen nach.«

Tomasz sah, dass der Gewerkschafter nicht weiterkam und dass der Vorarbeiter versuchte, sie alle über den Tisch zu ziehen. Er sprang auf eine umgedrehte Kiste und legte die Hände vor den Mund.

»Das ist kein Verhandlungssache! Hier es geht um Verletzung von Menschenrechte! Und Hühner!«

Jola wirbelte herum. »Tomek!«

Eine der lästigen Sachen bei Männern, hat Jola festgestellt, ist, dass man jahrelang nach einem Guten sucht, und dann kommen plötzlich zwei auf einmal. Der blonde Mann mit den Wadenmuskeln wie preisgekrönte Kürbisse ist der Traum jeder Frau, und der helle Flaum an seinen Beinen, welche Frau würde da nicht … Aber seien wir realistisch, er lebt in England, und wahrscheinlich wirst du ihn nicht überreden können, mit nach Polen zu kommen, und selbst wenn, was würde er dort machen? Nichts als Schwierigkeiten. Dieser Tomasz dagegen, auch wenn er gewisse Fehler hat, er wird immer besser, und sie hat das bestimmte Gefühl, wenn sie ihn mit einem Stück parfümierter Seife abschrubbt und seine Socken rausschmeißt, die wahrscheinlich aus Nylon sind, und ihm ein paar gute Woll- oder Baumwollsocken dafür gibt, die viel angenehmer sind und die Füße nicht unnötig zum Schwitzen bringen, der Erfinder von Nylonsocken gehört kastriert, und wenn sie diese Turnschuhe rausschmeißt, die nicht das Richtige sind für einen Mann, und ihm stattdessen ein paar schöne Lederschuhe besorgt, in Polen werden ausgezeichnete Schuhe hergestellt, die gut passen, dann wäre das Problem bald gelöst, und es könnte sich eine angenehme sexuelle Harmonie zwischen ihnen entwickeln.

Denn sie sieht, dass er ein gutes Herz hat, und er hat sogar schon Interesse daran bekundet, dem kleinen Mirek ein Vater zu sein. Und obwohl sie ihm noch nichts von den Schwierigkeiten vom kleinen Mirek erzählt hat und hofft, dass ihre schwatzhafte Nichte den Mund hält und die Katze nicht so bald aus dem Sack lässt, ist sie sicher, wenn er Mirek erst mal in Fleisch und Blut vor sich sieht, und sieht, was für ein Schatz ihr Mirek ist, dass er nicht einfach abhaut – wie der Letzte.

Außerdem entwickelt sich Tomasz zu einem echten Helden. Wie er aufspringt und mit seiner lauten, männlichen Stimme ruft: »Wie viele Jahre müssen diese Leute bestehen, bis sie lernen, was heißt Freisein?«

»Sachte, sachte«, sagt Kürbisbein mit einem Anflug von Panik. »Wir müssen unsere Forderungen konkret formulieren.«

Also wirklich, diese Männer, sogar die Netten, reden oft einen schönen Quatsch daher.

Und dann rollt ein großes silbernes Auto heran, genau wie der Rolls-Royce, den Kürbisbein beschrieben hat, und ein reifer Herr mit silbergrauem Haar steigt aus, ein überaus seriös wirkender Herr, könnte sogar Arzt sein, eindeutig nicht der Typ, dessen Frau in schlampigen Unterhosen herumläuft, höchstens vielleicht seine Geliebte, und kommt herüber, um sich zu erkundigen, was hier los ist, und Kürbisbein erklärt, dass einem Mann der Arm amputiert werden musste und dass eine Frau unrechtmäßig entlassen wurde, weil sie zu lange auf der Toilette gewesen ist. Der Mann mit dem Rolls-Royce sagt: »Hm, hm«, und streicht sich über das Kinn, und Kürbisbein sagt, sie muss sofort wieder eingestellt werden und der Amputierte muss Schadenersatz bekommen, aber dann mischt sich überflüssigerweise diese herrschsüchtige rumänische Kuh ein und sagt, die Leute würden nur versuchen, sich einen Vorteil zu verschaffen, vor allem die nichtsnutzigen Polen, die denken, jetzt wo sie in Europa sind, können sie machen, was sie wollen, und da sagt der Rolls-Royce wieder: »Hm, hm.« Dann kommt der Obervorarbeiter, ein unterbelichteter Kerl, der gern überflüssige Schimpfwörter benutzt, sich ungehörig benimmt und die Mädchen in den Hintern zwickt und ihnen sagt, sie müssen mit ihm Sex machen, wenn sie einen Job haben wollen (keine will Sex mit dir machen, du spitzpimmliger Hund, hat Jola gesagt), dieser Obervorarbeiter kommt und sagt, dass der Pole mit den langen Haaren ein Unruhestifter ist – meint er etwa Tomasz? Alle sehen sich nach Tomasz um, aber er ist verschwunden, und wo ist Marta? Auch sie ist verschwunden, wobei bestimmt niemand behaupten kann, dass Marta eine Unruhestifterin ist. Und dann taucht da plötzlich noch ein Problem auf, denn auf einmal ist der ganze Hof voll Hühner, die überall rumrennen und flattern, außer denen, die gebrochene Beine haben und nur kriechen können, wirklich, diese Hühner sind in einem schrecklichen Zustand, und eins davon macht ein Häufchen auf Rolls-Royces Schuh, und er sagt: »Wo kommen die beschissenen Viecher her?«, und es ist wirklich ziemlich verblüffend, wenn ein so feiner Gentleman plötzlich so unflätige Wörter benutzt. Aber wo sind die Hühner hergekommen? Das bleibt ein Rätsel.

Andrij und Emanuel sind zu ihrer Verabredung mit Vitali ins Pub gegangen und haben anderthalb Stunden über jeweils einem halben Pint Bier gesessen, doch Vitali ist nicht gekommen.

Was sollen sie tun? Emanuel will nach Richmond bei London – er hat die Adresse seines Freundes gefunden –, aber Andrij will noch nicht weg. Das Mädchen – vielleicht ist sie ja doch hier, und Vulk, der weiß, wo sie ist, ist ganz sicher hier. Andrij hat gehört, was ukrainischen Mädchen in England passieren kann. Also, selbst wenn eindeutig nichts zwischen ihnen läuft, und selbst wenn er eindeutig beschlossen hat, sich auf die Suche nach Vagvaga Riskegipd zu machen – ist es nicht doch seine Verantwortung, zuerst das Mädchen zu finden und sie ihren Eltern zurückzugeben? Denn wenn er es nicht tut, wer tut es dann? Bestimmt keiner dieser anderen Ukrainer, Nichtsnutze, die nur an sich selbst denken und ans Biertrinken. Nein, er ist aus anderem Holz geschnitzt.

Sie einigen sich, noch ein paar Tage in Dover zu bleiben, parken den Wohnwagen an einem Karottenfeld und fahren tagsüber mit dem Landrover herum. Emanuel sagt, er will seine Angelkünste weiterentwickeln, jetzt, wo er sein Recht auf den roten Eimer verteidigt hat und die Mosambiker spurlos verschwunden sind – auf dem Pier geht das Gerücht, sie wurden abgeschoben –, und auch wenn er nie mehr so viel Glück hat wie am ersten Tag, schafft er es immerhin, jeden Tag für das Abendessen zu sorgen und sogar noch etwas an Mr. Tattoo zu verkaufen, der ihre Meinungsverschiedenheit vollkommen vergessen zu haben scheint.

Andrij verbringt die Tage damit, die Straßen und Hotels von Dover zu durchkämmen. Irgendwann steht er wieder vor dem Laden der Inderin. Heute trägt sie einen blauen Sari, und sie scheint irgendwie kleiner und fülliger geworden seit seinem letzten Besuch. Obwohl er nur noch wenig Geld von seinen zwei Wochenlöhnen auf der Erdbeerfarm übrig hat und eigentlich dringend Benzin für den Landrover braucht, kauft er Brot und Margarine. Er denkt auch an Sardinen, doch er will Emanuel nicht kränken, der seine Rolle als Angler sehr ernst nimmt.

»Sie essen keine ausgewogene Diät«, schimpft sie sanft.

»Doch, doch. Wir essen Fisch.«

»Sie müssen Vitamine essen. Sonst werden Sie krank wegen Mangelernährung. Zitrone ist gut. Da, rechts von Ihnen. Nicht teuer. Wenn Sie Fisch machen, geben Sie ein paar Tropfen Zitrone dazu.«

Er nimmt eine Zitrone.

»Und Sie brauchen Ballaststoffe für guten Stuhlgang. Sie müssen Gemüse essen.«

»Wir essen viele Karotten. Jeden Tag Karotten.«

»Karotten sind sehr gut für Ballaststoffe und lebenswichtiges Vitamin A. Aber immer vorher gut waschen.«

»Danke für Ihren Rat, Lady.« Er versucht nicht zu auffällig auf die lockende braune Wölbung über ihrem Sari zu starren. Wirklich, füllige Frauen können ziemlich sexy sein.

»Wissen Sie, in dieser Stadt sind zu viele arme Leute mit schlechter Ernährung. Betrunkene Matrosen. Arbeitslose Bergarbeiter. Sie«, sie zeigt auf das Bild der Frau mit dem blauen Hut über der Theke, »ist ein gutes Beispiel, wie gute Ernährung hilft, zu hohem Alter zu reifen.«

Er erfährt von der indischen Ladenbesitzerin, dass es auch hier ganz in der Nähe früher ein Kohlebergwerk gegeben hat, das nach dem großen Streik von 1984 geschlossen wurde. Jetzt versteht er, warum ihn die Stadt an Donezk erinnert. Damals war er zwar erst fünf, aber er erinnert sich lebhaft, wie seine Eltern feierlich ihre goldenen Eheringe für die britischen Bergarbeiter gespendet haben. Was ist mit all dem Geld passiert? Die ukrainischen Bergarbeiter könnten es heute gut gebrauchen.

»Ich suche einen Mann namens Vulk. Gangstertyp. Schwarz angezogen.«

Die Ladenbesitzerin schüttelt den Kopf. »In dieser Stadt gibt es zu viele Gangster heutzutage. Aber ich versichere Ihnen, keiner davon setzt einen Fuß in meinen Laden. Ich würde jeden davonjagen.«

»Und ukrainisches Mädchen? Lange schwarze Haare. Sehr ...« Sehr was? Ist sie hübsch? Ist sie schön? »Sehr ... ukrainisch.«

»Ach, ukrainische Mädchen haben wir hier viele. Jede Nacht sieht man sie auf der Straße und am Strand, machen Sex für Geld.«

»Nicht diese.«

Die Inhaberin lächelt diplomatisch, und er verlässt den Laden übelgelaunt.

Zurück am Pier staunt er nicht schlecht, als er Emanuel von einer kleinen Menschenmenge umringt findet, in deren Mitte Vitali steht. Vitali packt Andrij mit beiden Händen und umarmt ihn wie einen Bruder, wobei er Emanuel zur Seite schiebt.

»Mein Freund. Gut, dass du da bist. Wir haben ausgezeichnete Geschäftsmöglichkeit. Gute Arbeit. Gutes Geld. Du wirst reich. Du kehrst nach Ukraine zurück als Millionär.«

Andrij macht sich aus Vitalis Umarmung los. »Was ist das für Möglichkeit?«

»Fabrik. Nur zwanzig Kilometer. Gute Arbeit gutes Geld. Alle hier«, er macht eine ausladende Geste, die das Dutzend erfolgloser Angler um ihn herum einschließt, »kriegen gute Anstellung. Du und Emanuel auch. Zwanzig Pfund pro Stunde für dich. Vorarbeiterlohn. Du machst Transport. Du nimmst den Caravan, tust alle rein, fährst sie zu Fabrik.«

Er muss den Zweifel in Andrijs Blick gesehen haben.

»Ich gebe dir Geld für Benzin.«

Doch Andrij zögert noch.

»Und für Transport. Wie viel willst du?«

Er zieht ein Bündel Geldscheine aus der Tasche. Es sind alles Zwanziger.

»Aber ich habe nur ukrainische Fahrerlaubnis. Für so viele Leute brauche ich vielleicht Spezialerlaubnis.«

»Ist kein Problem. Nur bei Fahrzeuge mit Sitze für mehr als acht Leute brauchst du Personenbeförderungsführerschein. Heute sind alle moderne Transporter ohne Sitze.«

Das scheint eine seltsame Vorschrift zu sein.

»Der Wohnwagen ist nicht hier.«

»Kein Problem. Du holst ihn. Wir warten hier.«

Als Andrij und Emanuel mit dem Wohnwagen zurückkommen, ist die Menge noch größer geworden. Vitali steigt neben Andrij auf den Beifahrersitz des Landrovers, Hund sitzt ihm zu Füßen. Emanuel und drei andere sitzen hinten, und etwa vierzehn Hoffnungsvolle quetschen sich in den Wohnwagen. Die, die nicht auf die Betten passen, sitzen auf dem Boden, die Arme um die Knie geschlungen. Andrij sieht, dass auch der Bulgare und seine Freunde darunter sind. Er wartet ab, bis Vitali fünf Zwanzigpfundscheine aus dem Bündel abgezählt und sie ihm überreicht hat, bevor er auch nur den Motor anlässt.

Das Geld ist wohlverdient, denn mit so viel Gewicht an Bord bockt und schlingert der Wohnwagen wie verrückt, und es ist Knochenarbeit, ihn auf der Straße zu halten. Er muss fast ständig im ersten Gang fahren, mit hundert Prozent Konzentration, damit der Anhänger nicht in einer Kurve umkippt. So sind sie beinahe eine Stunde unterwegs, auf Straßen, die immer schmaler und schwieriger werden, bis Vitali auf eine Einfahrt mit einem großen Schild deutet. »Buttercup Meadow Farmfrisches Geflügel« steht darauf, und daneben ist das Bild eines kleinen blonden Mädchens zu sehen, das einen Strauß Butterblumen in der Hand hält und ein flaumiges braunes Huhn an die Brust drückt. »Ihr Partner für Geflügel«, lautet der Slogan darunter. Es sieht alles sehr hübsch aus.

Doch als sie sich dem Tor nähern, bietet sich ihren Augen ein wüstes Spektakel. Was ist da los? Das Eisentor steht offen, Polizisten in Schutzausrüstung stemmen sich gegen einen schreienden, randalierenden Mob, und dazu rennt eine Schar wild gewordener Hühner durch den Hof, flatternd und gackernd, immer im Kreis.

»Was ist hier los, Vitali? Wo hast du uns hingebracht?«

Er legt den ersten Gang ein und fährt vorsichtig durch das Tor. Plötzlich hört er ein entsetzliches hohes Geheul, und ein durchgedrehter Chinese mit blutbespritzten Kleidern, der ein großes Messer schwingt, durchbricht die Absperrung und wirft sich auf die Motorhaube des Landrovers. Aus seinen Taschen quellen Hühnerfüße.

Wer ist dieser Mann? Was will er von ihm? Mit irren schwarzen Augen starrt er Andrij einen Moment lang durch die Windschutzscheibe an, und aus seinem Mund kommen wilde Laute, dann stürzen sich zwei Polizisten auf ihn und zerren ihn weg. Beim Tor ringen zwei andere Polizisten mit einem großen blonden Mann in Shorts und drehen ihm die Arme auf den Rücken, dann verfrachten sie ihn in den Polizeitransporter. Das hier ist eindeutig keine gute Situation.

»Warum will der Chinese uns umbringen? Was soll diese Polizei, Vitali?«

»Ist okay. Polizei auf unsere Seite.«

»Aber warum ist Polizei hier? Was ist hier los?«

»Alles wegen Unruhestifte. Faule Chinesen, Arbeitsverweigerung. Polizei verteidigt Recht auf Arbeit. Jetzt zeigen wir ihnen gute ukrainisch-typische Arbeit. Gute Arbeit, gutes Geld, he, mein Freund?«

Andrij hat ein unbehagliches Gefühl. Den überfüllten Wohnwagen durch diese Menschenmasse zu fahren, unter den Augen der Polizei, während vielleicht schon nach ihm gefahndet wird und er eindeutig keinen Personenbeförderungsführerschein hat, aber dafür einen Revolver in seinem Rucksack – ob das wirklich eine gute Idee ist? Aber nicht nur deswegen ist er beunruhigt, sondern auch, weil er an seinen Vater denken muss, wie er die Worte des blinden Visionärs von Sheffield wiederholte, aus der Rede vor all den Jahren. Er versucht sich zu erinnern – es hatte etwas mit Solidarität zu tun, mit der grundlegenden Verbundenheit aller Menschen und – sein Vater hat es ihm eingebläut – mit Selbstachtung. Sei ein Mann – meinte er das? Dass es Dinge gab, die ein Mann niemals tun sollte, für kein Geld der Welt?

Er legt den Rückwärtsgang ein und beginnt zurückzusetzen.

»Nein, nein! Weiter! Fahr weiter!« Wie angestochen hüpft Vitali auf seinem Sitz herum und tritt Hund aus Versehen auf den Schwanz. Hund jault auf und springt aus dem Landrover, dann wittert er die Hühner und taucht ein ins Getümmel.

»Hund! Komm zurück!« Andrij tritt auf die Bremse. »Komm zurück! Hühner nicht zum Essen!«

Doch Hund erkennt sofort, was hier gefragt ist. Endlich kann er ihnen allen zeigen, mit wem sie es zu tun haben, und nachdem er sich mit ein paar höflichen Wuffs durch die Menge gefädelt hat, schafft er es in kürzester Zeit, die Hühner ordentlich in einer Ecke des Hofs zusammenzutreiben, wo sie etwas überrascht stehen bleiben und gehorsam vor sich hin glucken.

Plötzlich ertönt ein markerschütternder Schrei, und eine energiegeladene Person, zierlich, doch wohlgerundet, bahnt sich einen Weg durch die Menge und stürzt wild gestikulierend auf sie zu.

»Jola!«, ruft Andrij. »Was machst du denn hier?«

»Ich will heim nach Polen! Das hier ist Hölle! Alles Betrug und Lug!«

Dann entdeckt sie Vitali, der vorn im Landrover sitzt, und geht mit den Fäusten auf ihn los. Sie zerrt ihn aus der Tür und heult: »Das ist er! Der ist schuld an alle Persoflexi-Dynamo.«

Ein Polizist versucht sie fortzuziehen, aber sie wehrt sich mit Händen und Füßen. Beißend und kratzend versucht sie sich aus seinem Griff freizustrampeln und tritt ihm schließlich so fest in empfindliche Körperteile, dass er sie loslassen muss. Emanuel ergreift ihren Arm und zieht sie hinten in den Landrover. Dann kommt Marta auf sie zugerannt, und dann Tomasz, und sie ziehen alle rein, während der Landrover mit dem Wohnwagen zurücksetzt und Vitali schreit: »Nein, Stopp! Stopp!«, bis sie an einer Stelle sind, die breit genug zum Wenden ist, und in letzter Minute kommt auch Hund und springt hinten hinein, und dann tritt Andrij aufs Gaspedal und sie sind fort.

Als sie Dover erreichen, haben Marta, Jola und Tomasz Andrij und Emanuel alles erzählt, was passiert ist, Vitali hat erfolglos versucht, Andrij dazu zu bringen, ihm das Geld zurückzugeben, und die meisten Leute hinten im Wohnwagen haben sich übergeben.

Marta findet es schade, dass sie es nicht geschafft hat, wenigstens ein Hühnchen für das Abendessen mitzunehmen, aber andererseits, vielleicht haben die letzten Tage ihre Ansichten übers Essen verändert. Nachdem sie die Mitfahrer in Dover abgesetzt haben, kehren sie an ihren Lieblingsplatz neben dem Karottenfeld zurück, wo Marta ein köstliches Mahl aus Weißbrot, Margarine und kaltem Fisch improvisiert, garniert mit Karotten, Zitronenscheiben und Kräutern vom Straßenrand.

Jola und Tomasz helfen ihr, die Karotten zu schaben, und dabei erzählt Jola Tomasz von ihrer Auseinandersetzung mit Geta. Begeistert hängt Tomasz an Jolas Lippen und bittet sie, die Geräusche zu wiederholen, die sie auf der Toilette gemacht hat, was sie auf ihre typische vulgäre Art auch tut, und dann prusten beide los wie die kleinen Kinder. Und Marta denkt, jetzt geht alles wieder von vorn los.

Sie erinnert sich an das letzte Mal, als das passierte – als Jola einen netten Mann kennenlernte, einen dicken Obst- und Gemüsehändler, Händchenhalten und Kichern und heimliches Knutschen. Und dann brachte Jola den Mann mit zu sich nach Hause in Zdroj, und kaum hatte der den kleinen Mirek kennengelernt, ja, kaum hatte er ihn auch nur angesehen, war er rückwärts zur Tür raus wie ein in die Enge getriebener Kater. Nicht mal den Hut hatte er abgenommen. Nicht mal die Schachtel Likörpralinen hatte er abgelegt, die er in der Hand hielt.

»Ich scheiß auf dein Gemüse!«, schrie Jola seinem flüchtenden Rücken hinterher, aber die Worte glitten an ihm ab wie Butter an einem heißen Knödel.

Jola hatte lange gebraucht, um darüber hinwegzukommen. Und eins muss man ihr lassen – sie hat Mirek nie die Schuld daran gegeben. Nicht ein einziges Mal.

»Jola«, sagt Marta und steckt das Gas an der Herdplatte an, »warum zeigst du Tomasz nicht deine Fotos?«

»Ich glaube kaum, dass Tomasz Lust hat, sich die langweiligen Fotos anzusehen.« Jola tritt Marta gegen das Schienbein. Ja, sie hat schon einige blaue Flecken an den Schienbeinen.

»Ich würde mir sehr gern deine Fotos ansehen«, sagt Tomasz.

Also muss Jola wohl oder übel die drei Fotos rausholen, die sie immer bei sich trägt. Das hübsche Haus in Zdroj mit dem Garten bis runter zum Fluss und den Pflaumen- und Kirschbäumen. Die vier masurischen Ziegen, ein bisschen verwackelt, weil sie einfach nicht stillhalten wollten. Und Mirek auf der Schaukel im Garten, mit dem süßen Lächeln in seinem großen runden Gesicht, wie er die Zunge rausstreckt und vor Lachen die goldigen Äuglein zukneift.

»Das ist dein Sohn?«

»Mein lieber Sohn Mirek.«

»Ich würde ihn sehr gern kennenlernen.«

Als Andrij früh am nächsten Morgen aufwacht, muss er sich erst mal orientieren. Irgendwas ist anders im Wohnwagen. Er hört Flüstern und Kichern. Was ist mit Emanuel passiert? In der Koje, wo Emanuel sein sollte, liegt Tomasz und schläft tief. Drüben ist das Doppelbett ausgeklappt, und Jola und Marta liegen darin. Andrij schließt die Augen und tut so, als würde er noch schlafen. Etwas später hört das Flüstern auf, und Marta steht auf und setzt den Kessel auf. Emanuel, der freundlicherweise im Landrover geschlafen hat, kommt zum Frühstück herein.

Bis sie schließlich das Fährterminal in Dover erreichen, ist es spät am Vormittag und sie haben es alle eilig. Anders als Vitali gesagt hat, können Jola, Tomasz und Marta ihre Fahrkarten ohne Probleme umtauschen. Unter Tränen und Umarmungen und nachdem sie Adressen ausgetauscht haben, sagen sie einander am Hafen Adieu.

»Wir kommen wieder«, verspricht Tomasz.

»Ganz bestimmt«, sagt Jola. »Aber nicht wegen Erdbeer oder Hühner. Jetzt, wo wir bei europäisches Marketing sind, können wir hier gutes Geld verdienen. Ich werde Lehrerin sein. Tomek wird Regierungsbürokrat. Marta ... was wirst du sein, Marta?«

»Ich werde Vegetarierin«, sagt Marta.

»Irgendwann ist auch Ukraine bei europäisches Marketing.« Jola küsst Andrij auf beide Wangen. »Und Afrika auch.« Sie gibt Emanuel zwei kleine Küsse, und er wischt sich mit dem Ärmel seines grünen Anoraks über die Augen.

Wie schwer es ist, alte Grenzen einzureißen, und wie leicht, neue zu ziehen. Schweren Herzens sieht Andrij zu, wie die Fähre ablegt. Neben dem Abschiedsschmerz bedrückt ihn auch die Tatsache, dass er von der anderen Seite dieser neuen Grenze quer durch Europa kommt. Es wird lange dauern, bis er legal in England arbeiten kann; sogar in Russland sind die Ukrainer jetzt illegal. Ist die Ukraine bald das neue Afrika? Er legt Emanuel den Arm um die Schultern.

»Gehen wir.«

Sie wandern durch den Hafen, wo sich eine Menschentraube gebildet hat, um die eben einlaufende Fähre zu begrüßen. Andrij bleibt stehen und denkt an seine Ankunft vor fast einem Monat. Was ist aus dem unschuldigen, sorglosen jungen Mann mit den schrecklichen Hosen und dem Herz voller Hoffnung geworden, der damals von Bord gegangen ist? Na ja, wenigstens die Hose ist noch da.

Bewegung kommt in die Menge. Zwei Gestalten, die beieinander gestanden haben, trennen sich und gehen in verschiedene Richtungen davon. Andrij sieht einen glänzenden, rasierten Schädel, der sich zum Terminal bewegt – Vitali –, und erinnert sich an die 65 Pfund, die er nach dem Tanken noch in der Tasche hat. Besser, sie hauen ab, bevor Vitali sie sieht. Auf der anderen Seite öffnet sich die Menge, um einen untersetzten, schwarz gekleideten Typen mit gesenktem Kopf durchzulassen, der es eilig zu haben scheint. Andrij erkennt Vulk sofort. Sein Herz schlägt schneller. Soll er rübergehen und ihn sich vorknöpfen? Oder soll er freundlich sein und versuchen, so Informationen aus ihm rauszuholen?

Am Ende tut er keins von beidem, sondern geht zu ihm und fragt ihn auf Englisch, ganz direkt: »Bitte, wo ist Irina?«

Vulk sieht ihn überrascht an. Er erkennt Andrij nicht. »Irina? Wer ist das?«

Rote Wut steigt in Andrij hoch. Dieser Drecksack, der versucht hat, sie zu entführen, hat sie nicht mal nach ihrem Namen gefragt. Für ihn ist sie nur ein namenloses Stück Fleisch.

»Ukrainische Mädchen von Erdbeerpflücken. Weißt du noch? Du hast sie in dein Wagen mitgenommen?«

Vulk sieht sich nervös um. »Ukrainisch Mädchen ist nix bei mir.«

»Wo ist dann?«

»Wer bist du?«, fragt Vulk.

Andrij denkt schnell nach, dann steckt er die Hände in die Hosentaschen, kneift die Augen zusammen und versucht ein Gesicht zu machen wie Vitali.

»Ich bin von Sheffield. Ich kenne jemand, zahlt gut Geld für Mädchen.«

Jetzt wirft Vulk ihm einen verschlagenen Blick zu. Das ist die Sprache, die er versteht. »Das ist teuer Super-Mädchen. Ich zahle auch gut Geld dafür.«

»Ich bin Experte für Suchen nach vermisste Personen. Mein Freund hier«, Andrij zeigt auf Emanuel, »ist sehr gut bei Verfolgen von Spuren und Fußabdruck.«

»Mooli bwanji?« Emanuel strahlt.

»Und wir haben Spürhund.«

Hund macht wuff.

»Wenn du findest, du sagst mir?«

»Wie viel zahlst du?«, fragt Andrij.

»Wie viel zahlt ander Mann?«

»Sechstausend. Sechstausend Pfund, nicht Dollar.«

Vulk pfeift durch die Zähne. »Ist gut Preis. Hör zu, wir mach Geschäft. Ich geb dir dreitausend, plus Anteil von Einkommen.«

»Was für Einkommen?«

»Wenn Mädchen Geld verdient, kriegst du Anteil. Gut Geld, mein Freund. Verdient jede Nacht fünfhundrrt, sechshundrrt, vielleicht mehr. Vielleicht bringe ich nach Sheffield. Exklusiv Massage. Ich hab Kontakt. Exklusiv Elite VIP Kliente, sonst nix. Engländer haben ukrainische Mädchen gern. Gut sauber Mädchen ohne Freund wie das, kostet erste Mal fünfhundrrt.« Dann denkt er nach und schüttelt seinen angegrauten Pferdeschwanz. Sein Blick wird weich. »Nein. Erste Mal will Vulk selber. Nix Geld, aber krieg Liebe. Hrr. Mach Liebe.«

Er lächelt ein feuchtes, nikotinverfärbtes Lächeln. Andrij spürt, wie ihm das Blut in den Schläfen pocht. Er ballt die Fäuste, aber das ist nicht der Zeitpunkt, den Helden zu markieren. Er zwingt sich zu einem Lächeln.

»Aber Mädchen, sie ist hochklassige Mädchen. Die bleibt doch nicht freiwillig. Die haut ab.«

»Hrr. Das bleibt, no prroblem. Ich habe Freund«, er zwinkert ihm zu, »Freund mach kleine Besuch bei Mama in Kiew, sagt zu Mama, Irina nix gut arbeite, deine Familie schlimme Ärger. Vielleicht jemand tot. No prroblem. Alle Mädchen bleibe, wenn ich das sage. In zwei drei Jahre sind wir Millionär. Und das Beste, wenn Pause hat, wenn nix mit ander Mann, dann wir mach Spaß mit sie.«

Andrijs Brust fühlt sich an wie ein Kessel unter Dampf.

Beherrsch dich, Palenko. Beherrsch dich. Seine Kehle ist wie zugeschnürt, als er sagt: »Was ist mein Anteil?«

»Fifty-fifty«, sagte Vulk. »Besser Geld mit Mädchen als mit Erdbeerpflück. Erdbeer bald zu Ende. Mädchen mach weiter. Ein Jarr, zwei Jarr, drei Jarr. Immer gut Einkommen. Kein Abzüge. Muss man kein Lohn zahle, nur Essen. Und Kleider. Hrr. Sexy Kleider.«

»Okay. Fifty-fifty ist gutes Geschäft.«

Vulk gibt ihm seine Mobilfonnummer und beschreibt einen Rastplatz auf einer Wiese an der Sherbury Road, zwischen Canterbury und Ashford. Andrij kennt die Stelle gut.

»Sie ist dort?«

»War dort. Ich war suche. Jetzt ist wahrscheinlich weg. Oder tot. Vielleicht Hund sie finde.«

»Wo kann sie hin?«

Vulk zuckt die Schultern. »Vielleicht London. Vielleicht Dover. Ich suche weiter. Ich hab das Passprrt.«

»Du hast Pass von Irina?«

»Ohne Passprrt kann nicht weit kommen. Vielleicht auf ander Erdbeerfarm. Gestern jemand aus Sherburry ruft an, gleich bei Rastplatz. Habe ukrainisch Mädchen ohne Papirr. Vielleicht ist sie. Ich geh guck. Wenn ist sie, nehm ich mit. Oder vielleicht kommt ander nett ukrainisch Mädchen mit zu Vulk. Mach Liebe. Mach Geschäft. Ich geb Passprrt. Hab viel Passprrt.«

Fünf Badezimmer

Sherbury Landerdbeeren Co. war etwas ganz anderes als Bauer Leapishs dilettantisch aufgezogener Betrieb. Die Arbeit war besser, die Bezahlung war besser, die Wohnwagen waren besser. Es gab Annehmlichkeiten wie eine Scheune mit einer Tischtennisplatte, einem Gemeinschaftsraum, einem Fernseher und Telefon. Selbst die Erdbeeren waren besser, oder wenigstens waren sie einheitlicher in Form und Farbe. Und trotzdem erwachte ich jeden Morgen, seit ich hier war, mit einer Leere im Herzen, als wäre da ein großes Loch – als würde mir etwas Lebenswichtiges fehlen.

Nein, es war ganz gewiss nicht der ukrainische Bergarbeiter, den ich vermisste. Hier gab es jede Menge ukrainische Jungs, und keiner von denen interessierte mich. Vielleicht war es die Größe des Betriebs – fünfzig Wohnwagen oder mehr standen in engen Reihen so dicht beieinander, dass man eher das Gefühl hatte, in einer Stadt zu sein als auf einem Bauernhof. Man sah keinen Horizont, keine Bäume, und morgens wurde man nicht von Vogelgezwitscher geweckt, sondern von Lastwagen und dem Lärm der Männer, die die Paletten herumwuchteten. Man konnte seine eigenen Gedanken nicht hören, weil immer irgendjemand am Reden war und ein Radio spielte. Mein Kopf schwirrte vor Fragen, und ich hätte ein bisschen Frieden und Ruhe gebraucht.

Okay, ich weiß, das klingt ein bisschen arrogant, aber die Ukrainer hier waren einfach nicht mein Typ. Sie wollten immer nur Popmusik hören und über platte Dinge reden wie, wer mit wem ins Bett gegangen war. Oksana, Lena und Tasja sagten die ganze Zeit, hey, Irina, der Boris ist ja ganz heiß auf dich. Dieses Ferkel. Ich gehe ihm aus dem Weg. Sex nur zum Spaß interessiert mich nicht – ich warte, bis der Richtige kommt.

Mutter hat bestimmt gedacht, dass Papa der Richtige war. Leider denkt sie das immer noch. Gestern Abend rief ich sie vom Münztelefon an, R-Gespräch. Weil ich nicht wollte, dass sie sich Sorgen machte, erzählte ich ihr einfach, dass ich jetzt auf einem anderen Bauernhof arbeitete. Mutter fing zu weinen an und bat mich heimzukommen und sagte, wie einsam sie war. Ich schnauzte sie an, sie solle mich in Ruhe lassen. Kein Wunder, dass Papa weggegangen war, wenn sie die ganze Zeit jammerte, sagte ich. Ich weiß, das hätte ich nicht sagen sollen, aber es war mir einfach so herausgerutscht. Als ich auflegte, weinte ich auch.

Heute saß ich nach der Arbeit auf dem Bett und versuchte, ein englisches Buch zu lesen, aber ich konnte mich nicht konzentrieren. Den ganzen Tag musste ich weinen, ohne Grund. Was war bloß los mit mir? *Irina, ruf Mama an. Du musst dich entschuldigen. Ich weiß, aber …* Schließlich zog ich meine Jeans und den Pullover an, weil es kühler wurde, und ging zum Telefon. Ich bat jemanden, mir Geld zu wechseln. Ein paar Leute standen draußen herum. Da sah ich ihn.

Ein Irrtum war ausgeschlossen, selbst von hinten: Kunstlederjacke, dünner Rattenschwanz. Er stand oben an der Treppe zum Büro, klopfte an die Tür und steckte den Kopf hinein. Mir blieb fast das Herz stehen. Spielte meine Phantasie mir Streiche? Ich schloss die Augen, öffnete sie wieder.

Er war immer noch da. Vielleicht würde ich ihn ab jetzt überall sehen. *Nein, denk das nicht. Wenn du das denkst, hat er dich schon. Lauf einfach los. Lauf.*

Liebe Schwester,
ich bin immer noch in Dover, gefangen im Rad der Zeit, aber dafür habe ich eine 1-A-Nachricht für dich.

Gestern, während ich am Pier Andree erwartete, erschien Vitali auf, der tricksige Mzungu aus dem Erdbeercaravan, und beflehte uns, zur Hühnerschlacht in eine andere Stadt zu kommen. Dort geschah eine große Menschenmenge, und sie riefen und schrieen in verschiedenen Zungen, und manche von ihnen wollten an der Hühnerschlacht teilnehmen, doch die anderen verfluchten Vitali und verunglimpften seinen Namen. Ein Mann schrie, dass Vitali ein moldawischer Lustknabe sei, was ich mir merkte, weil ich noch ergründen möchte, was das bedeutet.

Als wir zum Hühnerort kamen, hielt Andree eine vorzügliche Rede über Selbstachtung, und dass man manche Dinge nicht einmal für Geld tun dürfe, und es war wie als Unser Herr Jesus die Geldverleiher aus dem Tempel jagte. Und so wurden die Hühner gerettet, und wir nahmen Tomasch und Marter und Jola mit, welche dort verborgen waren, und brachten sie zurück nach Polen. Der Abschied stimmte mich sehr traurig, vor allem von Tomasch und seiner Gitarre.

In Dover begegneten wir Satans Spross, den Andree nach dem Befindlichkeitsort der schönen Erdbeerpflückerin Irina befragte, denn er hegt Liebe für diese Dame, und er sagt, wir müssen sie finden, ehe der Spross sie ergreifen und seine Böse Herrschaft über sie ausüben kann. Um ihre Erlösung zu beschleunigen, fuhren wir wieder durch das Land, das so grün ist wie das Plateau von Zomba, mit prachtvollen Wäldern aus Bäumen und blühenden Büschen, welche die Hügelkup-

pen bekrönen. Dann erkundigte sich Andree nach meinem Land, und ich erzählte ihm, dass unsere Hügel und Ebenen von herrlicher Schönheit sind, und dass unser Volk bekannt ist für die wärmsten Herzen in ganz Afrika, und dass alles kaputt ist. Dein Land klingt genau wie die Ukraine, sprach er mit brüderlicher Stimme. Ich sagte ihm, dass in der Trockenzeit alles von rotem Staub bedeckt ist. In der Ukraine ist der Staub schwarz, erklärte er mir.

Andree ist ein guter Mann mit einem Herzen voll brüderlicher Liebe. Auch wenn er einen Frauennamen trägt und sein Englisch schwach ist, ist er außer Toby Makenzi der beste Mzungu, den ich kenne. Vielleicht hat er ein afrikanisches Herz, auch sein Hund. Er ist auch ein vorzüglicher Fahrer und hat uns aus vielen Gefahren gerettet, mit der Fürsprache von Sankt Christophorus, dessen Medaillon ich immer um den Hals trage, das schenkte mir Pater Augustinus mit dem Gebet, es möge mich sicher zurück nach Zomba führen.

Manchmal träume ich von den Schönheiten Zombas und von den guten Nonnen der Unbefleckten Empfängnis, welche mich aufnahmen, nachdem unsere Eltern gestorben waren und unsere Schwestern nach Lilongwe arbeiten gingen und du, meine älteste liebste stolzeste Schwester, das Stipendium für die Schwesternschule in Blantyre bekamst und ich von allen verlassen war.

Der gute Pater Augustinus war wie ein Vater zu mir, und bevor ich nach England kam, sprach er zu mir mit sanften Worten der Güte über das Priestertum und sagte, ich würde als 1-A-Priester taugen, und ich könne das Seminar in Zomba besuchen, um die Mysterien zu erlernen, was sehr wünschenswert ist, da mich nach Wissen hungert und dürstet. Und er sagte, du wirst vom Tod Abschied nehmen, denn der Tod nimmt nur den Körper, nicht aber die Seele, und du wirst im Chor der Engel singen.

Doch der Abschied vom Tod bedeutet auch der Abschied von der Fleischerlust, was eine irdische Freude ist, und deswegen ist mein Herz in großem Aufruhr, liebe Schwester. Denn ich habe eine Entscheidung zu treffen.

Auf der Fahrt fragte ich deshalb meinen Mzungu-Freund Andree: Verstehst du das Herz Gottes? Er antwortete, keiner versteht es, und wenn ein Problem unlösbar ist, warum Zeit verschwenden und sich darüber den Kopf zerbrechen? Dann brachte er uns an selbigen blätterreichen Ort, wo wir schon einmal gehalten hatten, und wir aßen wie die Jünger Brot und Fisch. Aber ich war noch immer unbefriedigt und erkundigte mich: Andree Bruder, kennst du die Fleischerlust?

Nach einigen Weilen sagte er: Emanuel, warum fragst du mich so was?

Und ich legte ihm meinen Aufruhr dar, indem ich ihm erklärte, wenn ich die Fleischerlust wähle, wandele ich im dunklen Tal des Todes. Andree schüttelte den Kopf, und mit besorgter Stimme sagte er zu mir: Freund, warum hast du so ernste Gedanken? Warum redest du immer von den Fleischern? Warum denkst du immer an Tod? Du bist zu jung für diesen Gedanken. Heute ist unsere einzige große Frage: Wo ist Irina?

ICH BIN HUND ICH LAUFE ICH SCHNUPPER MEIN MANN SAGT GEH FINDE FÄHRTE VON SCHLEIFENHALSBANDFRAU ICH SCHNUPPER ICH FINDE BAUMHÖHLE MIT FRAUENGERUCH ABER FRAU IST FORT ICH FINDE MENSCHENESSEN-PAPIER VON STINKMANN MIT FRAUENGERUCH ICH SAGE MEINEM MANN MEIN MANN VERSTEHT MICH NICHT LAUF SUCH SCHNUPPER SAGT MEIN MANN ICH SCHNUPPER ICH LAUFE ICH BIN HUND

Warum rennt dieser nutzlose Hund im Kreis herum und schnüffelt an alten Pommestüten und Zigarrenstummeln herum, statt ihre Fährte zu verfolgen? Heißt das, sie ist nicht mehr hier? Andrij fühlt einen kalten Griff um sein Herz. Wo war die andere Erdbeerfarm, von der Vulk gesprochen hat – Sherbury? Vielleicht sollten sie dort nach ihr suchen.

Die Abzweigung nach Sherbury ist ein paar Kilometer weiter. Als die Straße ansteigt, wird er langsamer und schaltet vorsichtig in den Ersten. Sie kommen an dem Rastplatz mit den Pappeln vorbei, und da hinten sieht er ihr altes Erdbeerfeld, den Container mit der verriegelten Tür, den Männerwohnwagen – sogar der Duschvorhang der Frauen, den er konstruiert hat, ist noch da. Es wirkt alles so vertraut und doch so fern, wie die Stätten einer Kindheit. Am Fuß des Feldes ist das Tor, wo ein anderer, sorgenfreier Andrij Palenko früher gestanden hat, um vorbeifahrenden Wagen nachzusehen und von einer blonden Frau im Ferrari zu träumen.

Wenn sie noch am Leben ist und sich versteckt, überlegt er, kommt sie vielleicht hierher. Er dreht um, fährt durch das Tor und parkt vor dem Container. Das Feld sieht vernachlässigt aus. Man sieht, dass hier seit einer Weile keiner mehr Erdbeeren gepflückt hat. Viele sind überreif und verschimmeln am Boden. Unkraut wächst zwischen den Pflanzenreihen.

Emanuel springt aus dem Wagen und holt alle Schüsseln aus dem Wohnwagen, dann fängt er unten am Feld an, Erdbeeren zu pflücken. Für jede Erdbeere, die er in die Schüssel legt, steckt er sich eine in den Mund. Soll Andrij versuchen, ihn davon abzuhalten? Egal. Wenn er irgendwann Bauchweh kriegt, ist es ja nicht das Ende der Welt.

Zwar hat jemand den Männerwohnwagen wieder auf die

Ziegelsteine gestellt, aber drinnen wirkt er trostlos und verlassen – tote Fliegen unter den Fenstern, Spinnweben, ein modriger, muffiger Geruch, der ihm nie aufgefallen ist, solange er hier gewohnt hat. Er sieht sich seine alte Koje an, die schmutzige, schweißfleckige Matratze. Auch das ist ihm nie aufgefallen. Der Andrij Palenko, der hier geschlafen hat, war ein anderer – er ist ihm entwachsen wie einem Paar Schuhe. Es ist so schnell gegangen.

Hm. Es gibt auch Spuren von kürzlicher Aktivität: ein paar Gläser in der Spüle, die noch leicht nach Alkohol riechen, und ein benutztes Kondom auf dem Boden neben dem Doppelbett. Anscheinend hat sich heimlich ein Liebespaar hier getroffen. Er lächelt. Dann nimmt er das Kondom, wickelt es in ein Stück Papier und wirft es in den Mülleimer, bevor Emanuel es sieht. Aber Emanuel ist in seine alte Hängematte geklettert, und dort liegt er jetzt mit einem seligen Ausdruck im Gesicht und schaukelt hin und her. Nur für einen kleinen Moment streckt sich Andrij auf dem Doppelbett aus und sieht durch das Fenster hinauf zu der Stelle, wo der Frauenwohnwagen gestanden hat. Ein verschwommenes Gefühl kommt über ihn. Er schließt die Augen.

Heiliger Strohsack! Auf einmal ist es Viertel nach sechs! Er rüttelt Emanuel wach.

»Komm, mein Freund. Wir hauen ab!«

Um die Dinge zu beschleunigen, koppeln sie den Wohnwagen vom Landrover ab und lassen ihn stehen, um ihn später abzuholen. Leise, ohne Emanuel etwas davon zu sagen, nimmt er den Revolver mit den fünf Kugeln aus dem Rucksack und verstaut ihn in seiner Hosentasche.

Zur Erdbeerfarm in Sherbury sind es von hier nur ein paar Kilometer. Das Ganze sieht eher wie eine Fabrik aus als wie ein Bauernhof, wie ein seelenloser Industriebetrieb mit den großen Lagerhallen und den Lastwagen, die darauf warten, beladen zu werden. Erdbeerfelder gibt es hier nicht, aber dafür beginnt hinter einem niedrigen Zaun ein Feld voller Wohnwagen – Dutzende von anonymen rechteckigen Kisten, die so dicht beieinander stehen wie Autos auf einem Parkplatz. Andrij stellt den Landrover auf dem Hof ab und sieht sich um.

An einem Ende des Hofs ist ein Backsteingebäude, und ein paar Stufen führen zu einer Tür, auf der *Büro* steht. Die Tür ist geschlossen, aber es stehen Leute davor. Er geht auf sie zu und sagt auf gut Glück: »Ich suche nach einem ukrainischen Mädchen. Sie heißt Irina.« Man schickt ihn von einem Wohnwagen zum anderen, und jeder erzählt irgendwas darüber, wer wo wohnt, und das Ganze dauert ewig. Los, macht schon. Die Zeit vergeht, und sie kommen nicht voran.

Plötzlich sieht er ihn – er ist sich sicher, dass er vor ein paar Minuten noch nicht da war –; der glänzende, schwarze, kurvige chromblitzende Geländewagen mit den getönten Scheiben und den Ledersitzen steht halb verborgen hinter einer Scheunenecke, wie ein Raubtier auf der Lauer. In Andrijs Schädel rauscht das Blut.

»Emanuel – du fängst dort drüben an. Ich fange hier an. Klopf an jede Tür.«

Hier sind Ukrainer, Polen, Rumänen, Bulgaren, die ganze Welt scheint vertreten zu sein. Ein paar Leute kennen Irina, manche haben sogar heute mit ihr gearbeitet. Ja, eindeutig dasselbe Mädchen. Hübsch. Lange schwarze Haare. Weiß nicht genau, in welchem Wohnwagen. Los, macht schon, ihr Idioten. Sein Puls rast. Verzweifelt rennt er von einem Wohnwagen zum nächsten. Irgendwann klopft er an die Tür von Nummer sechsunddreißig.

»Ja«, sagt das Mädchen. »Irina wohnt hier. Irina Blaschko. Aber sie ist rausgegangen. Und Lena auch. Vielleicht vor zwanzig Minuten.«

»Lena ist Zigaretten holen«, sagt ein anderes Mädchen. »Wo Irina hin ist, weiß ich nicht.«

Sie führen Andrij und Emanuel zum Gemeinschaftsraum in der Scheune, wo der Zigarettenautomat und das Münztelefon sind, aber weder Lena noch Irina sind da. Inzwischen haben sich immer mehr Erdbeerpflücker versammelt, und alle machen sich auf die Suche nach den vermissten Mädchen, im Wohnwagenpark, in der Lagerhalle, in der Scheune, auf dem Hof. Spannung und Chaos liegen in der Luft. Jeder will wissen, was los ist. Dann macht Andrij eine Entdeckung, die ihm das Blut in den Adern gefrieren lässt – der schwarze Geländewagen ist verschwunden.

Ist es zu spät? Wo sind sie hin? Vielleicht sind sie schon auf dem Weg zurück nach Dover. Oder vielleicht – ja, die Stelle, wo sie mittags angehalten haben. *Gut Platz für mach Chance.* Dort bringt Vulk seine Mädchen hin. Andrij versucht nicht daran zu denken, was er dort mit ihnen macht. Konzentrier dich auf das, was du tun kannst. Fahr los, schnell. Jetzt ist er froh, dass er den Wohnwagen beim Erdbeerfeld gelassen hat.

»Los! Los, Emanuel! Hund! Hund!«

Der nutzlose Köter ist verschwunden. Er wird ihn später holen.

Ohne den Wohnwagen schaffen sie es in weniger als zwanzig Minuten zurück zu dem Rastplatz am Waldrand. Ein paar Meter vor der Zufahrt bremst er, dann rollt er langsam weiter, so leise es geht. Ja, genau wie er gedacht hat, dort steht der schwarze Geländewagen, ein kurzes Stück den Waldweg hinauf, fast versteckt unter den überhängenden Ästen eines Baums. Andrij blockiert mit dem Landrover die Ausfahrt. Halt – bist du verrückt, Andrij Palenko? Der Kerl ist ein Killer. Doch das Gewicht des Revolvers an seinem Schenkel macht ihm Mut. Leise steigt er aus dem Wagen.

Auch Emanuel steigt aus. Zusammen schleichen sie den Weg hinauf, halten sich dicht bei den Büschen.

Als sie sich dem Geländewagen nähern, sieht er, dass er schaukelt – der Wagen wippt rhythmisch in der Federung. Von drinnen ist ein gedämpftes Stöhnen und Grunzen zu hören. Dieser Dreckskerl! Dieses Teufelsarschloch!

Sie schleichen sich näher heran. Es dämmert bereits. Die Scheiben sind getönt und von innen beschlagen, so dass sie nicht sehen können, was im Innern vor sich geht. Doch auf der Fahrerseite ist das Fenster einen Zentimeter geöffnet. Andrij drückt das Gesicht an den Spalt und legt die Hände um die Augen, um besser sehen zu können. Innen sind die Rückenlehnen heruntergelassen, und er erkennt ein nacktes Mädchen, die blassen Brüste entblößt, den Kopf in den Nacken gelegt, die weißen Knie gespreizt. Und zwischen diesen zierlichen, kindlichen Knien hämmert Vulks massiger Leib auf sie ein, auf und nieder, auf und nieder.

»Stopp!«

Raketen explodieren in seinem Schädel. Seine ganze Taktik löst sich in Luft auf. Er kann nur noch mit den Fäusten gegen die Scheibe trommeln und brüllen: »Stopp! Stopp! Stopp! Stopp!«

Die zwei im Wagen erstarren. Andrij sieht etwas Violettes, als Vulk sein angeschwollenes Glied aus dem Mädchen zieht. Vulk stützt sich auf die Unterarme, wirft den Kopf zurück und brüllt: »Urrhaa!« Dann lässt er sich stöhnend auf das Mädchen fallen.

Sie hebt den Kopf und dreht das Gesicht zum Fenster, ihre Augen sind wie leere Brunnen, der Mund ist offen. Aber was hat sie mit ihrem Haar gemacht? Schlagartig wird ihm klar, dass es nicht Irina ist.

Als sich ihre Blicke begegnen, reißt sie den Mund noch weiter auf. Sie schreit. Doch sie kann sich nicht bewegen, weil sie unter Vulks massigem Körper feststeckt. Sie versucht sich aufzurichten, strampelt verzweifelt. Plötzlich bemerkt Andrij ein Zittern neben sich – mit offensichtlicher Begeisterung verrenkt sich Emanuel den Kopf, um besser sehen zu können.

»Emanuel! Geh zurück zum Landrover! Das ist nichts für dich!«

Emanuel sieht ihn mit einem kryptischen Lächeln an. »Fleischerlust!«

Was ist in ihn gefahren?

Inzwischen haben die beiden im Wagen angefangen, sich wieder anzuziehen. Das Mädchen bedeckt mit den Händen ihre Blöße, ihr magerer, kindlicher Körper zittert, und Vulk versucht, sich die Hose hochzuziehen, die in Knöchelhöhe an seinen Stiefeln hängen geblieben ist. Er schafft es nicht – im Wagen ist es einfach zu eng, und so macht er die Tür auf, hängt die Beine raus und kämpft sich mit verzerrtem Gesicht in die Hose. Andrij hat nur auf ihn gewartet.

»Was für Schwein bist du?«, schreit er. Seine Wut macht ihn mutig – und das Gewicht des Revolvers in seiner Tasche. »Wie kannst du nur so jung Mädchen nehmen?«

»Du verdammter Idiot! Ich brring dich um!« Vulks Kiefer zuckt, er ballt die Fäuste, während er versucht, den Reißverschluss über seinem monströsen Teil zu schließen.

»Wo ist Irina?«

»Nix hier. Ist nix hier. Du blöd Dummkopf. Siehst du nix. Ist ander.«

»Wo ist Irina? Ich weiß, dass du bist hinter ihr her.«

»Irina läuft weg. Läuft weg von Vulk. Immer läuft.«

Halb rechnet er damit, dass Vulk eine Waffe zieht, aber entweder hat er sich noch keine neue besorgt, oder er hat beschlossen, dass er Nikotin jetzt nötiger hat als einen bewaffneten Showdown. Jedenfalls gibt er den Kampf mit dem Reißverschluss auf, zündet sich mit zitternden Händen eine Zigarre an und pafft, als ginge es um sein Leben. Er zieht den Rauch durch die Zähne ein.

»Hörr«, sagt er, »wenn du finde Irina, ich zahl gut. Gut Geld.«

Eine Mischung aus Erleichterung und Ekel macht sich in Andrij breit. »Wofür du brauchst sie noch? Jetzt hast du diese Mädchen.«

Vulk pafft, hüllt Andrij in eine Rauchwolke ein, kaut mit fleckigen Zähnen auf der Zigarre herum. Seine Lippen sind rosa und feucht. Er leckt mit der Zunge darüber, eine schnelle Bewegung, wie eine Schlange.

»Irina ist besser. Erstklassig Mädchen. Hat nix Freund. Hrr. Gefällt mir.«

»Du bist perverser Rentner. Warum findest du dir nicht nette Babuschka zum Ficken?«

»Junge Mädchen gut für alte Mann.« Vulks Schlangenzunge züngelt über seine Lippen. »Mach schön steif. Gut Geschäft.«

Eingehüllt in eine Rauchwolke fängt er wieder an, an seinem Reißverschluss herumzufummeln, dann zerrt er ihn schließlich mit roher Gewalt und einem erleichterten Stöhnen nach oben. Andrij starrt ihn an, fasziniert von der Körperlichkeit dieses Mannes – den gierigen Augen, dem besitzheischenden Grinsen, dem ekelhaften Bauch, der sich wie eine Trommel über seinem Gürtel spannt, die Schuppen auf seinem Kragen wie die Exkremente der Sterblichkeit. So also sieht die Verkörperung des Bösen aus.

»Willst du sie für Liebe? Oder für Geschäft?«

»Liebe? Geschäft?« Er grinst. »Ist Gleiche, oder?«

Dieser verdorbene alte Teufel – wahrscheinlich kennt er den Unterschied tatsächlich nicht.

»Vielleicht du kleiner Junge, du hast gern älter?« Vulk

grinst und senkt die Stimme zu einem heiseren Flüstern. »Wenn du willst, kann ich dir finden. Gute Frau. Reif. Dicke Titti. Besser als die hier. Macht dir schön steif.«

Dann steckt er den Arm in den Wagen, wo sich das Mädchen gerade in eine zu enge Jeans zwängt, und gibt ihr einen Klaps auf den Hintern.

»Das mein neue Freundin. Eh, Lena? Dir gefällt Vulk?«

Sie quietscht verspielt.

»Wo ist Irina?« Andrij beugt sich vor und fragt das Mädchen leise auf Ukrainisch. »Hast du sie gesehen?«

Das Mädchen sieht nicht älter aus als fünfzehn. Ihre Augen sind vollkommen leer, unergründlich. Sie zuckt die Schultern. »Irina, die redet doch mit niemand. Die denkt, sie ist eine bessere Klasse Mensch als andere Ukrainer.« Ihre Stimme ist mädchenhaft, atemlos, mit starkem Charkiwer Akzent. Ihre Augen wandern nach unten, zur Seite, weichen seinem Blick aus.

»Kleine Schwester, komm mit mir.« Er streckt dem Mädchen die Hand hin. »Das hier ist nicht gut für dich. Ich bringe dich zurück zur Erdbeerfarm.«

Die dunklen Augen zucken kurz nach oben, mit einem Blick irgendwo zwischen Angst und Verachtung.

»Wer bist du, Mister Clever-Clever, dass du deine neugierige Nase in das Leben anderer Leute steckst?« Erst jetzt riecht er den Hauch von Wodka. »Wer hat dich gerufen?«

»Schwester, du bist zu jung für dieses Spiel. Du gehörst in die Schule.«

»Ich bin siebzehn. Älter als du glaubst.« Sie ist aus dem Geländewagen ausgestiegen und knöpft sich die Bluse zu. Sie ist kaum größer als einen Meter fünfzig. Ihre atemlose Stimme hat einen trotzigen Ton angenommen. »Und das Spiel kenne ich, seit ich zwölf bin.« Die toten Tümpel ihrer Augen glimmen dunkel im Dämmerlicht. »Zuerst mein Onkel. Und dann die anderen. Du denkst, du bist so clever. Du denkst, du weißt alles. Was weißt du vom Leben einer Frau in Jasnogorka?«

Er denkt an seine Mutter, an ihr verhärmtes Gesicht mit fünfundvierzig, daran, wie sie die Bahngleise nach herabgefallenen Kohlen abgesucht hat, und an seine Schwester, die sich Tag und Nacht abrackert, um ihren versoffenen Ehemann zu unterstützen, und ihm, wenn sie von der Arbeit kommt, auch noch das Abendessen auf den Tisch stellt.

»Schwester, du allein weißt, wie dein Leben aussieht. Aber du kannst versuchen, es besser zu machen.«

»Genau das versuche ich. Das hier ist mein Freund.« Sie streichelt Vulk über den Pferdeschwanz, das Gespenst eines Lächelns auf ihren Lippen. »Er gibt mir Geld. Er gibt mir einen neuen Job. Besser als Erdbeerpflücken. He, Vultschik?«

Andrij möchte die Kleine mit beiden Händen packen und schütteln – ihr das schreckliche Lächeln aus dem Gesicht schütteln, ihr das Tote aus den Augen schütteln. Was passiert mit seinem Land? Es verwandelt sich in eine menschliche Wüste.

»Schwester, dieser neue Job ist Sex für Geld.«

Ihr Lächeln flackert.

»Sex für Geld. Sex ohne Geld. Was ist besser, he, Mister Clever-Neugierig?«

ICH BIN HUND ICH SUCHE JUNGE SCHLEIFENHALSBAND-GERUCH-FRAU FÜR MEINEN KNOBLAUCH-UND-LIEBE-PISSE-MANN ICH RIECHE FRAU ICH SCHNUPPER FRAU IST HIER FRAU RENNT DICKER RAUCHSTINK-MANN JAGT FRAU ICH BELLE HAARR HAARR ICH SPRINGE ICH SCHNAPPE ICH BEISSE MANN INS BEIN ICH BEISSE MANN

IN DEN ARM ICH RIECHE SCHLECHTES BLUT HAARR HAARR MANN SCHREIT BLEIBT STEHEN FRAU LÄUFT WEG ICH HINTERHER WUFF FRAU BLEIBT STEHEN ICH BLEIBE STEHEN FRAU DREHT SICH UM UND LÄUFT FRAU LÄUFT ICH LAUFE HINTERHER WUFF WUFF SIE LÄUFT IN DIE FALSCHE RICHTUNG LÄUFT ZU SCHNELL ICH LAUFE VOR FRAU ICH SITZE ICH HALTE NASE AN DEN BODEN WUFF FRAU BLEIBT STEHEN ICH KOMME NÄHER WUFF WUFF SIE WEISS NICHT IN WELCHE RICHTUNG JUNGE FRAU IST DÜMMER ALS EIN SCHAF WUFF WUFF FRAU DREHT SICH UM UND LÄUFT IN DIE ANDERE RICHTUNG ICH LAUFE VOR FRAU NASE AUF DEN BODEN WUFF FRAU BLEIBT STEHEN DREHT SICH UM LÄUFT IN DIE ANDERE RICHTUNG RICHTIGE RICHTUNG ENDLICH FRAU LÄUFT IN DIE RICHTIGE RICHTUNG ICH LAUFE HINTERHER FRAU LÄUFT NICHT SCHNELL WENN SIE STEHENBLEIBT KOMME ICH SCHNAPP SCHNAPP DANN LÄUFT SIE WEITER LÄUFT ZUM RÄDERHAUS FRAU LÄUFT ICH LAUFE ICH BIN HUND

Liebe Schwester,
heute wurde ich mit der freudigen Chance gesegnet, bei Fleischerlust zusehen zu dürfen, dank des guten Mzungu Andree, der mich mit brüderlicher Liebe überschüttete, weil er fürchtete, ich hätte so etwas nie besehen, dabei habe ich mehr als einmal bei der Fleischerlust zugesehen, da sie in Limbe sehr verbreitet ist, aber nicht bei den Nonnen.

Als Satans Spross aufschrie und seine aufgerichtete Männlichkeit verfluchte, musste ich an Joel, den einäugigen Viehtreiber denken, den wir sieben Knaben aus dem Waisenhaus im Garten mit Mrs. Phiri beobachteten, und wir umzingelten die Ehebrecher im heißen Fieber der Sünde

und bewarfen sie mit saftigen, reifen gelben Mangos. Auch das war ein freudiges Ereignis.

Dann ereignete sich noch ein höchst vorzügliches Ereignis, denn bei der Rückkehr zum Caravan, als Andree immer noch schweren Herzens war, fanden wir zuerst den Hund, der wie ein Besessener bellte, und dann im Caravan die herrlich schöne Irina, Andrees Geliebte. Da leuchtete Andrees Angesicht, und es folgten viele freudige Umarmungen. Andrees Augen schimmerten unmännlich, und Irinas Augen auch, aber weil sie natürlich eine Frau ist, war es nicht unmännlich bei ihr. Oder doch? Es ist sehr verwirrend. Und dann wurden auch meine Augen fraulich.

ICH BIN HUND ICH BIN GUTER HUND ICH VERJAGE RAUCHSTINK-MANN ICH BRINGE DÜMMER-ALS-SCHAF-SCHLEIFENHALSBAND-FRAU ZU KNOBLAUCH-UND-LIEBE-PISSE-MANN ER IST FROH SIE IST FROH SIE SAGEN GUTER HUND ICH BIN GUTER HUND ICH SEHE DICKE TAUBE KOMMT ZUM BEERENFRESSEN AUF DEN BODEN ZU GIERIG BEIM BEERENFRESSEN SIEHT MICH NICHT ICH SPRINGE SCHNAPP TOT ICH BRINGE MEINEM MANN GUTER HUND SAGT KNOBLAUCH-UND-LIEBE-PISSE-MANN GUTER HUND SAGT FLEISCH-UND-KRÄUTER PISSE-MANN ICH BIN GUTER HUND ICH BIN MÜDE VON VIELEN GUTERHUND-AUFGABEN ICH LEGE KOPF AUF DIE PFOTEN AM FEUER BEI MEINEM MANN ICH HÖRE VOGEL SINGEN ER SINGT IN VOGELSPRACHE DAS IST MEIN FELD HAU AB DAS IST MEIN WALD HAU AB DIE FRAU SAGT WIE SCHÖN DER VOGELGESANG SIE IST DÜMMER ALS EIN SCHAF VOGEL IST KEIN GUTER VOGEL WENN ER VOM BAUM KOMMT FANGE ICH IHN SCHNAPP TOT FRESSEN ICH BIN GUTER HUND ICH BIN HUND

Liebe Schwester,
heute Abend speisten wir Brot und Magerin und Karotten, welche wir im Überfluss hatten, und eine fette Taube, die der Hund gefangen hatte, und Erdbeeren, die köstlicher waren als je zuvor. Wir machten ein großes Feuer und setzten uns auf die Hügelspitze, wo wir dem herrlich schönen Sonnuntergang zusahen (wenn auch nicht so herrlich schön wie in Zomba), und ein Vogel saß auf einem Zweig und sang ein fröhliches Lied und der Hund ruhte sich vom vielen Laufen aus. Da gaben wir uns der Erinnerung an unsere früheren Festmahlzeiten hin und an die Lieder, die wir einst sangen, und Andree sagte: Emanuel, sing für uns. Und so schloss ich die Augen und sang das friedliche Gebet Dona Nobis Pacem. *Und wieder wurden unmännliche Tränen vergossen.*

Als die ersten Sterne am Firment erstrahlten, verkündete Irina, dass sie müde war, und kehrte in den kleinen Caravan zurück, in dem die Frauen gehaust hatten. Ich erriet, dass die beiden vielleicht der Fleischerlust frönen würden, und so begab ich mich allein in den leeren Caravan, in dem die Männer gehaust hatten, und ich war sehr froh, wieder in der Hängematte zu schlafen, die ich dort mit meinen Händen geknüpft hatte.

Bevor ich einschlief, betete ich wie jede Nacht um die Vergebung meiner Sünden und darum, dass der Herr mich vor dem Bösen behüte und dass er mich mit dir vereine, liebe Schwester. Dann musste ich an Schwester Theodosia denken, die im Kloster in Limbe die Orgel spielte und die sehr dick war und das Singen liebte, und die mich das Friedensgebet lehrte, welches ich am Abend gesungen hatte, und viele andere herrlich schöne Lieder.

Und als ich in Gedanken an Schwester Theodosia und ihre Musik versunken war, und wie sie mit ihren kleinen Füßen die Pedale trat, und mich mit großer Freude daran erinnerte, ging plötzlich die Tür des Caravans auf und Andree kam herein, sehr leise, um mich nicht zu wecken, obwohl ich noch gar nicht schlief, und er zog die Kleider aus und legte sich auf sein Bett. Und ich dachte mir, falls sie der Fleischerlust gefrönt hatten, muss es sehr schnell gegangen sein, aber falls nicht, fühlte Andree vielleicht traurige Qual. Doch Andree sagte nichts. Nach einigen Weilen war ich von solch schlimmer Neugierde gepackt, dass ich flüsternd fragte: Andree, habt ihr der Fleischerlust gefrönt?

Er weilte ein wenig in Schweigen, dann sagte er mit schwerer Stimme, schlaf, Emanuel.

Bald schloss ich aus seinem langen Atem, dass Andree schlief, und auch ich stand bereits mit einem Fuß auf der Schwelle des Schlafs, und als mich die Dunkelheit davontrug, kehrte ich im Traum in die Zeit vor dem Waisenhaus zurück, vor dem Kloster und dem Missionshaus, und schließlich in die Zeit, als wir noch in unserem kleinen Dorf am Fluss Shire lebten, mit unseren Eltern und Schwestern, und die Chichewa-Sprache sprachen, die immer noch die Sprache meiner Träume ist.

Plötzlich rief mich ein gewaltiger Aufruhr aus dem Traumland zurück, der Hund bellte, und dann flammten höllisch grelle Lichter auf und Motoren brüllten. Andree sprang aus dem Bett und schlug sich den Kopf an, dann stieß er Flüche in der ukrainischen Zunge aus, denn es war dunkel im Caravan, und es gab kein Licht. Ich sprang aus der Hängematte und öffnete die Vorhänge und sah, dass das grelle Licht von den Scheinwerfern eines Autos kam. Andree zog seine Hose an, und ich dachte zuerst, seine Männlichkeit würde aufrecht stehen, aber er hatte nur einen großen schweren Gegenstand in der Tasche, und dann zog auch ich Hosen an, denn ich fürchtete bereits, Satans Spross wäre gekommen, um Irina zu holen.

Draußen auf dem Feld bot sich ein Pandimonium von Gebell und Geschrei und Blitzen und Brausen, aber als ich aus dem Caravan kam, war es nicht Satans Spross, sondern Vitali, von welchem ich dir schon erzählt habe, und in seiner Bekleidung war eine reife Frau von verblichener Schönheit mit blondem Haar, das sich auf ihrem Kopf türmte wie ein junger Hahn. Und sie lehnte auf eine solche Art die Wange an Vitalis Schulter, dass ich dachte, würde ich wieder Zeuge einer Fleischerlust werden?

Vitali! Was machst du hier?, schrie Andree.

Das Gleiche frage ich dich!, schrie Vitali.

Dann fing die Frau mit der Hähnchenfrisur zu lachen an und sagte zu Andree, da sehen wir uns wieder, ich dachte, ich hätte dir gesagt, du sollst abhauen.

Und Vitali sagte, ja, haut ab, hier ist besetzt.

Und Andree sagte, hau du ab, du Teufelsarschloch.

Und die Frau sah die ganze Zeit lüstern auf Andree, der eine Hose, aber kein Hemd anhatte, und sagte, Jungs, Jungs, bitte, das ist doch kein Grund zu streiten.

Und Vitali sagte, Wendy, der Ukrainer taugt nix.

Und die Frau sagte mit behaglicher Stimme, schon gut, Schatz, gehen wir heim, Lawrence macht es nichts, er kann zugucken.

Und Andree sagte, Lawrence der Bauer?

Und die Frau sagte, ja, Schatz, er ist gerade aus dem Krankenhaus gekommen, und er sitzt gern im Rollstuhl und guckt zu, das ist der einzige Spaß, den er noch hat, geschieht ihm recht, dem alten Hurenbock.

Dann bestieg die Frau mit der Hähnchenfrisur das Auto, das klein und rot war wie ein teurer Edelstein, und Vitali ebenfalls. Und siehe, Vitali saß auf dem Fahrersitz. Vitali nahm den Autoschlüssel aus der Tasche und startete den Motor mit einem furchtbaren Brüllen und mit noch mehr furchtbarem Brüllen drehte er das Auto um. Und ich sah, dass Andree zusah, wie Vitali das Auto fuhr, und seine Miene wurde von einer Wolke der Trostlosigkeit verdunkelt.

Dann gingen wir zu dem Wohnwagen zurück und ich sah, wie Andree den schweren Gegenstand aus seiner Tasche nahm und an den unteren Grund seines Rucksacks schob und wieder in sein Bett ging und einschlief. Doch ich konnte nicht schlafen und nach kurzer Weile wurde ich gepackt von sündhafter Neugier und ich blickte in Andrees Rucksack und erkannte, dass der Gegenstand eine Pistole war. Und mein Herz begann zu springen wie ein Ochsenfrosch, denn eine Pistole ist ein Werkzeug Satans, mit welchem er Kummer und Tod über die Welt bringt. So nahm ich die Pistole und schlich in den Wald und begrub sie dort unter einem Dornbusch, darum, dass Andree ein guter Mann ist und ich ihn vor der Todsünde bewahren wollte.

So weit ist es also gekommen. Vitali, der Mobilfon-Mann, hat eine blonde Angliska-Freundin und einen roten Sportwagen. Und was hast du, Andrij Palenko? Einen alten Landrover, der eine neue Kupplung braucht, einen Freund, der besessen von Fleischern ist, und einen Hund – na, der Hund ist ziemlich klasse, über den Hund gibt es keine Klagen. Und ein ukrainisches Mädchen, das nett aussieht, aber keinerlei Neigung für dich zeigt, was zugegebenermaßen eine Enttäuschung ist nach all dem Ärger, den du dir wegen ihr aufgehalst hast. Du hättest mit einer Belohnung gerechnet, wenigstens mit einem kleinen Kuss.

Als du ihr über die Wange streicheln wolltest, über ihre runde, weiche, unwiderstehliche Apfelwange – aber es war eine behutsame Geste, wie ein Gentleman –, ist sie zurückgezuckt, als hättest du versucht, sie zu vergewaltigen, und hat geschrien: »Lass mich in Ruhe!«

Dann hat sie angefangen zu weinen, und du hättest sie gern in den Arm genommen, aber du wolltest nicht, dass sie dich wieder anschreit. Warum macht sie das? Vielleicht bildet sie sich immer noch ein, dass sie zu kultiviert für dich ist. Oder sie findet dich einfach nicht attraktiv, Andrij Palenko. Vielleicht denkt sie immer noch an ihren Boxerfreund, oder sie träumt von einem smarten Mobilfon-Geschäftsmann-Typ. Dann will sie ins Bett gehen, und du sagst, du gehst rüber in den anderen Wohnwagen, weil du hoffst, sie sagt, nein, Andrij, bleib bei mir. Aber das sagt sie nicht. Sie sagt nur, lass den Hund bei mir. Sogar den Hund zieht sie dir vor! Na ja, was soll's. Schlecht gelaunt ziehst du ab. Und gerade als du im anderen Wohnwagen am Einschlafen bist, fängt Emanuel schon wieder von Fleischern an.

Als er meine Wange berührte, musste ich unwillkürlich an Vulk denken. »Kleinerr Blume ...« Ohne dass ich es wollte, zuckte ich zurück. Ich hätte es ihm gern erklärt, ihm erzählt, was in der Nacht im Wald passiert war, wie es sich anfühlte, gejagt zu werden. Aber ich brachte kein Wort heraus. Ich musste weinen. Ich wünschte, er würde mich in die Arme nehmen und trösten, mich beschützen. Aber er sah mich bloß verärgert an. Dann ging er zu Emanuel in den anderen Wohnwagen. Warum blieb er nicht bei mir? In meiner Einsamkeit und Angst bat ich ihn, mir wenigstens den Hund dazulassen, obwohl ich das Vieh gar nicht besonders mochte – wie er hemmungslos die Schnauze zwischen meine Beine steckte und mich mit seinen Hundeaugen anstarrte.

Mitten in der Nacht fing der Hund zu bellen an. Ich wachte auf, und als ich die Scheinwerfer eines Autos sah, das auf das Feld fuhr, packte mich die Verzweiflung. Ich dachte, das wäre das Ende. Vulk war da, er war gekommen, mich zu holen.

Mein Kopf sagte, lauf, aber ich konnte nicht mehr. Ich war zu müde zum Weglaufen, als wären nicht nur meine Beine, sondern auch mein Kopf aus Blei. Dabei war mir heute so leicht ums Herz geworden, als ich um den Hals des Hundes meine orange Schleife entdeckte. Und dann hatte ich unseren lieben kleinen Wohnwagen auf dem Feld erblickt. Er steht an der falschen Stelle, hatte ich noch gedacht. Das muss ein Traum sein – der Duft nach Geißblatt in der Luft, der Hügel im trügerischen rosa Abendlicht. Die Tür war nicht verriegelt. Die Sonne hatte den Wohnwagen aufgeheizt, und es roch nach Erdbeeren, und da standen sechs volle Schüsseln auf dem Tisch. Für wen waren sie bestimmt? Es war wie im Märchen. Ich konnte nicht anders und fiel über die Erdbeeren her. Wer hatte sie gepflückt? Ich sah mich um. Auf dem Boden lag ein leuchtend grüner Anorak, der mir bekannt vorkam. Und da, im Spind über der Koje, lag meine gestreifte Segeltuchtasche! Ich sah hinein. Mein Nachthemd, meine Bürste, mein T-Shirt, etwas schmutzige Wäsche, sogar mein Geld. Es sah aus, als hätte jemand darin herumgewühlt, aber es war alles noch da. Sogar die Bilder an den Wänden: David Beckham, die Schwarze Madonna von Tschenstochau, ein Robbenbaby, ein Tigerwelpe und ein kleiner Panda. Meine Eltern. Alle waren noch da. Und dann tauchten Andrij und Emanuel auf, und ich wusste, dass es kein Traum war, und ich dachte, endlich. Endlich bin ich in Sicherheit.

Nein, ich konnte nicht mehr davonlaufen. Stattdessen verkroch ich mich unter dem Doppelbett, wie ein gejagtes Tier, das in ein Erdloch kriecht, tief in die Erde, wo es sich sicher fühlt. Ich zog die Schlafsäcke um mich herum und rollte mich zusammen. Irgendwann wurde es still draußen, und ich hatte mich wohl in den Schlaf geweint. Ich weiß nicht mehr, was ich träumte in dieser Nacht. Ich erinnere mich nur, dass es ein Traum von Leere und Verzweiflung war, als würde mein Lebenskelch zur Neige gehen.

Doch am Morgen stellte ich überrascht fest, dass ich noch lebte und unter dem Bett lag. Durchs Fenster schien die Sonne herein, und ich hörte, wie Andrij und Emanuel draußen über das Feld liefen und meinen Namen riefen. Als er meinen Namen aussprach – »Ii – rii – na!« –, lief mir ein Schauer über den Rücken. Am Ende zeigte ihnen der Hund mein Versteck, und wir mussten alle lachen. Dann gab es Frühstück – Erdbeeren, Brot und Margarine, mal wieder, und schließlich sagte Andrij: »Wir fahren nach London, um Emanuels Freund Toby McKenzie zu suchen. Sollen wir dich zur Erdbeerfarm zurückbringen, Irina?« *Ii-rii-na.* »Oder willst du mit uns kommen?«

»Ich will mit euch kommen.«

Liebe Schwester,
heute sind wir gen London aufgebrochen, und ich durfte vorn neben Andree sitzen und war bereits erfreut über die Gelegenheit, Andree weiter zu befragen, doch Andree sagte, er kann nicht zur gleichen Zeit fahren und Englisch mit mir reden.

Also dachte ich über die englische Sprache nach, die manchmal wie eine schreckensvolle schlüpfrige Schlange ist, sich hierhin und dorthin windet und mir mit ihrem schuppigen Schwanz die Zunge peitscht. Dann sprudelten in meiner Erinnerung meine ersten Englischstunden bei Schwester Benedicta in der Waisenhausschule in Limbe, die keine Engländerin war und auch nie in England gewesen, sondern aus Goa in Indien kam und portugiesische Teile hatte. Die ihr Englisch von einer irischen Nonne gelernt hatte, welche irgendwie an ihrer fernen Küste angespült worden war und deren Beispiel Schwester Benedicta folgte, als sie selbst Nonne wurde und nach Afrika reiste wegen unserer vielen verlorenen Seelen, die zu retten waren, sagte sie. Schwester Benedicta erlegte uns ihre Erziehung mit Chorgesängen der biblischen Predigten auf und anderen erhebenden Objekten der Andacht, damit wir sie in unserer Erinnerung behielten. Im Gegenteil zu Schwester Theodosia, die dick war, war Schwester Benedicta dünn und streng, mit glatter brauner Haut und zielsicheren Augen, und sie trug eine kleine Goldrandbrille an einer Kette um den Hals und hatte einen schnellen Stock.

Und damals, als ich zwölf Jahre von Alter war und du, liebe Schwester, schon fort in Blantyre, begann ich, mir Fragen über Fleischerlust zu stellen. Schwester Benedicta schüttelte ihren Stock, als ich sie fragte, und Schwester Theodosia schickte mich zu Pater Augustinus, damit ich ihn fragte, wenn er aus Zomba kam, aber Pater Augustinus sagte, Fleischerlust sei eine Sünde, und der Sünde Lohn sei der Tod. Immer wenn ich an Fleischerlust denke, rasseln seine Worte in meinem Kopf.

Andrij ist immer noch verstimmt wegen gestern Abend, und er hat keine Lust, sich mit Emanuel zu unterhalten, der neben ihm auf dem Beifahrersitz sitzt, fröhlich grinst und ihm Fragen über Fleischer stellt. Was hat er bloß immer mit Fleischern? Und warum war er so fasziniert von dem schrecklichen Vorgang in dem Geländewagen? Er ist doch viel zu unschuldig, um sich für so was zu interessieren. Oder vielleicht auch nicht.

Und da ist noch was, das ihn stört: Warum sitzt Irina hinten, wenn sie als Frau doch klarerweise vorn sitzen sollte? Das kann nur heißen, dass sie nicht neben ihm sitzen will. Ist er zu unzivilisiert für sie? Na ja, es spielt jetzt keine Rolle mehr, weil er sie bald beide in London absetzen wird,

Emanuel bei Toby McKenzie und Irina bei der ukrainischen Botschaft, wo sie einen neuen Pass bekommt, und dann wird er sich auf den Weg nach Sheffield machen, was auch immer ihn dort erwartet.

Die Kupplung springt raus, als er in den zweiten Gang schalten will, und er muss den Hebel direkt vom ersten in den dritten rammen. Dieser Ort, den sie suchen, dieses Richmond Park – das scheint nichts zu sein außer einem großen Feld und ein paar Bäumen. Wo sind die Häuser? Schließlich finden sie eine kurze Häuserreihe an der Südseite des Parks. Das Haus, das sie suchen, die Nummer fünf, steht am Ende der Reihe.

Er sieht schon von außen, dass hier ein erfolgreicher Geschäftsmann wohnt. Viele Fenster, Eingang mit Säulen, Doppelgarage und so weiter. Vitali wird garantiert auch mal in so einem Premium-Haus wohnen. Und der Wagen? Hm. Der einzige Wagen vor der Tür ist ein VW Golf 2.0 GLS – kein schlechtes Auto, Cabrio mit Ledersitzen, hochwertiger Soundanlage und Automatikgetriebe, ungünstig bei starken Motoren, weil man mit Schaltgetriebe bessere Leistung kriegt, aber trotzdem, ganz hübscher Wagen. Ja, er hätte nichts gegen eine Probefahrt damit, aber wirklich, bei so einem Haus hätte er was Aufregenderes erwartet.

Doch woher kennt Emanuel einen so reichen Mann? Denn jetzt geht sein Freund mit dem Zettel in der Hand direkt auf die Haustür zu, ein strahlendes Lächeln im Gesicht, und klingelt mehrmals. Eine Frau taucht an der Tür auf, ungefähr in Wendys Alter, aber viel schöner, obwohl ihr Haar braun ist, nicht blond, mit ein paar grauen Strähnen, elegant aus dem Gesicht gekämmt. Eigentlich sieht sie genau aus wie Mrs. Brown aus *Let's Talk English*, mit einer schmalen Taille und hübschen Brüsten, aber sie hat keine Schuhe an und ihre Zehennägel sind lila lackiert. Das ist so unerwartet, dass er sich zwingen muss, nicht auf ihre Füße zu starren. Irgendwie sind diese lila angemalten Zehennägel unglaublich sexy.

Sie sieht die drei und den Hund überrascht an, dann nimmt sie den Zettel, den Emanuel ihr hinhält.

»Ja, Toby wohnt hier. Aber im Moment ist er nicht da. Darf ich fragen, wer Sie sind?«

»Ich bin Emanuel Mwere, und Toby ist mein Bruder. Vor zwei Jahren kam er in Freiwilligkeit nach Zomba, in die Nähe von Limbe, und in jener Zeit nahm unsere extreme Freundschaft ihren Anfang.«

»Zomba in Malawi?«

»Ja, Madam. Toby half in der Schule, welche dem Missionszentrum angesteckt ist, wo ich die Herstellung der Holzschnitzerei lernte, und Toby kam, um eine Holzschnitzerei zu erlangen.« Emanuel spricht vorsichtig, als hätte er Steine im Mund. Sein Wortschatz ist überraschend anspruchsvoll, findet Andrij.

»O ja, ich erinnere mich an die Schnitzerei, die Toby mitgebracht hat. Wunderschön. Haben Sie sie gemacht?«

»Leider nein, Madam. Die Holzschnitzerei, die Toby erlangte, stammte aus der Hand eines talentierteren Schnitzers. Unsere Freundschaft entsprang einer anderen Quelle. Ich errettete ihn einst aus den Fängen des Bösen, und wir schworen einander Bruderschaft. Mein Name ist Emanuel Mwere. Hat er nie von mir erzählt?«

»Sie haben ihn gerettet?«

»Ja, Madam. Vor der Einkerkerung im Gefängnis. Im Zusammenhang mit besonderen Substanzen.«

»Aha.« Ein wissender Blick huscht über ihr Gesicht. »Kommen Sie doch bitte herein. Und die anderen ...?«

»Das sind meine Freunde und Erdbeerpflücker. Irina, Andrij. Sie kommen aus Ukraine. Und unser prachtvoller Hund.«

Hund bellt und wedelt mit dem Schwanz. Sie beugt sich zu ihm und krault ihm den Kopf. Andrij kann sehen, dass der Hund sofort ihr Herz erobert hat.

»Ich bin Tobys Mutter, Maria McKenzie. Kommen Sie doch herein. Sie sind bestimmt hungrig.«

Durch einen hohen holzverkleideten Flur führt sie sie in die Küche des Hauses, die größer ist als die ganze Wohnung in Donezk, mit einem Kühlschrank so groß wie Großmutters Kleiderschrank, einer Glastür, die zum Garten führt, und einem langen Holztisch in der Mitte, auf dem eine Vase mit Blumen steht und eine Schüssel voller Erdbeeren. Der Anblick der Erdbeeren ist irgendwie deprimierend. Doch dann tischt sie ihnen ein Festmahl auf – viele seltsame und köstliche Gerichte, Blätter und Kräuter und Körner und Nüsse und Brot und Gemüse und Salate, Tomaten, Paprika, Radieschen, Oliven, Avocados, wie er sie bisher nur gesehen und noch nie gekostet hat, und dazu gibt es feine Joghurts und Soßen und so weiter, und nach der eintönigen und einseitigen Diät der letzten Wochen ist das ein so raffiniertes und erlesenes Geschmackserlebnis, dass er immer wieder zulangt und sich schließlich bremsen muss, weil er nicht will, dass sie denkt, er wäre am Verhungern, und er will auch nicht, dass Irina denkt, er hätte keine Manieren, obwohl, wen kümmert's, was sie denkt? Verstohlen sieht er zu ihr hinüber und stellt fest, dass auch sie zugreift, als hätte sie seit Tagen nichts gegessen – sie leckt sich sogar die Finger ab, was er sich nicht gestattet hat.

Nur eine Sache enttäuscht ihn. Wo ist das Fleisch? In einem Haus wie diesem erwartet man doch ein dickes Steak, oder ein paar saftige Schweinekoteletts mit Knoblauch, oder wenigstens ein Stück gute Wurst oder Gulasch mit Knödeln. Als könnte sie seine Gedanken lesen, geht Maria McKenzie zum Schrank und nimmt eine große Dose heraus, auf deren Etikett »Steak in Soße« steht. Daneben sind riesige Brocken glänzendes braunes Fleisch abgebildet. Andrijs Magen knurrt erwartungsvoll. Sie öffnet die Dose und leert den Inhalt in eine Schüssel. Dann stellt sie die Schüssel auf den Boden, und bevor er irgendwas sagen kann, hat Hund schon alles verschlungen.

»Möchten Sie noch etwas?«, fragt sie.

»Ja, bitte, Madam«, sagen Irina und er wie aus einem Mund. Ihre Blicke treffen sich, und sie müssen lachen. Auf Irinas Wangen sind wieder diese sexy Grübchen, und jetzt scheint sie gar nicht mehr so eingebildet. Maria McKenzie nimmt ein paar rohe Karotten aus dem Kühlschrank, schneidet sie in Streifen, dazu Sellerie und Gurke, und dann stellt sie eine Schale mit einer cremigen, nussigen Soße daneben. Es schmeckt ausgezeichnet. Aber heimlich sucht Andrij wieder Irinas Blick, und sie tauschen ein Lächeln, denn Karotten haben sie auch im Wohnwagen, und dafür sitzt Hund mit einem satten Grinsen in der Ecke und leckt sich die Lefzen.

Während sie essen, greift Maria McKenzie zum Telefon und tippt eine Nummer ein, und obwohl sie sehr leise spricht und ihnen den Rücken zugewandt hat, bekommt Andrij mit, was sie sagt.

»Ja, aus Malawi. Ja. Ja, er hat Gefängnis gesagt. Nein, er hat Substanzen erwähnt. Toby, lüg mich nicht an. Nein, der weiß nichts davon. Er ist noch nicht zu Hause. Okay. Okay. Bis gleich, Liebling.«

Dann wendet sie sich mit einem strahlenden Lächeln wieder ihren Gästen zu.

»Toby sagt, er ist bald zurück.«

Die Frau, Mrs. McKenzie, war sehr freundlich zu uns, obwohl sie lila Zehennägel hatte wie eine Hexe. Meiner Meinung nach sollte Nagellack, wenn man sich überhaupt die Zehen lackiert, diskret sein. Sie bot uns Erdbeeren an, und aus Höflichkeit zwang ich mich, ein paar zu essen, denn woher sollte sie auch die Wahrheit über ihre Erdbeeren kennen? Dann machte sie einen besonderen Kräutertee für mich, der, wie sie meinte, meine positiven und negativen Energien ins Gleichgewicht bringen würde – das ist ziemlicher Quatsch, aber der Tee tat sehr gut. Es war warm und ruhig in der Küche und es roch nach Backwerk. Wir saßen auf dem Sofa neben einem riesigen emaillierten Herd. Nur das Ticken einer großen Uhr war zu hören und das Schnarchen des Hundes – sss! hrr! sss! hrr! –, der sich im Katzenkorb am Ofen eingerollt hatte.

Wir unterhielten uns ein bisschen. Sie war sogar schon einmal in Kiew gewesen. Sie fragte nach meinen Eltern, und ich erzählte ihr, dass mein Vater Professor war und eine Menge Bücher geschrieben hatte, und dass ich hoffte, eines Tages auch Schriftstellerin zu werden, und dass Mutter bloß Hausfrau und Lehrerin ist. Dann wurde ich traurig, weil meine Mutter so ein langweiliges Leben führte, und mir fiel ein, dass ich sie gar nicht angerufen hatte, um mich bei ihr zu entschuldigen.

»Wäre es möglich, meine Mutter anzurufen?«, fragte ich.

»Natürlich, Liebes.«

Sie reichte mir das Telefon.

»Mutter?«

»Irina? Bist du das?«

Sofort fing sie wieder damit an, wie einsam sie war, und wollte, dass ich heimkam.

Ich sagte: »Mama, ich will noch ein bisschen länger hier bleiben. Tut mir leid, was ich das letzte Mal zu dir gesagt habe. Ich hab dich lieb.«

Ich hatte mich gefürchtet, es auszusprechen, weil ich dachte, dass ich heulen würde wie ein Baby, aber kaum hatte ich es gesagt, fühlte ich mich besser.

»Mein kleines Mädchen. Du fehlst mir so.«

»Mama, ich bin kein kleines Mädchen mehr. Ich bin neunzehn Jahre alt. Und ich vermisse dich auch.«

Eine Pause entstand. Dann sagte Mutter: »Wusstest du, dass deine Tante Vera noch ein Kind erwartet? In ihrem Alter!« Sie tat entrüstet. Über Tante Vera wurde in unserer Familie viel getratscht. »Und in die leere Wohnung unten ist ein nettes Paar eingezogen. Sie haben einen Sohn, ein bisschen älter als du. Sehr gut aussehend.«

»Mama, komm bloß nicht auf Ideen.«

Wir mussten beide lachen, und plötzlich war alles wieder normal und leicht zwischen uns.

Als ich den Hörer auflegte, ging die Tür auf und ein Junge kam herein, vielleicht so alt wie ich, in einer Jeans, die an den Knien abgeschnitten war, nach dieser Lumpenmode, und einem schwarzen Totenkopf-T-Shirt. Seine Haare waren ein *koschmar* – lang und auf dem ganzen Kopf zu dünnen Zöpfen verfilzt. Am Kinn hatte er ein paar dünne Bartsträhnen. Absolut nicht mein Typ.

»Hi, Ma!«, sagte er.

Dann sah er Emanuel, und beide strahlten und fielen einander in die Arme und schüttelten sich mit einer komischen Folge von Griffen die Hände, und dann umarmten sie sich noch einmal. Mrs. McKenzie begann zu schniefen. Andrij und ich sahen einander an und grinsten, und er drückte unter dem Tisch mein Knie. Dann kam die Katze herein und fauchte den Hund an, und der Hund jagte die Katze durch die Küche, und Andrij schrie den Hund an, und der warf die Blumenvase um, und alles stand unter Wasser, woraufhin Andrij anfing, mit dem Küchenhandtuch herumzuwischen, und Mrs. McKenzie rief: »Das ist Schicksal«, und tupfte sich mit einem Taschentuch die Augen ab. Plötzlich ging wieder die Tür auf, und ein Mann kam herein und sagte: »Herr im Himmel. Was ist denn hier los?«

Und das Komischste war, dass er genauso aussah wie Mr. Brown aus meinem Englischbuch. Nur, wo hatte er seine Melone gelassen?

»Liebling …« Maria McKenzies Stimme ist so samtig und verführerisch, dass Andrij ein deutliches Kribbeln in seinen männlichen Teilen spürt, obwohl sie gar nicht mit ihm spricht, sondern mit dem Mann, der eben hereingekommen ist und sich aufs Sofa hat fallen lassen. »Liebling, ich bringe dir einen Drink. Whisky? Doppelt? Eis? Liebling, das hier sind Freunde von Toby. Emanuel hier ist aus Limbe, in Malawi. Du weißt doch, Toby hat vor der Uni ein freiwilliges soziales Jahr in Malawi verbracht. Emanuel ist einer seiner Freunde von dort. Und jetzt hat er die weite Reise auf sich genommen, um uns zu besuchen. Ist das nicht wunderbar? Und das sind Irina und Andrij. Sie sind aus der Ukraine, aber sie waren eine Zeitlang in Kent. Und Emanuel hat sie mitgebracht, weil sie gern eine typisch englische Familie kennenlernen wollten.«

»Da sind sie wohl am falschen Ort, meinst du nicht?« Der Mann trinkt hastig einen Schluck Whisky. »Und was ist mit dem Hund? Wie heißt der Hund?«

»Sir, der Hund heißt Hund.« Auf einmal wünscht Andrij, er hätte sich einen intelligenteren Namen einfallen lassen, aber der Mann lacht.

»Ausgezeichnet. Ausgezeichneter Name für einen Hund. Ein Mischling, oder?« Seine Stimme ist tief und dröhnend, wie ein Nebelhorn.

»Sir, wir wissen nicht seine Herkunft. Dieser Hund ist in der Nacht aufgetaucht, aus den Nichts.«

»Hm. Das ist ja interessant. Hund, komm her. Lass dich anschauen.«

Gehorsam kommt Hund, setzt sich zu seinen Füßen und erwidert seinen Blick, freundlich und höflich zugleich. Einen Moment schwillt Andrijs Brust vor Stolz.

»Labrador-Collie, würde ich sagen, mit einem Schuss Schäferhund. Ausgezeichnete Mischung. Die besten Hunde, die man bekommen kann.«

»Ja, ist ein sehr ausgezeichneter Hund.« Andrij hat zwar von der Tierliebe der Angliskis gehört, aber jetzt erstaunt es ihn doch, dass sich der Mann mehr für den Hund interessiert als für alle anderen Anwesenden. »Er jagt. Er bringt uns verschiedene Tiere. Viel Kaninchen und Taube.«

Hund genießt die Aufmerksamkeit in vollen Zügen, er wedelt mit dem Schwanz, verdreht den Kopf und hebt sogar die Pfote. Mit seiner sauberen Geschäftsmännerhand greift der Mann nach der Pfote und schüttelt sie.

»*How do you do.*« Genau wie Mr. Brown! »Hm. Jung ist er nicht mehr. Und Sie sagten, er sei mitten in der Nacht aufgetaucht?«

»Ja. Als wir in Wald kampierten. Wir glauben, er ist weit gelaufen, weil Füße geblutet und er hatte Kratzer.«

»Faszinierend. Und seitdem ist er Ihnen nicht von der Seite gewichen?«

»Nein. Er ist ganze Zeit bei uns.«

»Hm. Bemerkenswerte Geschöpfe, diese Hunde. Treu bis ans Ende. Vielleicht wurde er gekidnappt. Hundefänger. Ja, das gibt es immer noch. Kent, sagten Sie? Ja, dort halten sie heute noch Hundekämpfe ab. Traurig, in unseren Zeiten. Sie entführen Haushunde, und die werfen sie dann den Kampfhunden vor. Um sie aggressiv zu machen. Barbarisch, wirklich. Bergarbeiter. Gehören erschossen.«

Die Wendung, die das Gespräch nimmt, gefällt Andrij

überhaupt nicht. Das linke Auge des Mannes fängt zu zucken an, und er kippt seinen Whisky hinunter. Hund streckt sich und legt ihm tröstend die Schnauze aufs Knie. Die Geste scheint den Mann zu beruhigen.

»Ich hatte auch mal einen Hund. Als ich ein Junge war. Buster.« Er beugt sich vor und krault Hund hinter den Ohren. Seine Stimme ist schwer von Whisky und Nostalgie. »Können Sie mich nicht mitnehmen, junger Mann? Wenn Sie wieder campen gehen? Unten in Kent? Im Wald jagen, mit dem Hund? Ich bin ganz gut mit der Schrotflinte, wissen Sie. Hasen. Kaninchen. Tauben. Ich kann auch ein Kaninchen häuten. Ich habe immer noch mein Schweizer Messer. Holz sammeln. Feuer machen. Feuchte Streichhölzer. Überall Qualm. Tee aus Emaillebechern. Baked Beans. Verbrannter Toast. Das ganze Programm.« Mit feuchten, traurigen Augen sieht er Andrij an. »Ich würde Ihnen auch nicht im Weg rumstehen.«

»Sir, natürlich können Sie mit uns kommen. Aber leider kommen wir gerade aus Kent, und wir sind auf dem Weg nach Sheffield.«

Der Mann leert das Whiskyglas und stöhnt. »Ist das Abendessen bald fertig, Maria? Ich gehe mich umziehen.«

Kaum ist sein Vater aus dem Zimmer gegangen, kommt von Toby ein Seufzer der Erleichterung.

»Das mit dem Gefängnis, Emanuel – es wäre besser, wenn er nichts davon erfährt.«

»Er weiß nichts?«, fragt Emanuel.

»Schätzchen«, sagt Maria McKenzie mit ihrer samtigen, verführerischen Stimme, »Tobys Vater ist recht altmodisch in mancherlei Hinsicht, auch wenn er ein guter und liebevoller Vater ist. Nicht wahr, Toby? Aber ich glaube, man kann sagen, er hat seine Schwierigkeiten mit bestimmten Aspekten von Tobys Persönlichkeit.«

»Ja, Ma, der Mann ist so steif, dass man ihn in den Boden rammen und das Gras dran hochwachsen lassen könnte.«

»Toby, dein Vater ist ein sehr guter Mensch, und er arbeitet sehr hart für uns. Und wenn ich gewusst hätte, dass du dich in solche Schwierigkeiten bringst, hätte ich dich niemals für ein Jahr nach Malawi gehen lassen, sondern dich stattdessen zu meiner Familie hoch nach Renfrewshire geschickt.«

»Ja, ja, Ma. Bist du fertig?«

»Und wenn dein Vater das herausfindet, Toby«, fährt Maria mit ihrer sexy *Let's talk English*-Stimme fort, »gibt er mir die Schuld, weil ich dich auch noch ermutigt habe. Weil ich es war, die gesagt hat, es würde deinen Horizont erweitern und dir helfen, die Welt zu verstehen, wenn du mehr über die Entwicklungsländer erfahren würdest. Dein Vater war dagegen. Er war der Meinung, dass in unseren Breiten genug Entwicklungshilfe gebraucht wird, ohne dass du extra nach Zomba musst, in Croydon zum Beispiel.«

Andrij fängt langsam an, Zweifel bezüglich dieser Familie zu hegen. Die Frau meint es ja gut, und sie hat tatsächlich eine gewisse Ähnlichkeit mit Mrs. Brown, mit ihrer schmalen Taille und dem unstillbaren Teedurst, aber sie hat bizarre Vorstellungen vom Essen. Und was genau haben die lila Zehennägel zu bedeuten? Natürlich ist es wohlbekannt, dass verheiratete Frauen äußerst sexgierig sind, aber einer Frau unter dem Dach ihres Ehemanns Avancen zu machen, das würde garantiert Ärger bringen, selbst wenn der Mann zu viel Whisky trinkt, seltsame Reden führt und seiner Frau ein schlechtes Beispiel gibt. Und dieser Toby – er spricht respektlos mit seinen Eltern, und Andrij fragt sich, ob er für Emanuel, der jung und beeinflussbar ist und sich für die falsche Art von Sex interessiert, ein gutes Vorbild ist.

»Croydon?«, ruft Emanuel. »Ich glaube, durch diesen Ort fuhren wir heute!«

Liebe Schwester,
heute wurde ich mit Toby Makenzi wieder vereinigt, und so möchte ich dir die vorzügliche Geschichte unserer Freundschaft erzählen, denn das erste Mal kannte ich ihn in Zomba.

Doch die Mzungus haben Verwirrung in mir gesät, denn ich sehe keine Ähnlichkeit zwischen Croydon und Zomba, abgesehen auf das Missionshaus, das 1 A ist und aus Backstein gebaut. Nun hatte dieser Toby Makenzi einen vorzüglichen Fußball aus Leder von England mitgebracht, wie ich ihn noch nie gesehen hatte. Denn wenn wir armen Knaben in Zomba Fußball spielten, mussten wir einen Ballon mit Luft erfüllen und ihn mit Plastiktüten verbrämen, doch im Dornengebüsch wird er viel zu leicht angestochen, und viele Fußbälle gehen so zu Bruch. Beim Anblick meiner Fröhlichkeit, als ich den Fußball aus Leder in Händen hielt, sagte der Mzungu zu mir, Bruder, mir ist viel an Malawi-Gold gelegen, und im Austausch will ich ihn dir schenken.

Malawi-Gold ist unter Mzungus so begehrt, dass ich glaube, es ist der Hauptgrund, warum dieselben in unser Land kommen. Und da frage ich mich, wenn Toby Makenzis Eltern gar nichts davon wussten, weshalb haben sie ihren Sohn dann nach Malawi geschickt? Es ist beklagenswert, dass manche unserer Polizisten korrupulent sind und Mzungus einkerkern, um sich zu bereichern, indem sie die Mzungus unter viel Weinen und Haareraufen und einer Zahlung von ein- bis zweitausend Kwachas wieder frei lassen.

Doch die Menge Malawi-Gold, die ich für Toby erlangte, war größer als alles bisher Gesehene in Zomba, und der korrupulente Polizist, der es sah, verlangte viertausend Kwachas, und diese Summe lag nicht in Toby Makenzis Macht. Da überkam mich Mitleid, und so ging ich zur Polizei und gestand, dass das Malawi-Gold mir gehörte, und sie ließen

Toby Makenzi frei und kerkerten mich an seiner statt ein. Für einen armen Waisenknaben aber konnten die Polizisten keine Belohnung erhoffen, denn keinem war seine Freiheit auch nur hundert Kwacha wert, und so ließen sie mich nach vier Tagen und vielen Schlägen frei. Und dann bestrafte auch Pater Kevin mich großzügig.

Toby Makenzis Ausdruck war höchst mystisch, denn er sagte, Bruder, du hast meine Schläge auf dich genommen. Und gefüllt mit vorzüglicher Dankbarkeit sagte er, danke, Kumpel, wenn meine Ma und mein Pa das erfahren hätten, wäre kein Ende in Sicht, was gewiss hieß, dass ihre Dankbarkeit endlos sein würde. Und er gab mir einen begehrlichen grünen Anorak und ein gutes Paar Schuhe, welche ich bis heute besitze, und den Fußball, und er sagte, hör zu, Bruder, du hast was gut bei mir, wenn du je nach England kommst, komm vorbei und meine Ma und mein Pa kümmern sich um dich. Dann schrieb er mir seinen Namen und seine Adresse auf einen Zettel, auch wenn er dabei Schreibfehler machte, und wir schüttelten einander auf die traditionelle Chewa-Art brüderlich die Hände.

Aber als ich jetzt in sein Haus kam, war ich enttäuscht, denn seine Ma und sein Pa wussten nichts von meiner guten Tat und davon, wie ich Toby Makenzi befreit und die schlimmen Schläge um seinetwillen ertragen hatte. Denn obwohl ich keine weitere Belohnung wollte, wären sie doch sicher froh gewesen, davon zu hören.

Denn dieser Pa Makenzi ist niedergedrückt und trinkt zu viel Whisky, und er führt den Namen des Herrn missbräuchlich im Munde. Als die Ma das Abendessen vor ihn stellte, rief er zum Beispiel, in Gottes Namen, Maria, müssen wir immer dieses Kaninchenfutter essen, gibt es kein anständiges Stück Fleisch in diesem Haus? Und nach ein paar Weilen kam ein 1-A-Geruch herein, und Hund sprang auf die

Füße und bellte erfreut, und die Tür ging auf und der Pa sagte, guter Junge, komm her, für dich habe ich auch ein Stück.

Und als die Tür wieder zu war, sagte Toby, hey, Emanuel, hast du Malawi-Gold mitgebracht? Und ich antwortete, nein, Bruder, ich glaube, in England kennt die Polizei weniger Gnade als in Malawi.

Nachdem er gespeist hatte, fragte Pa Makenzi Toby Makenzi, mit was für unnützen Dingen hast du dir heute so den Tag vertrieben, mein Sohn?

Und Toby sagte, wenn du es unbedingt wissen willst, Pa, ich habe an meinem Projekt gearbeitet.

Und der Pa fragte, was ist das für ein Projekt?

Und Toby sagte, es geht um die Darstellung von Opiaten in den Medien.

Und der Pa schlug sich auf die Stirn und sagte, Sohn, damit wirst du nie eine ordentliche Karriere machen.

Und Toby sagte, Pa, wer interessiert sich für eine ordentliche Karriere?

Und der Pa schlug sich wieder auf die Stirn und sagte, ist noch Whisky da, Maria?

Und Ma Makenzi sagte, Toby, rede nicht in diesem Ton mit deinem Vater.

Und nach weiterem Übermaß von Whisky wandte der Pa sich an Andree und flehte ihn an, dass er uns auf die Jagd im Wald begleiten dürfe. Und Andree, der ein sehr guter Mzungu ist, vielleicht noch besser als Toby Makenzi, sagte mit ruhiger Stimme, dass wir das Leben im Wald hinter uns gelassen hätten, aber der Pa wäre willkommen, wenn er mit uns nach Sheffield reisen wollte.

Da stellte der Pa den Whisky ab und schlug sich mit beiden Händen auf die Stirn und fing zu weinen an, und die Ma sagte mit fröhlicher Stimme, nun, ich glaube, es ist Schlafenszeit, ihr Lieben, soll ich euch eure Zimmer zeigen?

ICH BIN HUND ICH SCHLAFE MEIN BAUCH IST VOLL MIT GUTEM HUNDEFUTTER FLEISCH ICH HABE DAS HERZ VON GUTER GEMÜSE-GERUCH-FRAU EROBERT ICH HABE ALKOHOLSTINK-MANN BERUHIGT ICH HABE LÄSTIGE KATZE VERJAGT JETZT SCHLAFE ICH ICH BIN HUND

Liebe Schwester,
in diesem Haus von Toby Makenzi gibt es ein wundersames Badezimmer, in dem man einen Schalter drückt, und schon wirbelt das Wasser so überschwänglich wie im Fluss Shire, auch wenn natürlich ohne Krokodile. Und als ich im Bad lag, machte ich mir Sorgen um diese guten Mzungus und ihre gottlose Qual, und fragte mich, wie ich ihnen Trost spenden könnte.

Denn dieser Pa liebt die Jagd und das freie Leben in den Wäldern, und die Stadt ist ihm ein Verdruss. Und diese Ma liebt den Pa, aber sein Whiskytrinken und seine Gotteslästerungen sind ihr ein Verdruss. Und auf einmal wurde ich von einem freudvollen Gedanken ergriffen. Ich werde Pa Makenzi die Angelrute der Mosambiker schenken und den roten Eimer. Damit kann er in den Flüssen nach Fischen jagen und den Whisky und die Gotteslästerungen hinter sich lassen. Aber was kann ich Ma Makenzi schenken? Alle wissen, dass eine schöne Frau schwer glücklich zu machen ist, und ich bin ein armer Junge, der nicht viel zu bieten hat. Und da wurde ich von einem zweiten freudvollen Gedanken getroffen. Diese Ma liebt Gemüse sehr, und so werde ich ihr unsere Karotten schenken.

Diese Gedanken und das überschwängliche Wirbeln des Wassers ließen mein Herz aufgehen und ich sang das Loblied, das Schwester Theodosia mich lehrte, Ave Maria Gratia Plena. *Und auch das war freudvoll, denn der Name dieser Ma ist Maria.*

Andrij Palenko, wie kannst du es mit deinem Gewissen vereinbaren, wegzugehen und deinen jungen Freund Emanuel allein in der Obhut dieser abnormalen Familie zu lassen? Was ist los mit diesen Leuten in ihrem großen Haus mit den vielen Fenstern? Zwei Autos (ja, als der Vater da war, hat Andrij in der Einfahrt einen schönen dicken Lexus neben dem kleinen Golf stehen sehen), drei Super-Computer, vier Fernseher, alle mit Flachbildschirm, fünf Badezimmer, vier davon direkt an den Schlafzimmern (ja, er hat eine kleine Tour durchs Haus gemacht). Und so weiter. Wofür das ganze Zeug, wenn es kein Glück ins Haus bringt?

Wenn seine Familie auch nur ein Zehntel, nein, ein Hundertstel von all dem Reichtum gehabt hätte, dann wäre alles ganz anders gekommen – und die Leute hier hätten noch nicht einmal etwas vermisst.

»Ein Mensch braucht, was er braucht«, hat sein Vater immer gesagt. »Nicht mehr und nicht weniger.« Aber sie hatten nicht so viel gehabt, wie sie brauchten. Armer Vater. Ja, sein Vater wusste besser als jeder andere, wie gefährlich es war, unter diesen Bedingungen im Bergwerk zu arbeiten. Aber wenn man weniger hat, als man braucht, muss man tun, was getan werden muss.

Andrij liegt auf einem der beiden Betten in dem Zimmer, das er sich mit Emanuel teilt, starrt an die Decke und versucht sich auf das Gespräch vorzubereiten, das vor ihm liegt. Im nächsten der fünf Badezimmer singt Emanuel aus vollem Hals und erfüllt das ganze Haus mit jubelnden Klängen. Andrij sieht ihn plötzlich wieder in der Kathedrale vor sich. Sein offener rosa Mund, die geschlossenen Augen, die Tränen. Der Gesang hört auf. Dann ist das gurgelnde Geräusch von abfließendem Wasser zu hören. Da kommt er.

»Emanuel, mein Vater wurde in Grubenunglück getötet. Dein Vater wurde von Fleischern umgebracht, oder?«

»Beide sind gestorben. Mutter und Vater.«
»Das ist ja schrecklich. Beide Eltern auf einmal.«
»Und mein kleiner Bruder. Das kann ich nicht verstehen. Auch mein kleiner Baby-Bruder wurde bestraft.«
»Emanuel, das war nicht Strafe. Das war Mord. Die Opfer trifft keine Schuld.«
»Aber vielleicht war mein Vater schuld, weil er meiner Mutter untreu war.«
»Und du meinst, die Fleischer haben ihn bestraft?«
»Nein, nein. HIV-Krankheit hat ihn bestraft.«
Hm. Irgendwas hast du hier nicht ganz verstanden, Andrij Palenko. Aber es bringt nichts, sich über Dinge den Kopf zu zerbrechen, die man nicht kapiert. Du hast nur diese eine Nacht, um deine Botschaft rüberzubringen.
»Emanuel, mein Bruder – du weißt, was Kondom ist?«
»Natürlich. Es ist ein Frevel vor dem Herrn. Auf Chichewa haben wir ein Sprichwort: *Nur ein Tor isst das Bonbon mit dem Papier.*«
Emanuel steht in der Mitte des Raums und trocknet sich energisch mit einem flauschigen weißen Handtuch ab, als wollte er seinen kleinen, schmalen, sehnigen Ebenholzkörper auf Hochglanz polieren. Andrij hat ihn noch nie nackt gesehen. Er versucht nicht hinzustarren, aber er kann sich den einen oder anderen heimlichen Blick nicht verkneifen. Ist es wahr, was man über den schwarzen Mann sagt?
»Kondom schützt dein Leben, Emanuel. Mit Kondom kannst du jede Menge Sex haben, ohne Problem. Kein Virus. Kein Organismus. Kein HIV. Kein Problem. Danach sagst du Gebet und Gott vergibt dir.«

Mrs. McKenzie zeigte mir mein Zimmer oben unter dem Dach – ein bildhübsches Zimmer ganz in Blau und Weiß, wo alles zusammenpasste, wie in einem Magazin. Ich hatte sogar mein eigenes kleines Bad mit flauschigen weißen Handtüchern, die über einer beheizten Stange hingen, und mit einem frischen Seifenstück, das noch in Papier eingewickelt war. Ich wickelte es sofort aus. Es roch frisch und teuer, nicht süß und klebrig wie die Seife in der Ukraine. Ich überlegte, ob es unhöflich wäre, wenn ich sie fragte, ob ich die Seife mitnehmen dürfte, oder ob sie es überhaupt bemerken würde, wenn ich sie einfach einsteckte. Ich duschte und zog dann mein Nachthemd an, das in dem sauberen blauweißen Zimmer gräulich und zerknittert wirkte, aber etwas anderes hatte ich nicht. Dann setzte ich mich in den Sessel, roch die Seife an meinen Armen und Händen und fragte mich, wo Andrij war, und fragte mich, ob er sich fragte, wo ich war. Zimmer unter dem Dach haben etwas ungemein Romantisches an sich.

Plötzlich klopfte es an der Tür. Mein Herz begann wie wild zu pochen.

»Herein.«

Doch es war nicht Andrij, sondern Mrs. McKenzie.

»Hallo«, sagte sie mit ihrer leisen, feinen Stimme, die genauso klang, wie die Seife roch. »Darf ich reinkommen?«

»Natürlich. Bitte.«

Sie setzte sich auf die Bettkante. »Hast du alles, was du brauchst?«

»Das Zimmer ist so schön.«

Es stimmte – ich fühlte mich so zu Hause wie in meinem eigenen kleinen Zimmer in Kiew. Wie kommt es, dass man manchmal, wenn man glückliche Gedanken denkt, plötzlich Tränen in den Augen hat? Schnief, schnief. Was war los mit mir? Ich weiß nicht warum, aber plötzlich erzählte ich ihr von Vulk, und dann stürzten die Worte nur so heraus: seine knarzende Jacke, der ekelhafte Rattenschwanz, das nach Zigarren stinkende Auto, die durchtriebenen Augen, wie ein hungriger Hund. Als ich versuchte, die Nacht auf der Flucht zu beschreiben, blieben mir die Worte im Hals stecken und ich bekam keine Luft mehr.

Mit ihrer freundlichen Stimme sagte Mrs. McKenzie: »Weißt du, Yoga kann sehr beruhigend sein, wenn man sich entspannen will. Soll ich es dir zeigen?«

»Nein, danke, es geht schon.«

Meiner Meinung nach ist Yoga eine typisch westliche Modeerscheinung, aber ich wollte sie nicht beleidigen, und außerdem schniefte ich immer noch vor mich hin.

»Hast du Heimweh nach deiner Mutter, Liebes?«

»Ja, natürlich.« Und dann platzte es plötzlich wieder aus mir heraus: »Eigentlich vermisse ich meinen Vater. Er wohnt nicht mehr bei uns zu Hause.«

»Er wohnt nicht zu Hause?«

»Er ist ausgezogen und wohnt bei einer anderen Frau. Einer viel jüngeren.«

Als ich es aussprach, spürte ich, wie ich rot wurde. Ich wusste nicht ob vor Scham oder vor Zorn. Ich war so traurig wegen Mama, die ganz allein in der Wohnung saß, mit dem Kater redete, allein frühstückte und allein zu Abend aß. Aber ich dachte auch daran, wie sie ihn immer genervt hatte: Tu dies, tu das, liebst du mich, Wanja? Wenn ich mal einen Ehemann habe, werde ich das niemals tun.

»Du liebst ihn sehr, nicht wahr?« Mrs. McKenzie lächelte.

»Nein. Überhaupt nicht.«

Dann musste ich lachen, als ich merkte, dass sie von Papa sprach, denn ich hatte gerade an Andrij Palenko gedacht und mich gefragt, wie es sich wohl anfühlen würde, seine Arme um mich zu spüren.

Plötzlich klopfte es, und dann ging die Tür auf. Mein Herz pochte. Aber es war nicht Andrij, es war Toby.

»Ma, hast du Kondome?«, flüsterte er.

Mrs. McKenzie drehte nicht einmal den Kopf. »Zweite Nachttischschublade auf meiner Seite. Aber pass auf, dass du deinen Vater nicht aufweckst.«

»Danke, Ma.«

Hm. Interessant. Mit Erdbeergeschmack. Die sind anders als alle ukrainischen Kondome, die Andrij gesehen hat, auch wenn das Prinzip wahrscheinlich das Gleiche ist. Aber wie sollen sie Emanuel vorführen, wie es funktioniert?

»Wir könnten ihm einen Porno zeigen.« Toby McKenzie macht ein düsteres Gesicht. »Das geilt ihn vielleicht auf. Ich könnte was aus dem Internet runterladen. Paris Hilton und ihre Freundinnen. Dralle Biker-Tussen. Hast du das mal gesehen?«

»Pornographia?«

»Dralle Biker-Tussen. Die sind unglaublich.«

»Ich glaube, für Emanuel ist Pornographia nicht gut.«

»Stimmt«, Toby McKenzie nickt, »er ist ein ziemliches Unschuldslamm, was?«

Andrij und Toby McKenzie sitzen auf dem roten Sofa im Fernsehzimmer. Alle anderen schlafen schon. Toby trinkt Bier aus einer Dose. Er bietet Andrij auch eins an, aber Andrij schüttelt den Kopf. Er braucht einen klaren Kopf. Dann denkt er, vielleicht wäre es in dieser Situation besser, ein bisschen betrunken zu sein. Also nimmt er doch ein Bier und trinkt ein paar Schluck.

»Toby, mein Freund hier, Emanuel, ich mache mir Sorgen, wenn ihn allein lasse.«

»Keine Sorge, Kumpel, ich pass schon auf ihn auf.« Das kommt zu glatt heraus und ist nicht sehr beruhigend.

»Wie du sagst, er ist unschuldig. Vielleicht ist besser, wenn so bleibt.«

Toby McKenzie sieht ihn von der Seite an. »Du willst,

dass er unschuldig bleibt? Wofür willst du ihm dann Kondome geben?«

Andrij will etwas Hochintelligentes sagen – etwas wie, dass Emanuel aus der westlichen Kultur das Beste aufnehmen soll und gleichzeitig das Beste von seiner eigenen Kultur behalten. Aber der Gedanke ist zu komplex für sein begrenztes Englisch. Vielleicht war das Bier doch keine so gute Idee.

»Ist Afrikaner«, murmelt er stattdessen.

»Es ist seine Sache, oder?« Toby kratzt sich unter seinen langen Zöpfen und untersucht seine Fingernägel nach Spuren von Schuppen. »Er muss die Wahl haben. Jeder soll seine eigenen Entscheidungen treffen dürfen. Das ist Freiheit.«

»Manchmal haben wir Freiheit, und wir treffen schlechte Wahl. Schau auf mein Land Ukraine.«

Toby McKenzie zuckt die Schultern. »Wenn man die falsche Wahl trifft, muss man eben damit leben. Sieh dir meinen Pa an. Das Komische ist, dass er denkt, ich wäre derjenige, der die falschen Entscheidungen trifft. Er denkt, man hat die Wahl, für das System zu arbeiten oder ein Penner zu sein. Aber darum geht es gar nicht.« Er zerdrückt die leere Bierdose. »Es geht nur um die Wahl zwischen Whisky und Gras.«

Der Junge ist nicht dumm. Aber warum ist er so ungepflegt?

»Okay, Toby, vielleicht du hast recht. Mit Kondom hat er Wahl.«

»Wenigstens bringt es ihn dann nicht um, wenn er die falsche Wahl trifft. Nicht wie das verdammte Zeug, das mein Vater säuft.«

»Aber wie machen wir Kondom-Demonstration?«

»Vielleicht musst du es vormachen«, sagt Toby.

Hm. Das könnte peinlich werden. Andrij trinkt noch einen Schluck Bier. Vor ihnen auf dem Fernsehschirm hüpft eine Truppe halbnackter Tänzerinnen herum, die ihre Mähnen durch die Luft schleudern und rhythmisch mit den Hüften zucken. Trotz ihrer verzweifelten Anstrengungen haben sie null Wirkung auf seine männlichen Teile. Ob sie Emanuel erregen? Unwahrscheinlich.

Toby McKenzie nimmt die Fernbedienung und fängt an, durch die Sender zu zappen. Es gibt Politik, Heimwerker, einen Kochkanal. Dort bleibt er hängen.

»Das ist es! Gemüse!«

Andrij fällt es schwer, sich eine erregende Szene mit Zwiebeln und Kohl vorzustellen. Wirklich, diese Angliskis haben Nerven.

»Meine Ma hat jede Menge da. Welche Größe ist er? Karotte? Banane? Sellerie? Salatgurke?«

Andrij versucht sich an die sehnige, schwarzhäutige Gestalt zu erinnern, die sich mit einem weißen Handtuch abrubbelt.

»Nicht Salatgurke. Nein. Karotte, nein. Vielleicht versuchen wir mittelgroße Banane.«

Liebe Schwester,
in den letzten Tagen habe ich viel an die längst vergangenen Tage vor dem Kloster gedacht und vor dem Waisenhaus und dem Missionshaus in Zomba, als wir mit Mutter und Vater und Schwestern in der Lehmhütte am Ufer des Flusses Shire lebten, in den langen Tagen meiner Blöße, als ich im Fluss gefischt und Mangos gesammelt habe. Damals war mein Verständnis der Welt ein anderes.

Doch mit zwölf Jahren von Alter stand ich plötzlich allein da und wurde ins Waisenhaus der guten Nonnen genommen, wo man mir das Wissen um Gut und Böse entdeckte. Schwester Theodosia sagte, dass Gott Liebe ist und der Schöpfer aller guten Dinge, aber Schwester Benedicta sagte, dass alles Böse, das über uns kommt, die Strafe für unsere

Sünden ist, wie die Krankheit, die unsere Eltern genommen hat. Und die ewiglichen Strafen nach dem Tod, sagte sie, sind viel schlimmer als der Tod selbst, mit schmorenden Feuern und kochenden Ölbädern und Klumpen von verbranntem Fleisch, das mit Zangen ausgerissen wird.

Da fing ich an, mir schauervolle Gedanken zu machen, was unsere Lieben in der Hölle erleiden müssen, und oft schrie ich des Nachts nach deinem Trost, liebe Schwester, aber du warst schon fort in Blantyre. Dann bestrafte mich Schwester Benedicta mit ihrem Stock, aber Schwester Theodosia brachte mir ein Gebet bei, das ich Maria Muttergottes singen möge, damit sie sich für uns einsetzte: Ora pro nobis peccatoribus. *Dieses Lied ist von vorzüglicher Schönheit, und das Singen bringt den Seelen unserer Lieben Ruhe, selbst wenn sie peccatoribus sind, und Ruhe meiner eigenen Seele.*

Die Angst vor den Qualen hielt mich stets ab von der Fleischerlust, trotz meiner sündhaften Neugierde. Aber heute Abend haben Andree und Toby Makenzi mir gezeigt, wie ich mich schützen kann gegen Orgasmen, die die tödliche Krankheit verursachen, indem ich meine aufrechte Männlichkeit mit einem Kondom bekleide, und damit kann ich der Fleischerlust frönen, ohne den sterblichen Preis zu zahlen. Dann erinnerte ich mich daran, was Pater Augustinus gesagt hatte, dass ein Kondom ein Frevel vor Gott ist, und auch wenn mein Körper gerettet würde, würde meine Seele in der Hölle brutzeln. Und ich sagte, wenn ich schon wegen der Fleischerlust brutzeln muss, soll ich das Bonbon nicht ohne Papier kosten?

Aber diese guten Mzungus zeigten mir den Gebrauch des Frevels so geschicklich mit einer Banane, dass die Banane brutzeln würde und nicht meine eigene unsterbliche Seele. Sie nahmen die Banane und kleideten sie in den Frevel, und Andree sagte, nun, Emanuel, wenn du mit einer Frau zu-

sammen bist, machst du es nicht über eine Banane, sondern über deine eigene Männlichkeit. Ich musste lächeln, und dann entkleidete Andree die Banane und aß sie auf, denn er ist Ukrainer und hegt deshalb eine große Vorliebe für Bananen. Da man also die Banane nahm, statt meiner eigenen aufrechten Männlichkeit, wird die Banane im lodernden Höllenfeuer brutzeln, und ich werde verschont.

Denn das Leben der Seele überdauert das Leben des Körpers, der nur eine kurze Blüte genießt und dann vergeht wie Gras im Ofen, sagte Pater Augustinus, der ein lieber Mann ist mit einem großen Bauch und schiefen Zähnen und sehr kurzsichtig. Dann legte er mir den Arm um die Schultern und sagte, keine Sorge, Junge, deine Eltern waren keine bösen Menschen, sondern sie litten nur unter der Schwachheit unseres sündigen Menschendaseins. Und als er den fragenden Ausdruck in meinem Gesicht sah, seufzte er und sagte, lieber Junge, es gibt Geheimnisse in den Wegen des Herrn, die wir nicht verstehen können, aber manche von uns glauben, dass nichts Böses ohne Grund geschieht, und wir glauben, Er lässt das Böse zu als Prüfung unserer Tugendhaftigkeit.

Doch ich reibe immer noch Fragen in meinem Kopf, bis sie zu rauchen und zu brennen beginnen wie Zündhölzer, und ich bete fieberhaft um Seine Hilfe, wenn ich über der Entscheidung brüte, die ich zu treffen habe. Denn falls ich die irdischen Freuden und die Fleischerlust wähle, werde ich die himmlischen Freuden nie kennenlernen und nie im Chor der Engel singen.

Bendery

In der Nacht hatte es geregnet. Das wusste ich, weil die Luft am Morgen anders roch. Ich war früh aufgewacht in meiner blauweißen Dachstube, voller Aufregung und Vorfreude, denn nun würde ich endlich London erleben, die Stadt meiner Träume, und was noch besser war, ich würde London mit *ihm* erleben.

Zuerst war es seltsam, als nur wir beide im Landrover saßen, er am Steuer, ich auf dem Beifahrersitz, zu meinen Füßen der Hund. Worüber sollten wir reden? Ich wollte mich mit ihm unterhalten. *London ist eine sehr schöne Stadt. Englische Männer tragen Melonen.* Nein, nicht solchen Blödsinn. Ich wollte über uns sprechen, über ihn und mich. *Erzähl mir, wer du bist, Andrij Palenko. Liebst du mich? Bist du der Richtige?* Aber so etwas kann man natürlich nicht sagen. Also schwiegen wir, während wir uns durch den dichten Verkehr kämpften.

Nach dem Stadtplan, den Maria mir gegeben hatte, befanden wir uns auf der South Circular Road. Andrij hatte diesen starren Blick, weil er sich auf das Fahren konzentrieren musste. Ich weiß, das klingt vielleicht komisch, aber obwohl er ein Bergarbeiter aus dem Donbass war, fiel mir in diesem Moment zum ersten Mal auf, dass er im Profil eine gewisse Ähnlichkeit mit Mr. Brown hatte. Dann sagte er, immer noch mit diesem Blick, als würde er mit sich selbst sprechen: »Ich frage mich, wo die ganzen Karotten hingekommen sind.«

»Welche Karotten?«

»Aus dem Wohnwagen. Hast du es nicht gesehen? Zwei ganze Tüten sind verschwunden. Nur noch sechs kleine Karotten sind übrig.«

»Zwei ganze Tüten? Vielleicht hat *sie* sie gestohlen.«

»Um ihren Mann zu füttern.«

Da mussten wir beide lachen, und das löste die Spannung zwischen uns, und wir lachten immer mehr, bis wir Seitenstechen bekamen. Eine Weile fuhren wir schweigend weiter, aber jetzt war es eine andere Art von Schweigen.

Plötzlich trat Andrij auf die Bremse. »Himmel, Arsch und Zwirn! Hast du das gesehen?« Der Landrover schleuderte quer über die Straße, und der Wohnwagen sprang fast aus der Anhängerkupplung. »Englische Autofahrer! Banditen!«

Ich konnte nicht anders. Ich prustete los. »Sagt ihr so was im Donbass?«

»Was?«

»Himmel, Arsch und Zwirn!« Ich lachte.

Er aber sah mich böse an. »Du meinst wohl, im Donbass sind wir alle ungehobelte Neandertaler, oder?«

»Nein, so habe ich es doch nicht gemeint. Es klingt nur lustig.«

»Und was hast du damals gedacht, als du die ganzen ungehobelten Bergarbeiter gesehen hast, die nach Kiew kamen? Und mit blauen und weißen Flaggen gegen eure orange Revolution protestiert haben? Mit Donbass-Dialekt? Hast du gedacht, das ist die Invasion der Barbaren?«

»Das habe ich doch gar nicht gesagt.«

»Nein, aber ich sehe dir an, was du denkst. Jedes Mal, wenn ich den Mund aufmache, fängst du zu grinsen an.«

»Andrij, warum sagst du denn so was?«

»Ich weiß nicht.« Er machte ein grimmiges Gesicht und biss die Kiefer zusammen. »Ich konzentriere mich lieber aufs Fahren. Wo müssen wir hin?«

»Kensington Park Road.« Maria hatte mir die Adresse herausgesucht und sie mir auf der Karte gezeigt. »Irgendwann musst du links abbiegen. In acht Kilometern oder so.«

Auf der Putney Bridge blieben wir im Stau stecken, und auch auf dem Rest der Strecke war viel Verkehr, so dass, als wir in der Kensington Park Road ankamen, das Konsulat gerade seine Pforten schloss. Ich versuchte, die Frau am Empfang zu überreden, mich doch noch hereinzulassen, ich erklärte, dass mein Pass gestohlen worden sei, aber es war eine dieser hochnäsigen Ziegen, die aussehen, als würden sie es zu anstrengend finden, sich mit Menschen abzugeben.

»Kommen Sie am Montag wieder.« Dann verdrehte sie die Augen und stakste in ihrem engen Bleistiftrock davon, für den sie meiner Meinung nach nicht die Figur hatte.

»Und?«, fragte Andrij, der draußen gewartet hatte. Als ich ihm erzählte, was passiert war, sagte er nur: »Diese Ukrainer. Vergessen wohl, wo ihr Gehalt herkommt.«

Dann wurden wir still, denn jetzt mussten wir eine Entscheidung treffen.

»Willst du zurück nach Richmond?«, fragte er.

»Und du?«

»Es ist deine Entscheidung.«

»Nein, deine.« Ich war auf der Hut, weil ich ihn nicht wieder verärgern wollte.

»Ich mache, was du willst«, sagte er.

»Mir ist es egal.«

»Na dann, werfen wir eine Münze. Bei Kopf geht's zurück, bei Zahl fahren wir weiter.«

Er fand eine Münze in der Hosentasche und schnippte sie

mit dem Daumen in die Luft. Sie landete mit dem Kopf nach oben.

»Also, wir gehen zurück«, sagte er.

»Gut.« Ich sah die Münze an, dann sah ich ihn an. »Aber wir müssen nicht, wenn wir nicht wollen, oder?«

»Ich mache, was du willst.«

»Mir ist es egal. Aber eigentlich will ich nicht unbedingt nach Richmond zurück, es sei denn, du willst. Ich meine, sie waren sehr nett, aber ...«

»Nett, aber verrückt«, sagte er.

Wir lachten beide.

»Wo willst du dann hin?« Jetzt sah er wieder aus wie Mr. Brown.

»Ist mir egal. Deine Entscheidung.«

Dieses Mädchen – er kommt bei ihr einfach nicht weiter. Erst lächelt sie ihn an, dann redet sie kein Wort mehr, und dann lacht sie ihn plötzlich aus, als wäre er ein Idiot. Bei ihr ist es wie bei dem Getriebe des Landrovers: vierter Gang und Rückwärtsgang liegen zu dicht beieinander. Nichtsahnend fährst du im dritten, willst gerade in den vierten schalten, und plötzlich stellst du fest, dass du stattdessen den Rückwärtsgang reingehauen hast und eine Vollbremsung machst oder sogar rückwärts springst. Auf einmal lächelt sie wieder und sagt, sie möchte durch London laufen, das Globe Theatre sehen, das Tabard Inn, Chancery Lane, den Old Curiosity Shop. Was ist das alles für ein Zeug? Für wen hält sie ihn – für einen exklusiven VIP-Fremdenführer? Erst mal muss er einen Parkplatz finden, weil, mit dem Wohnwagen in diesem Verkehr, das ist nicht lustig. Die meiste Zeit kann er nicht mal in den dritten schalten, und der zweite fliegt immer raus, so dass er im ersten fährt und sie zu viel Benzin verbrauchen, dabei braucht er mindestens noch einen vollen

Tank, um bis rauf nach Sheffield zu kommen. Wenn er Werkzeug hätte, würde er sich das Getriebe mal ansehen. Er hat gehört, dass das Landrover-Getriebe nicht ohne ist. Wie macht es sich wohl im Vergleich mit dem alten Saporoshez, fragt er sich. Ja, der hatte einen ähnlichen Getriebefehler.

Als er dreizehn war, kaufte sein Vater einen gebrauchten himmelblauen Saporoshez 965 – sie hatten ihn liebevoll Zaz genannt, eine bucklige alte Kiste, wie ein lieber alter Großvater. Es war das erste Arbeiterauto, das in der Ukraine in Massenproduktion ging. Karosserie aus Echtmetall – nicht so ein Duroplastgerümpel wie der Trabant. Sein Vater war der Erste im Wohnblock, der einen besaß. Jeden Sonntag wusch und polierte er ihn draußen auf der Straße, und manchmal verbrachten er und Andrij Stunden zusammen mit dem Kopf unter der Haube und schraubten herum. (Hör dir das an, sagte sein Vater. Die Musik des Verbrennungsmotors.) Sein Vater stellte den Motor exakt ein, damit er geschmeidig lief. Tut-ut-ut-ut-ut-ut. Das waren schöne Zeiten. Und je älter der Wagen wurde, desto länger schraubten sie daran herum. Gemeinsam schliffen sie die Ventile ab und tauschten den Magnetschalter und die Kupplung aus. Damals lernte er vieles über Automotoren, aber vor allem, dass alle Probleme lösbar sind, wenn man sie mit Geduld und Methode angeht. Am Ende hat der Wagen seinen Vater überlebt. Armer Vater.

Dieses Mädchen – er hat es mit Geduld und Methode versucht, aber sie ist noch unberechenbarer als ein defektes Getriebe. Ob er bei ihr je bis zur Feineinstellung kommt? Hm. Er fährt in eine Seitenstraße, dann biegt er noch mal ab und folgt einer schmalen Gasse zwischen hohen Mauern. Auf einer Seite ist ein leeres Grundstück, wo ein Gebäude abgerissen worden ist, mit einem Schild »Parken verboten« und ein paar Fahrzeugen, die dort parken. Das wird reichen.

»Gehen wir zu Fuß?«

»Gehen wir zu Fuß.«

Jetzt lächelt sie wieder aus unerfindlichen Gründen.

Es ist viel zu warm. Trotz des Regens ist die Luft schon wieder staubig. Es riecht nach Abgasen und verstopften Gullys und nach den diversen Gerüchen von fünf Millionen Menschen, die gleichzeitig atmen. Trotzdem merkt er, wie eine unerwartete Aufregung von ihm Besitz ergreift. London – wenn man erst mal festen Boden unter den Füßen hat und sich nicht mehr über die Angliski-Banditenfahrer aufregen muss – London ist wirklich nicht ohne.

Erst mal beeindruckt ihn die schiere Größe der Stadt – sie geht immer weiter, immer weiter, bis man vergisst, dass es dahinter noch etwas anderes gibt. Okay, er hat Canterbury und Dover gesehen, aber nichts kann einen auf die ungeheuerliche Ausdehnung von London vorbereiten. Die Autos gleiten elegant und leise vorbei wie silberne Schwäne, Luxusmodelle, keine zerbeulten stinkenden Rostlauben wie zu Hause. Bürogebäude wachsen in den Himmel. Und alles ist ordentlich – die Straßen, der Asphalt und so weiter –, alles ist gut instand. Aber warum sind alle Gebäude und Denkmäler voll mit Taubendreck? Diese fliegenden Ratten scheinen überall zu sein. Hund ist von ihnen begeistert. Bellend jagt er sie herum und macht Freudensprünge.

Sie schlendern an einer Reihe von Geschäften vorbei, deren Schaufenster voll von erstrebenswerten Dingen sind. Winzige Handys mit hochwertiger Ausstattung, alles kompakt und clever entworfen; Filmkameras, die so klein sind, dass sie in die hohle Hand passen; leistungsstarke Mini-Musikanlagen mit Speicherplatz für tausend verschiedene Lieder und mehr; Fernsehgeräte, so groß wie die Wand, mit Bildern von beeindruckender Lebendigkeit – sich davor mit einem Bier zurücklehnen und Fußball gucken ist besser als im Stadion, bessere Sicht; programmierbare CD-Player, Multimedia-DVD-Player, Premium-Computer mit unvorstellbaren Größen für RAM, GIG, Herz und so weiter. Zu viel Auswahl. Ja, so viele Dinge, die man sich nie gewünscht hat, weil man nicht wusste, dass sie existieren.

Er bleibt stehen, liest sich die Listen mit den Spezialfunktionen durch, studiert sie beinahe verstohlen, als stünde er an der Schwelle eines ungeahnten Sündenpfuhls. Wo kommen all diese Sachen her? Irina bummelt hinter ihm her und sieht sich mit ungläubigem Blick die Schaufenster der Kleiderboutiquen an.

Lebensmittelgeschäfte, Restaurants – hier gibt es einfach alles, jeder Winkel des Globus wurde geplündert, um diesen Überfluss möglich zu machen. Und auch die Menschen kommen aus allen Ecken der Welt – Europa, Afrika, Indien, Orient, Nord- und Südamerika, so viele verschiedene Gesichter zusammengemischt, Menschen von überall unter der Sonne, die sich Schulter an Schulter durch die Straßen schieben, ohne einander auch nur anzusehen. Viele haben Handys am Ohr, sogar die Frauen. Und alle sind gut angezogen, ihre Kleider sehen neu aus. Und die Schuhe, die meisten tragen neue Schuhe aus Leder. Keine Teppichrutscher, wie sie seine Landsleute zu Hause tragen.

»Vorsicht!«

Er war so mit den Schuhen beschäftigt, dass er beinahe mit einer jungen Frau zusammengestoßen wäre, die schnell, schnell auf ihren hohen Absätzen dahergestöckelt kommt und ihn im Ausweichen anzischt: »Hände weg!«

»Träumst du, Andrij?«

Irina nimmt ihn am Arm und zieht ihn aus dem Weg. Die Berührung durchzuckt ihn wie Maschinengewehrfeuer. Inzwischen stöckelt die Fremde noch schneller davon. Der Blick in ihren Augen – er war schlimmer als Hass. Sie hat einfach durch ihn hindurchgesehen. Hat ihn überhaupt nicht wahrgenommen. Seine Kleider – sein bestes Hemd ist schmuddelig und verwaschen, die braune Hose, die er sich extra für die Reise gekauft hat, eine ukrainische Hose aus billigem Material, ist jetzt schon ausgebeult, und dann der billige Kunstledergürtel und die Kunstlederschuhe, deren Sohle sich schon abzulösen beginnt – seine Kleider machen ihn unsichtbar.

»Alle sind so schick. Ich komme mir vor wie ein Bauerntrampel«, sagt Irina, als könnte sie seine Gedanken lesen. Dieses Mädchen. Na gut, ihre Jeans ist abgetragen und voller Erdbeerflecken, aber sie betont ihre hübschen Kurven, und ihre Haare sind glänzend wie Rabenflügel, und mit ihren schönen Zähnen und Grübchen lächelt sie die ganze Welt an.

»Sag das nicht. Du siehst ...« Er will die Arme um sie legen. »... du siehst ganz normal aus.«

Soll er die Arme um sie legen? Lieber nicht, sonst kreischt sie wieder: »Lass mich in Ruhe!« Und so gehen sie weiter, schlendern ziellos durch die Straßen und sehen sich mit weit offenen Augen alles an, was es zu sehen gibt. Hund läuft voraus und belästigt die Leute, indem er ihnen zwischen den Beinen durchschlüpft. Doch, dieses London – die Stadt ist nicht ohne.

Aber warum – das ist es, was er nicht verstehen kann – warum herrscht hier so viel Überfluss, und zu Hause ist so viel Mangel? Die Ukrainer arbeiten genauso hart wie alle anderen auch – noch härter, denn abends, nach der Arbeit, müssen sie Gemüse ziehen, das Auto reparieren, Holz hacken. In der Ukraine kann man sich ein Leben lang abrackern, und trotzdem hat man am Ende nichts. Ein Leben lang rackern, und am Ende liegt man tot unter der Erde, in einem eingestürzten Stollen. Armer Vater.

»Schau mal!«

Irina zeigt auf eine kleine dunkelhäutige Frau mit einem bunten Kopftuch, wie es die Frauen in den früheren Ostrepubliken tragen. Sie hat ein kleines Kind auf dem Arm, und sie geht auf die Passanten zu und bettelt. Das Kind ist schrecklich missgebildet, es hat eine Hasenscharte und ein Auge, das nur halb geöffnet ist.

»Hast du Geld, Andrij?«

Er wühlt in seinen Taschen, auch wenn die Frau ihn irgendwie nervt, weil er doch selber nicht viel hat, und das bisschen würde er lieber für ... na ja, jedenfalls nicht für sie ausgeben. Aber er hat gesehen, wie Irina das Kind anschaut.

»Bitte, nehmen Sie«, sagt er auf Ukrainisch und gibt ihr zwei Pfundmünzen. Die Frau sieht erst die Münzen an, dann Andrij und Irina, dann schüttelt sie den Kopf.

»Behaltet euer Geld«, sagt sie in gebrochenem Russisch. »Ich habe mehr als ihr.«

Sie nimmt das Kind auf den anderen Arm und geht auf ein japanisches Paar zu, das ein Denkmal voller Taubenkacke fotografiert.

Sie sind schon auf dem Rückweg, als Irina im Fenster eines eleganten Restaurants, wo gerade für den Abend eingedeckt wird, ein kleines Schild bemerkt, das diskret in einer Ecke hängt: *Aushilfe gesucht. Gute Bezahlung und Unterkunft.*

»Andrij! Schau doch! Vielleicht ist das genau das Richtige für uns. Hier, mitten im Herzen von London. Lass uns reingehen.«

Was meint sie damit, genau das Richtige für uns? Warum sind sie und er plötzlich wir? Das wäre vielleicht gar nicht so übel, denn sie ist wirklich hübsch, und sie hat ein gutes Herz und ist keine von diesen hohlen Nüssen, die immer nur daran denken, was sie als Nächstes kaufen wollen, wie Lida Sakanowka. Doch er weiß nicht, woran er bei Irina ist.

Ständig ändert sie ihre Meinung. Und er steht mehr auf eindeutige Sachen. Ja oder nein.

»Du kannst ja fragen, wenn du willst.«

»Willst du denn nicht?«

»Ich glaube, ich bleibe nicht lange in London. Höchstens ein oder zwei Tage.«

»Und wo willst du dann hin?«

»Ich habe vor, nach Sheffield zu gehen.«

»Sheffield – wo ist das denn?«

»Im Norden. Dreihundert Kilometer.«

Ihr Lächeln erlischt. Sie runzelt die Stirn. »Ich würde sehr gern in London bleiben.«

»Du kannst ja hierbleiben. Kein Problem.«

Er starrt in das Fenster des Restaurants, um ihr nicht in die Augen sehen zu müssen, und beschließt, ihr nichts von Vagvaga Riskegipd zu sagen.

»Sheffield ist eine schöne Stadt, weißt du. Eine der schönsten Städte Englands.«

»Wirklich? Dabei stand in meinem Buch, Sheffield sei eine große Industriestadt, die nur für die Herstellung von Stahl und Besteck bekannt ist.« Sie sieht ihn einen Moment lang an. »Aber vielleicht komme ich mit.«

Warum hat sie Hund die orange Schleife abgenommen und trägt sie wieder selbst? Hund hat das Ding viel besser gestanden.

»Ich dachte, du wolltest in London bleiben.«

»Willst du nicht, dass ich mitkomme?«

Er zuckt die Schultern. »Wenn du willst, komm mit.«

»Aber vielleicht könnten wir erst eine Weile in London bleiben und ein bisschen Geld verdienen. Und dann gehen wir und sehen uns Sheffield an.«

Was ist bloß los mit dir, Andrij Palenko? Du bist ein Mann, oder nicht? Sag einfach nein.

Die Geschäftsführerin des Lokals musterte Andrij und mich von oben bis unten. Sie hatte schwarze Haare, die sie streng aus der Stirn gekämmt in einem Pferdeschwanz trug, ein weiß gepudertes Gesicht und knallrote Lippen. Warum schminkte sie sich so stark? Es sah schrecklich aus. Mit einem roten Fingernagel tippte sie sich gegen die Zähne. »Ja, wir bräuchten eine Küchenhilfe und jemand Vorzeigbares für den Gastraum.« Sie sah mich an. »Hast du schon mal gekellnert?«

»Natürlich«, log ich. »In der Goldenen Birne. Skovoroda. In Kiew.« Was konnte schon so schwierig daran sein, jemandem einen Teller Essen auf den Tisch zu stellen?

»Hast du einen schwarzen Rock, schwarze Schuhe und eine weiße Bluse?«

»Natürlich«, log ich. Ich hatte nie gelogen, bevor ich nach England kam. Inzwischen wurde ich richtig gut darin.

Wir einigten uns darauf, dass wir am nächsten Tag anfangen würden, zwei Schichten, von elf bis drei und von sechs bis Mitternacht. Es gab vier Pfund pro Stunde für die Küchenhilfe, das doppelte im Gastraum, plus einen Anteil am Trinkgeld, und Kost und Unterkunft. Sie redete sehr schnell, ohne uns anzusehen.

»Wir brauchen keine Unterkunft«, sagte Andrij. »Wir haben unsere eigene.«

»Der Lohn ist der Gleiche, mit Unterkunft oder ohne«, sagte sie. »Ihr könnt euch entscheiden.«

Ich rechnete kurz im Kopf nach.

»Wir nehmen den Job«, sagte ich dann. »Ohne Unterkunft.«

Andrij war ein bisschen bockig, als ich ihn bat, mir Geld zu leihen, damit ich mir für den Kellnerjob etwas zum Anziehen kaufen konnte. »Du musst kapitalistisch denken«, sagte ich. »Sieh es als Investition.« Und ich versprach ihm, mein Geld und mein Trinkgeld mit ihm zu teilen. Ich hatte einen Laden mit einem großen Schild im Fenster gesehen, auf dem »SALE 50 %« stand, und freute mich schon darauf, mich dort umzuschauen. Das würde ich gleich morgen früh vor der Arbeit tun.

Als wir zum Wohnwagen zurückkamen, war das Tor zu dem Gelände mit einem Vorhängeschloss versperrt, aber das war nicht schlimm, denn wir wollten sowieso nicht wegfahren. Wir hatten einen Bärenhunger. Maria hatte uns ein wahres Festmahl ihres seltsamen Essens eingepackt. Sogar ein paar Dosen Fleisch für den Hund hatte sie dazugetan, aber Andrij erklärte, das sei lächerlich, der Hund solle rausgehen und sich ein paar Tauben fangen, und nachdem er den armen Kerl vor die Tür geschickt hatte, aß Andrij das Hundefutter selbst.

Es gab einen peinlichen Moment, als ich auf die Toilette musste, doch zum Glück war es inzwischen dunkel. Auch das Umziehen hätte peinlich werden können, aber Andrij war ein echter Gentleman und tat so, als würde er eins meiner Bücher lesen, während ich in mein Nachthemd schlüpfte – dabei kann er gar nicht richtig Englisch lesen –, und als er an der Reihe war, sich umzuziehen, tat ich das Gleiche. Aber einen Seitenblick riskierte ich heimlich. Mmh. Eindeutig interessanter ohne die ukrainische Hose.

Ich legte mich in die Koje, wo Jola geschlafen hatte, und Andrij nahm Martas alte Koje. Das große Bett klappten wir gar nicht erst aus, denn das hätte geheißen, dass wir zusammen schlafen würden. Es war so still in dem warmen, geschlossenen Raum, wir konnten einander atmen hören. Ich stellte mir vor, wie es wäre, zusammen im großen Bett zu schlafen. Denn er hatte wirklich schöne Hände. Sonnengebräunt, mit goldenen Härchen. Und Arme. Und Beine. Und er ist wirklich ein Gentleman, mit guten Manieren, genau wie Mr. Brown, der immer bitte und danke und Verzeihung sagt. Außerdem gefiel mir, wie höflich er mit Emanuel sprach und mit Toby McKenzies Eltern, und sogar mit dem Hund, und wie aufmerksam er den Leuten zuhörte. Auch mir. Okay, ich gebe zu, er war nicht besonders gebildet, doch er war eindeutig nicht dumm. Aber war er der Richtige? Beim ersten Mal muss man sich ganz sicher sein.

Und so lag ich da und lauschte seinem Atem und fragte mich, ob er auch wach war und meinem Atem lauschte. Und gerade als ich am Einschlafen war, kam der Hund zurück und weckte uns mit seinem Gebell vor der Tür. Andrij stand auf, um ihn hereinzulassen, und gab ihm etwas Wasser – schlürf, schlürf, schlürf –, und dann breitete er die alte Decke aus dem Landrover bei der Tür aus, damit der Hund sich darauflegen konnte. Der Hund schlief fast sofort ein und schnarchte und pfiff dabei – sss! hrr! sss! hrr! –, dass wir lachen mussten. Danach konnte ich ewig nicht einschlafen. Mein Herz wollte einfach nicht langsamer schlagen. Die ganze Zeit musste ich an all die Dinge denken, die passiert waren, seit ich von zu Hause weggegangen war, und an ihn, der so nah in der Dunkelheit lag, und ich fragte mich, was er dachte.

»Andrij. Schläfst du schon?«

»Nein. Du?«

»Nein.«

»Wir sollten schlafen. Morgen müssen wir lange arbeiten.«

»Okay.«

In der Ferne hörte ich die Geräusche der Stadt, ein rastloses, pochendes Summen, das nie aufhört, wie wenn man sich eine Muschel ans Ohr hält und das Rauschen des Meeres hört, obwohl man weiß, dass es nur das eigene Blut ist, das durch den Kopf rauscht.

»Andrij. Schläfst du schon?«

»Nein.«

»Erzähl mir von Sheffield.«

»Weißt du, Sheffield ist eine der schönsten Städte in England. Vielleicht auf der ganzen Welt. Aber das wissen nur wenige.«

»Und wie sieht es dort aus?«

»Die ganze Stadt ist aus weißem Stein erbaut, mit prachtvollen Kuppeln und Türmen. Sie liegt auf einem Hügel, und man sieht sie schon von weitem – sie schimmert und funkelt im Licht, wenn man sich ihr nähert.«

»Wie das Höhlenkloster in Kiew?«

»Ja, so ähnlich. Und jetzt schlaf.«

ICH BIN HUND ICH BIN BÖSER HUND ICH LAUFE MEIN MANN ISST HUNDEFUTTER LAUF FANG DIR EINE TAUBE SAGT MEIN MANN ICH LAUFE ICH KOMME AN EINEN PLATZ MIT VIELEN TAUBEN ÜBERALL TAUBE TAUBE TAUBE ICH SPRINGE ICH FANGE EINE TAUBE ICH FRESSE FASERIGES FLEISCH MAUL VOLL FEDERN NICHT GUT HIER IST FLEISCH MENSCHENESSEN RIECHT GUT MANN SITZT AUF BANK UND ISST FLEISCHBROT LEGT FLEISCHBROT AUF BANK ICH SPRINGE ICH FANGE ICH FRESSE BÖSER HUND SAGT DER MANN ICH LAUFE ICH BIN BÖSER HUND ICH BIN HUND

Tellerwäscher! Wie ist das passiert, Andrij Palenko? Dein Plan war eindeutig, die beiden in London abzusetzen und dann nach Sheffield zu fahren. Und jetzt bist du nicht nur Tellerwäscher, sondern Mädchen für alles: Topfschrubber, Lastenträger, Handlanger und so weiter. Am schlimmsten sind die Füße dran. Wenn der Boden nicht so schmierig wäre, würdest du am liebsten barfuß gehen. Ja, vom ersten

Wochenlohn musst du dir unbedingt ein Paar Turnschuhe kaufen, solche, die aussehen wie ein Raumschiff.

In der Mittagspause sind sie durch die Straßen gewandert, was nicht sehr schlau war, denn bis die Nachmittagsschicht anfängt, tun ihnen die Füße noch mehr weh. Es ist sehr heiß in der Küche, und es geht sehr hektisch zu. Mach dies! Hol das! Schneller! Schneller! Die ganze Zeit sind seine Hände nass und glitschig von dem scharfen Spülmittel, seine Ärmel sind klitschnass, mit den Schuhen rutscht er auf dem schlüpfrigen Boden aus, und mit jedem Atemzug inhaliert er Dampf und Fett.

Gilbert, der Koch, ist Australier, ein großer, schwerer Mann, der sich schnell aufregt, aber in der Küche ist er ein Zauberer, wie er die großen Messer schwingt, wie er hackt und schneidet, es ist Magie. Das Kochen – Andrij hat es immer für Frauenarbeit gehalten, aber wenn er sieht, wie Gilbert mit der Klinge über ein Stück Fleisch herfällt und es schließlich in eine rauchende Pfanne schleudert, dass es zischt – das sieht interessant aus. Vielleicht lernt er sogar noch was. Gilbert hat zwei Assistenten aus Spanien – oder Kolumbien vielleicht –, die auf seinen kleinsten Wink hin springen, und ein ganzes Team von Gemüseschneidern, Soßenrührern und Zutatensammlern. Dann ist da noch Dora, die einzige Frau in der Küche, die für die Desserts zuständig ist. Und es gibt die Tellerwäscher – ihn selbst und Huan –, sie kratzen die Reste von den Tellern, spülen das Geschirr, wischen verschüttetes Zeug auf und schleppen die großen Säcke mit Lebensmitteln, wenn die anderen rufen – wirklich, er fühlt sich wie ein Sklave mit zehn Herren, von denen Dora, die Kroatin oder Montenegrinerin ist und keine Schönheit, am schlimmsten ist.

Im Laufe des Abends kommt immer weniger Geschrei von Gilbert, und dafür umso mehr von Dora. Noch mehr schmutzige Teller zu spülen. Noch mehr Seife und Dampf. Er hat jetzt schon einen juckenden Ausschlag zwischen den Fingern. Unter Tage konnte man wenigstens das Tempo selbst vorgeben. Wenn Gilbert rausgeht, um eine Zigarette zu rauchen, lassen die Kolumbianer ihn manchmal eins der besonderen Gerichte kosten, aber nach einer Weile tut ihm der Bauch genauso weh wie der Rest seines Körpers, und er will sich einfach nur an die offene Hintertür setzen, wo ab und zu eine leichte Brise vorbeikommt und die suppige Luft auffrischt.

Manchmal, wenn die Schwingtür aufgeht, erhascht er einen Blick auf Irina, die im Restaurant von Tisch zu Tisch gleitet – man hat sie für die Getränke eingeteilt, und so kommt sie selten in die Küche. Sie hat sich das Haar zu zwei Zöpfen geflochten, was sie noch jünger aussehen lässt, wie ein sinnliches Schulmädchen in ihrer schwarzweißen Uniform. Wenn sie durch den Raum geht, sieht man, wie die Blicke der Männer an ihr kleben. Warum lächelt sie so? Warum ist ihre Bluse so tief ausgeschnitten? Warum musste sie sich so einen kurzen Rock kaufen? Wenn sie sich vorbeugt, um jemandem ein Glas Wein einzuschenken, sieht man ... nein, nicht ganz. Aber wie der Kerl da stiert!

Lange nachdem die Köche und das Service-Personal gegangen sind, müssen die Tellerwäscher sauber machen und den Boden wischen und alles für den nächsten Tag vorbereiten. Irina wartet im Gastraum. Sie sitzt auf einem Stuhl, hat die Füße auf einen anderen gelegt und isst, was die Kolumbianer ihr hingestellt haben.

Es ist fast eins, als sie gehen können. Die Nacht ist still und sternenklar. Andrij atmet die kühle, rauchige Nachtluft tief ein, bis ihm schwindlig davon wird. Bis zum Wohnwagen müssen sie noch gut eine halbe Stunde laufen. Er setzt einen Fuß vor den anderen, wie ein Roboter. Rabota. Das russische Wort für »Arbeit«. Das trifft es genau. Er ist eine Maschine, die arbeitet.

»Nicht so schnell, Andrij.«

Er hat nicht gemerkt, dass sie kaum Schritt halten kann.

»Tut mir leid.«

»Hier, Andrij. Das ist für dich. Ich kann dir schon zurückzahlen, was du mir geliehen hast.«

Sie greift in ihren viel zu tiefen Ausschnitt und holt einen zusammengerollten Zwanzigpfundschein heraus.

»Wo hast du das her?«

»Hat mir jemand zugesteckt. Ein Gast.«

»Warum?«

»Ich weiß nicht, warum. Er hat es mir einfach gegeben. Ich habe ihm nur ein Glas Wein gebracht.«

»Ich habe gesehen, wie er dir in den Ausschnitt gestarrt hat. Du bist angezogen wie ein Flittchen.«

»Nein, bin ich nicht. Ich bin angezogen wie eine Kellnerin. Sei doch nicht so dumm, Andrij.«

»Behalt dein Geld. Ich will es nicht.«

»Nein, nimm es. Es ist deins. Ich habe es mir nur ausgeliehen. Was ist denn mit dir los?«

»Ich habe gesagt, ich will es nicht.«

Er steckt dic Hände in die Hosentaschen und senkt den Kopf, und sie gehen schweigend weiter. Was ist bloß mit ihm los?

Wie der alte Mann mich anstarrte, das jagte mir einen Schauer über den Rücken, wie krabbelnde Maden. Er griff nach seiner Brieftasche, zog einen Zwanzigpfundschein heraus, rollte ihn genüsslich zwischen den Fingern, und dann, als ich mich mit seinem Glas vorbeugte, schob er ihn mir in den Ausschnitt. Dort spürte ich den Schein den ganzen Abend, steif und kratzig zwischen meinen Brüsten.

Im Restaurant herrschte viel Betrieb, alle Tische waren besetzt, ein paar Gäste mussten sogar auf einen Tisch warten, die Kellner eilten geschäftig durch den Raum, versuchten, nicht aus dem Takt zu kommen, und Zita, die Managerin, stolzierte mit ihrem Lippenstiftlächeln durch den Saal und führte die Leute an ihre Plätze. Der Alte saß direkt am Fenster, und es hatte wahrscheinlich niemand mitbekommen. Vielleicht hätte ich den Schein zurückgeben sollen. Aber dann dachte ich, den Typen sehe ich nie wieder, und ich kann Andrij gleich sein Geld zurückzahlen, was es einfacher zwischen uns machen wird. Doch Andrij hatte mal wieder schlechte Laune, und das war das Letzte, was ich gebrauchen konnte, denn ich hatte schon genug Unerfreuliches für einen Abend gehabt.

Und der unerfreulichste Gedanke war der: Der Mann mit dem Zwanzigpfundschein erinnerte mich an meinen Vater. Gleiche Statur. Gleiche randlose Brille. Gleiches borstiges Altmännerhaar. Er saß allein an seinem Tisch. Ich musste ihn anstarren, weil die Ähnlichkeit so frappierend war, und dann erwiderte er meinen Blick und ich sah weg. Wahrscheinlich hatte es so angefangen, die Sache mit dem Zwanzigpfundschein: mit meinem Blick. Aber was mich am meisten störte, war die Frage, ob mein Vater auch so gewesen war. Hatte er sich lächerlich gemacht, indem er einem jungen Mädchen in den Ausschnitt stierte?

Die Frau, wegen der mein Vater abgehauen ist, Switlana Surocha, ist fast im gleichen Alter wie ich. Um genau zu sein, sie war im Gymnasium zwei Klassen über mir. Sie war eine von denen, die alle mochten, ein hübsches Mädchen mit blonden Locken wie ein Filmstar, blauen Augen und Stupsnase, und sie lachte die ganze Zeit und machte sich über die Lehrer lustig. Später an der Schewtschenko-Universität, wo mein Vater Professor für Geschichte ist, war sie eine der Organisatorinnen der orangen Studentenproteste. Dort hatten sie sich ineinander verliebt. Einfach so. So hatte er es jedenfalls meiner Mutter erzählt, und Mutter hatte es mir erzählt und bis tief in die Nacht geweint. Sie hatte eine Packung Taschentücher nach der anderen vollgeweint, bis ihre Nase ganz rot war und ihre Augen ganz klein und geschwollen waren wie die eines Ferkels. Kein schöner Anblick. Eigentlich konnte man Vater keinen Vorwurf machen, dass er sich von einer alternden, unattraktiven Frau entliebt hatte, die dauernd an ihm herumnörgelte, und sich stattdessen in eine verliebte, die jung und hübsch und lustig war. Die hübsche, blonde Studentenaktivistin und der distinguierte ukrainische Historiker – zusammengeführt durch die Liebe zur Freiheit. Was könnte romantischer sein?

Natürlich tat mir meine Mutter leid, mit ihrem Schniefen und den durchweichten Taschentüchern. Aber ehrlich gesagt, jeder weiß, dass eine Frau selbst schuld ist, wenn sie ihren Mann nicht halten kann. Sie hätte sich eben mehr anstrengen müssen. Das Schlimmste war, Mutter wusste das selbst, und sie strengte sich an, färbte sich sogar die Haare und legte grellrosa Lippenstift auf und wickelte sich dieses alberne rosa Tuch um den Hals. Trotzdem, sie konnte das Jammern nicht lassen, es war richtig demütigend. »Wanja, liebst du mich nicht ein kleines bisschen?« Das machte alles nur noch schlimmer. *Ich* werde diesen Fehler bestimmt nicht machen.

Mister Zwanzig Pfund – vom Äußeren her erinnerte er mich an meinen Vater; ein älterer, seriöser Herr, wahrscheinlich mit einer alternden Frau und Familie, die er irgendwo außer Sichtweite hielt. Aber der Blick in seinen Augen war wie der von Vulk. Hungrige Augen. *Gefällt dir, Blume ...?* Gierige Augen. Wie der Mann mich ansah, das war nicht romantisch, sondern eher so, wie eine Katze die Maus ansieht, genüsslich jede ihrer Bewegungen beobachtet, bevor sie zuschlägt.

Hatte mein lieber knorriger, runzliger Vater Switlana Surocha auch so angesehen? Waren Männer einfach so?

Andrij hatte den Kopf gesenkt und machte ein muffiges Gesicht, und er ging wieder zu schnell für mich, aber noch einmal würde ich ihn nicht bitten, langsamer zu gehen. Ich würde nicht das Schweigen brechen. Ich gab meinem Vater nicht die Schuld. Aber da war dieses riesige leere Loch in meinem Herzen, diese Enttäuschung, nicht allein seinetwegen, sondern wegen allem, was mit Liebe und Romantik zu tun hatte. Da geht man durchs Leben und wartet, dass der Richtige auftaucht, wartet auf Küsse bei Mondlicht, ewige Liebe, Mr. Brown und seine geheimnisvolle Beule, treu bis über das Grab hinaus; und dann stellt man plötzlich fest, dass man auf etwas gewartet hat, das es gar nicht gibt, und man muss sich mit etwas Zweitklassigem zufriedengeben. Was für ein Reinfall.

Und als Andrij nach zehn Minuten Schmollen aus heiterem Himmel den Arm um mich legte, machte ich mich los und sagte: »Lass mich in Ruhe.«

Im selben Moment bereute ich es, aber da war es schon zu spät. *Tut mir leid, war nicht so gemeint. Bitte nimm mich wieder in den Arm.* Aber das kann man nicht sagen, oder?

Das war's dann. In ein paar Tagen steckt er seinen Wochenlohn ein, und dann geht es ab nach Sheffield. Es bringt nichts, hier rumzuhängen und sich lächerlich zu machen, indem er einem Mädchen hinterherläuft, das keinen Funken Interesse an ihm hat. London ist aufregend, jede Menge Stoff zum Nachdenken, und ehrlich gesagt ist er ganz froh, dass er eine Weile hiergeblieben ist und Londons bittersüßen Geschmack gekostet hat. Und es ist gut, mit ein bisschen Geld in der Tasche nach Norden aufzubrechen. Es ist höchste Zeit. Das Mädchen kommt schon zurecht. Sie kann in die Unterkunft ziehen, die mit dem Job angeboten wurde, wird schon in Ordnung sein, und sie scheint ja ganz gut Trinkgeld zu verdienen, zusätzlich zum Lohn. Wahrscheinlich wegen dieser Bluse, die sie anhat. Na ja, das ist ihre Sache. Interessiert ihn nicht. Sie kann das mit ihrem Pass klären, auch wenn sie es anscheinend nicht besonders eilig damit hat, und für ihre Rückfahrkarte sparen und sich vielleicht auch noch ein paar hübsche Kleider kaufen, wenn sie will. Er muss sich jedenfalls keine Sorgen mehr um sie machen. Den Wohnwagen und Hund nimmt er mit. Er freut sich sogar darauf, ein bisschen allein zu sein, auf der Straße, unterwegs.

Sie sind nur noch einen Block von der Stelle entfernt, wo der Wohnwagen und der Landrover stehen, als sie Hund wütend bellen hören. Irgendwo ertönt ein dumpfes Klopfen. Als sie näher kommen, wird der Lärm lauter, und schrille Stimmen schreien durcheinander. Andrij geht schneller, dann fängt er zu laufen an.

Als sie um die letzte Ecke biegen, sehen sie eine Horde Kinder, die um den Wohnwagen herumspringen und ihn mit Steinen bewerfen. Hund bellt wie verrückt, weicht den Steinen aus und versucht die Kinder zu verjagen. Wo kommen die kleinen Krawallmacher her? Im schattenlosen orangen Schein der Straßenlaternen tanzen die Zwerge herum, als feierten sie eine heidnische Orgie. Einer hat unter dem Wohnwagen Stöcke und Papier aufgeschichtet, die er mit brennenden Streichhölzern bewirft.

»Was macht ihr? Stopp!« Mit wedelnden Armen rennt Andrij auf sie zu. Die Kinder halten inne, aber nur für einen Moment. Ihm am nächsten steht ein zerlumpter Junge mit verfilzten Haaren. Ihre Blicke treffen sich. Der Junge hebt einen halben Ziegelstein auf und wirft ihn nach Andrij.

»Kriegstmichnichtarschloch, kriegstmichnicht!«

Der Ziegelstein landet genau zu seinen Füßen. Andrij läuft dem Bengel hinterher, packt ihn am Arm und schüttelt ihn, dann gibt er ihm einen Stoß. Das Kind taumelt und fällt hin.

»Leckmichleckmichscheißfotze!«

Andrij will sich den Nächsten vornehmen, doch der Junge entwischt ihm und rennt davon. Den Dritten kriegt er zu fassen, aber er windet sich aus seinem Griff wie eine Katze und läuft fort, nachdem er ihn angespuckt hat. Jetzt mischt sich auch Irina ein. Sie packt einen der Jungs, und als er sie anfaucht und spuckt, faucht und spuckt sie zurück und gibt ihm einen kräftigen Schlag auf den Hintern. Woher kennt sie solche Wörter? Hund knurrt und stürzt sich auf den Jungen mit den Streichhölzern, doch das Papier hat bereits Feuer gefangen. Es riecht nach Rauch. Kreischend stieben die Kinder davon und werfen dabei noch ein paar Steine. Hund jagt den Nachzüglern hinterher, schnappt nach ihren Waden.

Das Papier hat Feuer gefangen, und jetzt fangen die Stöcke unter dem Wohnwagen zu knistern an, Rauch und Funken steigen auf. Hund ist völlig aus dem Häuschen. Blitzschnell macht Andrij die Hose auf und pinkelt auf die Flammen. Es zischt und raucht, aber dem Wohnwagen ist nicht viel passiert. Warum grinst sie so? Es war ein Notfall. Soll sie doch gucken. Soll sie doch grinsen. Was kümmert es ihn?

Schließlich setzt er sich auf die Stufen des Wohnwagens und legt den Kopf in die Hände, resigniert und erschöpft. Ausgerechnet jetzt kommt sie und quetscht sich neben ihn. Ihr Arm, ihr Schenkel – wo sie ihn berührt, fühlt es sich an wie glühender Stahl. Dieses Mädchen – warum geht sie ihm so unter die Haut? Wenn es doch nirgendwo hinführt, wenn er keine Chance bei ihr hat, warum kann sie ihn nicht einfach in Ruhe lassen?

Der Gedanke erfüllt ihn mit dumpfer Wut, auf sie und auf sich selbst. Und noch etwas macht ihm zu schaffen – der Blick in den Augen des Straßenjungen, als er ihn herumgeschleudert hat. Das waren nicht die blitzenden, frechen Augen eines Lausbuben, der jemandem einen Streich gespielt hat. Es waren leere Augen, tote Augen – Augen, wie Andrij sie schon zu oft gesehen hat. Bei dem nackten Mädchen in dem Geländewagen. Bei den ukrainischen Jungs am Pier in Dover. Warum gibt es so viele Menschen auf der Welt mit solchen toten Zombieaugen?

»Andrij?«

»Was ist?«

»Wir können nicht hierbleiben.«

»Warum nicht?«

»Die Kinder – die werden zurückkommen, wenn wir schlafen. Sie werden den Wohnwagen anzünden, und uns mit.«

»Das machen sie bestimmt nicht.«

Warum kann sie nicht einfach die Klappe halten und ihn in Ruhe lassen?

»Vielleicht doch. Selbst wenn sie nicht heute Nacht wiederkommen, hier ist der Wohnwagen nicht mehr sicher. Irgendwann kommen sie garantiert zurück.«

»Wir können morgen umziehen.«

Er hat das Gefühl, die Müdigkeit sickert durch seinen Körper wie geschmolzenes Metall und härtet in seinen Gliedern aus. Er muss sich die Schulter gezerrt haben, als er den Jungen gepackt hat, und auch in Rücken und Beinen hat er diffuse Schmerzen. Er braucht Schlaf.

»Morgen früh sind zu viele Leute unterwegs. Es wäre einfacher, jetzt was zu finden. Komm, wir fahren jetzt gleich weg.«

»Wo willst du hin?«

»Ich weiß nicht. Irgendwo. Vielleicht finden wir einen Platz, der näher am Restaurant ist.«

Also nimmt er einen Ziegelstein und hämmert das Vorhängeschloss am Tor auf. Es geht ganz leicht. Und sie hat recht – es ist wirklich einfacher, nachts zu fahren. Einmal legt er sogar den vierten Gang ein, und zwar ohne den Rückwärtsgang zu erwischen. Ihm fällt eine kleine Gasse ein, nicht weit vom Hinterausgang des Restaurants, wo manchmal ein paar Autos stehen. Das reicht fürs Erste. Ist ja nur vorübergehend. Bald wird er weiterziehen.

Nach der Sache mit den Kindern war Andrij noch schlechter gelaunt. Ich versuchte Witze zu machen und ihn aufzumuntern, aber mit jedem Tag wurde er mürrischer, und dauernd redete er davon, dass er nach Sheffield wollte, sobald wir unseren ersten Wochenlohn hatten.

An Trinkgeld, das die Gäste auf dem Tisch liegen ließen, hatte ich schon rund achtzig Pfund zusammen. Ich wollte mit ihm teilen, aber er schüttelte den Kopf und sagte mit einem Gesicht wie Bauchschmerzen, nein, behalt es, und dann sagte er, er hätte den Job satt, und außerdem würde er ohnehin bald nach Sheffield gehen. Was war los mit ihm? Er konnte doch nicht immer noch beleidigt sein wegen der zwanzig Pfund?

Also ging ich noch mal in den Laden mit dem Ausverkauf und kaufte mir eine andere Bluse, die nicht so tief ausgeschnitten war. Ich dachte, dann wäre er zufrieden, aber das war er nicht. Er fand den Ausschnitt immer noch zu tief und meinen Rock zu kurz. Warum war er bloß so ein Spielverderber? Es war ein hübscher Rock, der nur bis kurz über die Knie ging, und er war gut geschnitten und hatte ein schönes seidiges Futter, und außerdem kostete er weniger als die Hälfte, nur weil ein Knopf fehlte, den ich schnell wieder annähen konnte. Und er hatte eine tiefe Tasche, in der ich das Trinkgeld sammeln konnte. Mir wurde klar, dass ich nichts tun konnte, um Andrij zufriedenzustellen. Na ja, wenn ihm meine Kleider nicht gefielen, war das sein Problem. Warum fuhr er nicht endlich nach Sheffield, statt hier herumzuhängen und mir auf die Nerven zu gehen?

Am nächsten Morgen beschloss ich, zu Fuß zum ukrainischen Konsulat zu gehen und einen neuen Pass zu beantragen. Ich hatte immer noch etwas von meinem Trinkgeld übrig, und so warf ich einen Blick in die erste, sehr teure Modeboutique von neulich. Also wirklich, was die Kleider hier kosteten – es verschlug einem den Atem. Ich war eine ganze Stunde dort, probierte ein paar Klamotten an, probierte noch mehr Klamotten an, betrachtete mich im Spiegel. Am Ende schaffte ich es nicht zum Konsulat. Da war eine Hose, von einhundertzwanzig Pfund auf dreißig heruntergesetzt. Sie war schwarz, auf Hüfte geschnitten und sehr eng. Ehrlich gesagt, sie saß phantastisch. Ich wusste, Andrij würde die Hose hassen.

Als ich zum Wohnwagen kam, war Andrij schon zum Restaurant gegangen. An der Windschutzscheibe des Landrovers hing ein seltsamer gelbschwarzer Aufkleber. Ich zog ihn ab und steckte ihn ein, um ihn Andrij nachher zu zeigen. Außerdem klemmte da so ein Ding am Vorderrad des Landrovers, und auch hinten an einem Rad des Wohnwagens. Das war ja komisch. Aber Andrij wusste bestimmt, wie man die Dinger abkriegte. In der Mittagsschicht herrschte so viel Betrieb, dass ich nicht dazu kam, mit Andrij zu sprechen. Außerdem machte er ein Gesicht, dass ich versuchte, ihm lieber nicht über den Weg zu laufen.

Dann kam jemand ins Restaurant, der alles noch schlimmer machte.

Es war kurz vor drei, gegen Ende der Mittagsschicht, und

ein paar der Angestellten waren schon weg. Im Restaurant saßen nur noch zwei Gäste, ein junges Pärchen, das gerade sein Mittagessen beendete. Auf einmal kam ein einzelner Mann herein und setzte sich an den Tisch am Fenster – denselben, wo Mister Zwanzig Pfund gesessen hatte. Zuerst erkannte ich ihn gar nicht, aber er erkannte mich sofort.

»Irina?«

Er war jung und dunkel und hatte sehr kurzes Haar. Er trug einen dunkelgrauen Anzug, ein blütenweißes Hemd, eine dicke goldene Armbanduhr, die unter der Manschette hervorblitzte, und eine blau und rosa gemusterte Krawatte. Ehrlich gesagt, er war ziemlich attraktiv.

»Vitali?«

Er lächelte. »Hallo.«

»Hey, Vitali! Du hast dich aber verändert!«

»Was machst du hier, Irina?«

»Geld verdienen natürlich. Und du?«

»Auch Geld verdienen. Gutes Geld.« Er nahm ein klitzekleines Handy aus der Jackentasche und klappte es auf. »Personalvermittlungsagent für aktive dynamische Beschäftigungslösungen, die organisatorische Antwort auf jede Ihrer saisonalen Personalanforderungen. Besseres Geld als Erdbeer.«

Okay, ich gebe zu, ich war beeindruckt.

»Personalagent? Was ist das?«

»Ach, heißt nur, dass ich für Leute Jobs besorge. Oder für Jobs Leute besorge. Ich habe immer Augen auf für Neuankömmlinge für spannende Stellenangebote.«

»Du vermittelst Jobs?«

Er zeigte mit dem Telefon auf mich und tippte ein paar Tasten.

»Ich kann sehr Erste-Klasse-Job für dich finden, Irina. Super Bezahlung. Gute, saubere Arbeit. Luxusunterkunft inklusive. Und mein Freund Andrij. Ich habe guten Job auch für ihn. Nähe Flughafen Heathrow. Ist er auch hier?«

»Er arbeitet in der Küche. Tellerwäscher.«

»Tellerwäscher. Hm.« Mit einem kleinen Lächeln schüttelte er den Kopf. »Irina, du, Andrij ... habt ihr Chance laufen?«

»Vitali, warum fragst du so was?«, sagte ich. Doch er griff nach meiner Hand und sah mich mit seinen sehr dunklen Augen an, dass ich eine Gänsehaut bekam. »Irina, ganze Zeit ich habe an dich gedacht.«

Ich wurde rot. Es klang so romantisch. Meinte er es ernst? Ich zog die Hand weg, für den Fall, dass Andrij uns beobachtete.

»Vitali, dieser Job – um was für Arbeit geht es da?«

»Sehr erste Klasse. Gourmetküche. Internationales Spitzenklasseunternehmen verzweifelt auf Suche nach verlässlichen, motivierten Vertretungskräften.« Seine Stimme war tief, und die Art, wie er diese langen englischen Wörter aussprach, war äußerst kultiviert. »Vertrag für Catering von große Fluglinie in der Nähe von Flughafen Heathrow.«

Seit dem Tag, als der erste Mensch den Kopf aus der Höhle streckte, um die Sterne am Himmel zu bewundern, und dachte, wie schön es wäre, einen dieser Sterne für sich allein zu haben, seit jenem Tag träumt der Mensch davon, andere für sich arbeiten zu lassen und ihnen so wenig wie möglich dafür zu zahlen. Und niemand hat diesen Traum dynamischer verfolgt als Vitali. Den ganzen Tag durchkämmt er die Londoner Bars und Restaurants auf der Suche nach passenden Kandidaten. Die Neuankömmlinge, die Orientierungslosen, die Verzweifelten, die Gierigen. Das ist die Sorte Mensch, mit der sich gutes Geld verdienen lässt.

Wie schon der weise, bärtige Karl Marx feststellte, von

seiner eigenen Hände Arbeit wird ein Mensch nicht reich, und wer zu den VIP Elite-Reichen gehören will, muss andere für sich arbeiten lassen. Um diesen Traum zu verwirklichen, hat man im Lauf der Jahrtausende viele kreative menschliche Lösungen ausprobiert, von Sklavenarbeit über Zwangsarbeit, Schuldversklavung und Strafkolonien bis zu Präkarisierung, Null-Stunden-Verträgen, flexiblen Arbeitsformen, Streikverbotsklauseln, obligatorischen Überstunden, Scheinselbständigkeit, Zeitarbeitsagenturen, Subcontracting, illegaler Einwanderung, Outsourcing und vielen anderen Phänomenen des organisatorischen Fortschritts in Richtung maximaler Flexibilität. Und die Speerspitze dieser permanenten Revolutionierung des Arbeitsprozesses ist die historische Rolle des Personalvermittlungsagenten für aktive dynamische Beschäftigungslösungen. Allerdings wissen das die wenigsten zu schätzen.

Deshalb hat er trotz seines maßgeschneiderten anthrazitgrauen Anzugs mit Wollsiegel, dem neuesten Nokia N94i in der Jacketttasche und der original Rolex Explorer II, die unter seiner Manschette hervorblitzt, das Gefühl, dass er zu wenig Anerkennung bekommt. Was dir noch fehlt, denkt er, ist ein Mädchen, mit dem du deinen Erfolg teilen kannst – ein hübsches, sauberes, hochklassiges Mädchen, nicht so eine überschminkte billige Mietschlampe, sondern ein unschuldiges Mädchen, das du nach deinen Wünschen in der Liebeskunst unterweisen kannst; hübsch genug, um anderer Männer Neid zu erregen, aber nicht so hübsch, dass sie mit dem nächstbesten Typen mit Nokia N95ii und Rolex Daytona davonzieht. Was dir fehlt, ist ein Mädchen, das dich ermutigt und dich daran erinnert, dass du in Wirklichkeit ein guter Mensch bist. Ein dynamischer Mann. Ein VIP. Kein Krimineller. Kein Versager. Und hier ist sie – genau das Mädchen, von dem du geträumt hast, und lächelt dich süß an, als sie dir das zweite Glas kühlen Sauvignon Blanc einschenkt. Wirklich, ein sehr guter Wein – eine der kleinen Annehmlichkeiten in seinem Geschäft. Und – das ist die wahre Tragik – noch während du in die seidige Vertiefung zwischen ihren wunderschönen Brüsten blickst, meldet sich die geschäftstüchtige Stimme in deinem Hinterkopf und sagt: Mit diesem Mädchen könntest du gutes Geld verdienen.

Denn wenn du in einem Provinzstädtchen im fernen Dnjestr-Tal aufgewachsen bist, an der Biegung des Flusses, der die Grenze zwischen Moldawien und der Republik Transnistrien bildet, wo das einzige Gesetz die Waffe ist, wo dein Vater und zwei deiner Brüder vor deinem Elternhaus auf der Hauptstraße erschossen wurden, weil sie sich weigerten, Schutzgeld zu zahlen, und dein dritter Bruder in den Unabhängigkeitskämpfen umkam, wo deine Mutter mit zweiundvierzig Jahren vor Kummer starb, als dein Elternhaus in Schutt und Asche gelegt wurde, und deine zwei kleinen Schwestern von einem kosovarischen Gauner an einen Massagesalon in Peckham verkauft wurden – wenn du in einer Stadt wie Bendery aufgewachsen bist, bist du ziemlich abgehärtet.

Oh, Bendery! Wo die trostlosen Sowjet-Betonklötze ein wildes Herz verbergen; wo die Gassen nach verstopften Abflüssen und gebratenem Knoblauch riechen; wo die Sonnenuntergänge in den ausgebrannten Fenstern der Ruinen am Fluss wie Feuer flammen; wo der breite Fluss, dessen silbrige Wellen an sandige Gestaden lecken, von Zeit zu Zeit eine Leiche anspült; wo in den Wäldern immer noch die Geister der Ermordeten stöhnen; wo in den Straßen das Blut stand. Oh, Bendery! Seine Augen werden feucht, mit bittersüßem Schmerz. Er starrt Irina in die Bluse. Einmal hatte er ein Mädchen wie sie in Bendery. Rosa. Die Tochter der Schulbibliothekarin. Sie war fünfzehn und Jungfrau. Genau wie er. Ihre Augen waren dunkel und glühten vielversprechend. Sie trafen sich nach der Schule auf einer geheimen Lichtung am Fluss. Auch sie ist wahrscheinlich inzwischen in Peckham.

Früher, in einer anderen Zeit, war Vitali die Hoffnung der Familie gewesen – der Student, der große Träume hatte, der Augapfel seiner Mutter. Er wäre Anwalt oder Politiker geworden, käme er nicht aus Bendery – und hätte er nicht das alles verändernde Buch gelesen, das in der Schule im Giftschrank stand, mit den Büchern, die nicht mehr erwünscht waren. Manche waren über achtzig Jahre alt, und die Bibliothekarin bewahrte sie auf für den Fall, dass die Zeiten sich wieder änderten. Wahrscheinlich standen sie immer noch dort.

Er war gerade sechzehn geworden, 1992, als Transnistrien sich wegen eines Streits über die Schrift von Moldawien abspaltete. Kyrillisch gegen Lateinisch. Natürlich hatte er sich den Patrioten angeschlossen, wie seine Brüder, doch er war nicht mit dem Herzen bei der Sache, und so schaffte er es, sich aus den schlimmsten Kämpfen herauszuhalten, obwohl Bendery – am westlichen Ufer des Dnjestr gelegen und mit dem Rest von Transnistrien nur durch eine Brücke verbunden – die Frontlinie des Bürgerkriegs bildete. Zweitausend Menschen ließen ihr Leben, darunter sein ältester Bruder, Hunderte von Häusern brannten nieder, darunter sein Elternhaus, nur wegen der Frage, in welcher Schrift geschrieben werden sollte. Er war kein schlechterer Patriot als die anderen, doch die Frage war ihm einfach nicht wichtig genug, um sein Leben dafür zu opfern. Ein paar Schlaumeier sagten, es ginge in Wirklichkeit um Politik – um die Frage, ob es an der Zeit sei, sich von der russisch dominierten Vergangenheit zu verabschieden und sich beim westlich orientierten Rumänien lieb Kind zu machen. Andere sagten, es sei eine Stammesfehde zwischen rivalisierenden Verbrecherfamilien. Wahrscheinlich hatte jeder seine eigenen Gründe, sich hineinziehen zu lassen, und manche hatten keinen Grund und taten es trotzdem.

Nachdem der Waffenstillstand vereinbart wurde und das Leben zu einer abnormalen Normalität zurückgekehrt war, versuchte Vitali ein paar Jahre lang, das Bauunternehmen der Familie zu retten. Ja, er hat es wirklich versucht. Er arbeitete rund um die Uhr, schleppte Ziegel und mischte Zement, verlegte Rohre und Abflüsse, baute Türen und Fenster ein und zahlte die ganze Zeit Schutzgeld. Aber als dann sein Vater und seine jüngeren Brüder auf der Hauptstraße von Bendery von einem Schergen dieser Gangster erschossen wurden, weil sie es gewagt hatten, die Schutzgelderhöhung in Frage zu stellen, wurde ihm klar, dass Arbeit nur etwas für Versager war und dass der schlaue alte Brummbär recht hatte (die gefährlichen Bücher waren wahrscheinlich genau aus dem Grund im Giftschrank gelandet) – wer zur Elite gehören wollte, musste lernen, anderer Leute Arbeit anzuzapfen und sich reich machen zu lassen. Ernten, wofür sich andere abrackern – die Versager. Das ist der einzige Weg.

Und so setzte er sich mit dem kosovarischen Gauner und Asylbetrüger in Verbindung, der seine Schwestern verschleppt hatte, und bot ihm vier Mädchen im Austausch für ein Ticket nach England an. Als es so weit war, fand er nur drei – die beiden Töchter seiner verarmten früheren Englischlehrerin, die man gefeuert hatte, weil sie sich weigerte, in kyrillischer Schrift Englisch zu unterrichten, und ein taubstummes Mädchen, das auf dem Markt eingelegte Pilze verkaufte. Der kosovarische Gauner besorgte ihnen allen griechische Pässe, und Vitali eskortierte sie auf der Fähre nach Dover, wo der Gauner, der unter dem Namen Mr. Smith arbeitete, ihm die Mädchen abnahm und ihn seinem Onkel

Vulk vorstellte, der einst in Slowenien und Deutschland ein ähnliches Geschäft aufgezogen hatte, der wiederum stellte ihn Bauer Leapish vor, der den Fehler beging, ihn seiner Frau vorzustellen (haha), die ihn Jim Nightingale von Nightingale Human Solutions vorstellte. So läuft es in der Welt des Business – du brauchst Kontakte, und wenn du die richtigen Kontakte hast, kannst du alles verkaufen.

Und jetzt, nur vier Monate später, sitzt du am besten Tisch eines teuren Londoner Restaurants, in einem piekfeinen teuren Anzug (der rasierte Schädel und die Goldkette mit dem Taschenmesser gehören der Vergangenheit an, sie hätten auf manche Angliski-Businessmen den falschen Eindruck gemacht), mit einer echten Rolex Explorer II, keine dieser billigen Kopien, denen jeder Dummkopf ansieht, dass es Fälschungen sind, mit einem eisgekühlten Glas beruhigend teurem neuseeländischem Blind River Sauvignon Blanc, und wartest auf deinen Kunden, machst von diesem attraktiven und potentiell sehr teuren Mädchen mit deinem teuren Nokia N94i ein Foto und siehst dich vor dem angenehmen Dilemma, ob du sie für dich behalten oder verkaufen sollst. Du kennst ein paar Typen, die vielleicht interessiert wären, wenn du ihnen ein Foto schickst.

In Bendery gab es hübsche, unschuldige Mädchen wie dieses an jeder Ecke, genaugenommen hast du mehrere davon persönlich entjungfert – das war nach Rosa, nach dem Krieg, nach dem Töten –, und seit kurzem denkst du, dass es zwar gut und schön ist, viel Geld für Statussymbole auszugeben, für Anzüge, Uhren, Telefone, Mädchen, und wahrscheinlich auch eine Investition, denn so kreierst du das richtige Image für dein Business, aber wenn du ernsthaft reich werden willst, darfst du nicht alles aus dem Fenster werfen, sondern musst etwas zurücklegen, investieren, Kapital aufbauen, und Immobilien sind höllisch teuer hier in

London. Und du könntest wirklich ein bisschen Cash gebrauchen.

Den meisten Leuten ist einfach nicht klar, was für ein Kampf es war – was für ein einsamer Kampf –, dort wegzukommen, aus dem Nirgendwo an der Grenze einer nicht anerkannten Republik, die eigentlich nicht mehr ist als ein Stück Land mit einem halben Dutzend Dörfer, gefährlich eingeklemmt zwischen dem Ostufer des Dnjestr und der Westgrenze der Ukraine, und dich hier im seriösen Westen als moderner kompetenter Vermittlungsagent für qualifiziertes Fachpersonal zu etablieren. Sie verstehen nicht, wie dynamisch du sein musst, und wie gnadenlos manchmal, und wie einsam es ist, niemandem vertrauen zu können, überhaupt niemandem, denn der nächstbeste Windhund nimmt sofort die Chance wahr, dich über den Tisch zu ziehen und dir das Geschäft zu klauen, und deine engsten Businesspartner sind zugleich deine tödlichsten Feinde.

Denn beim Übergang von der alten Welt in die neue, wie schon der scharfsinnige alte Buschbart schrieb, werden alle festgefügten Verbindungen fortgewischt, alles Bestehende löst sich auf, alles Heilige wird entweiht, und ein Mann muss die richtigen Entscheidungen für sein Leben und die Beziehungen zu anderen treffen. Denn in der neuen Welt gibt es nur Rivalen oder Versager, und nichts dazwischen. Und natürlich Frauen.

Mit diesem unverschämten Lächeln hat sie sich neben ihn gestellt.

»Andrij. Vitali ist da. Vitali vom Erdbeerfeld.«

»Wo?«

Das fehlt gerade noch. Dass der Mobilfon-Mann kommt und ihn auslacht, wie er hier bis zu den Ellbogen im Spülwasser steht.

»Hier. Im Restaurant. Er sitzt am Fenster.«

»Was will er?«

»Er sagt, er hat einen Job für uns. Einen Super-Job. Gourmetcatering am Flughafen Heathrow.«

Andrij spürt, wie die Wut in ihm aufsteigt. »Irina, wenn du mit Vitali gehen willst, mach, was du willst. Ich habe jedenfalls kein Interesse an dem Job.«

Als er in die heiße, beißende Lauge greift und ein paar glitschige Teller herausfischt, spürt er, wie rot und wund seine Hände sind.

»Er sagt, die Bezahlung ist gut. Und es ist saubere Arbeit. Vielleicht wäre das besser für dich, Andrij. Besser als Tellerwaschen.«

»Er weiß, dass ich Teller wasche?«

»Ich habe ihm gesagt, dass wir hier arbeiten, um ein bisschen Geld zu verdienen. Geh wenigstens raus und rede mit ihm.«

»Was hast du sonst noch zu ihm gesagt?«

Eigentlich kann sie ja nichts dafür, die Kleine. Sie begreift nur rein gar nichts.

»Ich weiß nicht. Was ist denn los, Andrij? Er will uns doch nur helfen.«

»Sich selbst will er helfen, sonst nichts.« Mit einem feuchten Tuch trocknet er sich die Hände ab. »Hast du ihm das Glas eingeschenkt, Irina? Hast du ihn in deinen Ausschnitt sehen lassen?«

»Hör auf, Andrij. Warum bist du so?«

»Hat er dir sein Mobilfon gezeigt?«

»Geh hin und sag hallo. Er ist dein Freund, oder nicht?«

»Ich weiß selber, was ich ihm zu sagen habe.«

Er stellt die seifigen Teller auf das Gestell, tritt die Schwingtür in den Gastraum auf und sieht sich um. Vitali sitzt an einem der Fenstertische, nippt an einem Weinglas und fummelt demonstrativ an seinem Mobilfon herum. Wo hat er diesen schicken Anzug her? Auf einmal fliegt die Tür zur Straße auf und ein Mann kommt herein – ein großer Mann mit rasiertem Schädel und mit einer hässlichen Narbe über Wange und Lippe. Wie versteinert bleibt Andrij in der Schwingtür stehen und beobachtet, wie das Narbengesicht Vitali entdeckt, quer durch das Restaurant marschiert und sich vor ihm aufbaut. Andrij hat das Gefühl, er hat den Typ schon mal gesehen, aber er kann sich nicht erinnern, wo. Irina ist in der Küche, außer Sichtweite. Jetzt kommt Zita, die nach Irina sucht, damit sie den neuen Gast bedient.

Das Narbengesicht sagt – seine Stimme ist so laut, dass jeder im Raum ihn hören kann: »Wo ist sie?«

»Sie ist hier«, sagt Vitali. »Setz dich doch.«

»Du schuldest mir ein Mädchen, toter Mann. Du hast versprochen vier, aber ich habe bekommen nur drei.«

»Bitte, Smitja, setz dich«, sagt Vitali leise. »Wir können über alles reden. Trink etwas.« Er winkt Zita herbei.

»Die chinesischen Schlampen, die du hast mir verkauft. Kein von beide war Jungfrau. Du hast mir verarscht.«

Jetzt fällt Andrij ein, woher er ihn kennt. Vitali hebt beschwichtigend die Hände. »Okay. Wir machen Deal, mein Freund. Ich habe Vorschlag für dich.«

»Zeig mir die Kleine.«

»Gleich. Sie ist hier. Setz dich. Ich hole sie.«

Andrij läuft der Schweiß über die Stirn. Er ist vor Wut wie versteinert. Wenn er eine Pistole in der Hand hätte, würde er Vitali hier und jetzt erschießen, denkt er. Stattdessen stellt er sich leise hinter die Küchentür, wo Vitali ihn nicht sehen kann. Irina hat sich irgendwo versteckt.

Der Mann mit der Narbe sieht sich hektisch um. Sein Blick fällt auf Zita.

»Ist sie das? Dies hässliche Ziege? Hältst du mich für total Gemüse?«

»Bitte, Smitja. Wir sind zivilisierte Leute, nicht Gangster. Lass uns über Geschäft reden.«

»Du verarschst mich nicht noch mal.« Auf seiner bleichen Haut hebt sich die Narbe jetzt lila ab. »Hast du wohl vergessen, wer ich bin, toter Mann. Du denkst, wir reden clever Geschäft? Du vergisst, wie wir hier Geschäfte machen.«

Andrij sieht, wie der Mann einen Revolver aus der Jackentasche zieht. Alles spielt sich wie in Zeitlupe ab. Er sieht das narbige Grinsen über den gebleckten Zähnen. Er sieht die Angst in Vitalis Gesicht. Zita schreit. Der Mann feuert vier Schüsse ab: zwei auf Vitali, einen auf Zita und einen auf den Spiegel hinter der Bar.

Peng. Peng. Peng. Peng.

Die schnelle Folge der Schüsse hallt wie unterirdische Explosionen in dem geschlossenen Raum. Andrij legt sich die Hände auf die Ohren. Um ihn herum bricht Chaos aus, Schreie und berstendes Glas, Zita fällt zu Boden, Vitali sackt auf dem Tisch zusammen, und das junge Paar, das zum Mittagessen da ist, fängt hysterisch zu kreischen an. Der Mann mit der Narbe dreht sich um, geht eilig auf die Restauranttür zu und verschwindet auf der Straße.

In der Stille, die folgt, hört Andrij, wie Gilbert aus der Küche brüllt: »Was zum Teufel ist denn los da draußen?« Er hört, wie die junge Frau mit ihrem Handy die Polizei ruft. Er hört Zitas langgezogenes, zitterndes Stöhnen, als sie die zertrümmerte Masse aus Fleisch, Blut und Knochen anstarrt, die von ihrem Bein übrig ist. Von Vitali kommt kein Laut. Vorsichtig geht Andrij zu dem Tisch, wo Vitali liegt. Auf dem weißen Damast breitet sich ein roter Fleck aus, und aus den beiden klaffenden Löchern in Vitalis Stirn quillt eine graue Masse. Seine Augen sind offen. Die Finger umklammern immer noch den Stiel des Weinglases, das in seiner Hand zerbrochen ist. Plötzlich schrillt eine seltsame Melodie aus seiner Jacke – ein grotesk fröhliches Geklingel – di di daa da – di di daa da – di di daa da – daa! Es klingelt eine Weile, dann ist es wieder still.

Andrij starrt ihn an. Grauen breitet sich in ihm aus wie der rote Fleck auf der Tischdecke. Grauen und Schuldgefühle. Hätte er dazwischengehen sollen? Hätte er ihn retten können? Hat er Vitalis Tod heraufbeschworen mit seiner unausgesprochenen Wut? Aus irgendeinem Grund will er lachen – er muss sich den Mund zuhalten, um es zu verhindern. Sein nächster Impuls ist wegzulaufen – vor dem Tod, hinaus ins Sonnenlicht, in die Welt der Lebenden.

Dann übernimmt der massige Gilbert das Ruder, erstaunlich gefasst. Er befiehlt dem Paar, den Mund zu halten, sich hinzusetzen und auf die Polizei zu warten, dann versucht er Zitas Wunde mit frischen Servietten zu verbinden.

»Du kannst gehen, wenn du willst.« Er zieht Andrij diskret zur Seite. »Wenn du mit der Polizei nichts zu tun haben willst.«

»Ist okay«, sagt Andrij. Dann fällt ihm der Revolver in seinem Rucksack ein.

Als er in die Küche zurückgeht, stellt er fest, dass alle anderen verschwunden sind. Nur Irina ist noch da. Sie hält sich mit beiden Händen an der Spüle fest, als müsste sie sich gleich übergeben.

»Geht's?«

Sie nickt schweigend. Aber es sieht nicht so aus, als ob es ihr gut ginge.

»Und du?«

»Ja. Geht.«

»Wo sind alle hin?«, fragt sie. Sie zittert am ganzen Körper.

»Ich glaube, sie sind weg. Sie sind alle illegal. Bis auf Gilbert. Jemand hat die Polizei gerufen.«

Im Gastraum ruft Gilbert nach Eiswürfeln. Andrij nimmt eine Schüssel, füllt sie mit Eis und bringt sie zu ihm raus. Gilbert versucht zwischen den Tischen Zitas Wunde abzubinden. Seine fleischigen Hände arbeiten erstaunlich flink, als er aus zusammengeknoteten Servietten eine Schlinge bindet. Der Geruch von Pulver hängt in der Luft. Das junge Paar starrt sprachlos auf Vitalis Wunde, aus der kein Blut mehr strömt. Das Blut ist geronnen, genau wie die Soße auf ihren Tellern. Die Frau weint leise.

Plötzlich geht die Tür des Restaurants auf. Andrij blickt auf, er rechnet mit der Polizei oder dem Notarzt, doch stattdessen kommt ein untersetzter Kerl herein, der in einer Hand ein Handy und in der anderen einen Blumenstrauß hält. Er sieht aus wie ein ganz normaler Gast, der sich aufs Essen freut und nur zufällig in die grauenhafte Szene stolpert. Aber es ist kein normaler Gast. Es ist Vulk.

Vulk bleibt in der Tür stehen und sieht sich langsam um, als müsste er erst begreifen, was das Chaos zu bedeuten hat. Sein breites Gesicht verrät keine Emotion. Geräuschlos zieht Andrij sich zurück. Sein Herz rast. Vulk geht zu Vitali, mustert den zusammengesackten Körper und murmelt etwas. Als Andrij gerade durch die Küchentür verschwinden will, sieht er auf. Ihre Blicke treffen sich. Vulk macht einen Satz auf ihn zu, doch Gilbert hält ihn mit einem muskulösen Arm auf.

»Tut mir leid, Sir. Wir haben geschlossen.«

Vulk versucht, an Gilbert vorbeizukommen, und drischt mit den Blumen auf ihn ein, aber Gilbert ist so groß wie er. Er lässt ihn nicht durch.

»Haben Sie nicht gehört? Wir haben zu.«

»Hrr!« Mit einem kräftigen Stoß bahnt sich Vulk den Weg

in die Küche. Doch die paar Sekunden, die Gilbert ihm verschafft hat, reichen Andrij, um Irina zu packen, sie mit in die Speisekammer zu zerren und von innen abzuschließen. Klack.

Es ist kalt in der Speisekammer und es riecht nach Zwiebeln. Der Lichtschalter ist außen. Im Dunkeln warten sie und lauschen. Irina zittert und wimmert. Er hält sie fest, legt ihr die Hand auf den Mund, damit sie still bleibt. Er spürt, wie das Herz in ihrer Brust springt. Auf der anderen Seite der Tür hören sie Vulk, der in der Küche randaliert. Geschirr wird zerschlagen, ein Topf rollt scheppernd über den Boden, und dann brüllt er wie ein wildgewordenes Tier: »*Kleinerr Blume*!« Ein Rütteln an der Tür der Speisekammer, die Klinke wird gedrückt, aber das Schloss hält. Jemand knipst den Lichtschalter an und aus, und einen Moment lang sehen sie einander in die angsterfüllten Augen.

»Kleinerr Blume! Du nix versteck vor Vulk. Ich finde überall!«

Dann ist es wieder dunkel.

Er hält sie noch fester. Kurz darauf hört er Gilbert.

»Was zum Teufel machst du hier? Raus hier, du Arschloch!«

Dann knallt und kracht es wieder, jemand schreit, Vulk oder Gilbert oder sonst jemand. Dann ist es plötzlich still in der Küche. Von ferne hören sie Sirenen.

»Ist er weg?«, flüstert Irina.

Andrij lauscht. »Ich glaube schon.«

So leise es geht, dreht er den Schlüssel im Schloss und öffnet die Tür einen Spalt. Im Gastraum hört er Stimmen, aber die Küche ist leer. Er geht auf Zehenspitzen zur Spülküche. Keiner da. Auch in der Garderobe ist niemand. Er wirft einen Blick durch das hintere Fenster. Der Hof ist leer. Dann holt er seinen Rucksack und Irinas gestreifte Tasche aus der Garderobe – seit dem Zwischenfall mit den Kindern lassen sie nichts Wertvolles im Wohnwagen – und kehrt zur Speisekammer zurück. Die Tür ist verriegelt. Sie hat sich wieder eingeschlossen. Leise klopft er an.

»Mach auf. Schnell. Ich bin es.«

Er hört, wie sich der Schlüssel dreht. Klack. Sie öffnet zwei Zentimeter und steckt die Nase heraus.

»Ist er weg?«

»Ja. Hauen wir ab!«

Andrij nimmt Irina bei der Hand, und zusammen schleichen sie sich durch die Küche, dann zur Hintertür hinaus ins Freie. Niemand in Sicht. Als sie auf der Straße sind, fangen sie an zu rennen. Jetzt sind überall Sirenen zu hören. Er hat sich die Taschen über die Schulter gehängt, hält ihre Hand und zieht sie mit. Der Wohnwagen ist nur ein paar Blocks entfernt. Zumindest dachte er das. Vielleicht am nächsten Block. Nein? Vielleicht am nächsten? Nein, es war bestimmt da drüben, hinter den Mülltonnen. Sie kehren um. Jetzt rennen sie nicht mehr, sondern gehen keuchend. Sie gehen noch ein paar Mal um den Block, bis sie einsehen, dass der Wohnwagen weg ist.

Er setzt sich auf das Pflaster und legt den Kopf in die Hände. Als er die Beine ausstreckt, fühlen sie sich an wie Blei. Sein Herz klopft immer noch wie wild. Der Wohnwagen und der Landrover. Die Schlafsäcke. Ein paar Kleider. Die Karotten. Die Wasserflaschen. Alles weg.

»Hund! Sie haben sogar Hund mitgenommen!«

Doch im selben Moment, als ihm klar wird, was er alles verloren hat, denkt ein anderer Teil von ihm, du bist am Leben, Andrij Palenko, und der Mobilfon-Mann ist tot. Sein Blut trocknet an seinem schicken Anzug, und deins pumpt durch deine Adern. Und du hast das Mädchen im Arm gehalten und hast ihren Körper gespürt, weich und fest, zart und geschmeidig, mit sanften Kurven. Und jetzt willst du mehr.

Aber genau da liegt das Problem: Alle wollen mehr – der Mann mit dem Zwanzigpfundschein, Vulk, Vitali und die zwielichtigen Kohorten ihrer Kunden – sie alle wollen, was du willst. Sich im süßen Teich ihrer Jugend baden. Dieses anständige junge Mädchen, frisch wie der Monat Mai. Und das spürt sie auch. Kein Wunder, dass sie zittert wie ein gejagter Hase. Kein Wunder, dass sie die ganze Zeit zusammenzuckt. Lass sie in Ruhe, Andrij. Sei ein Mann.

ICH BIN HUND ICH LAUFE ICH FRESSE ZWEI TAUBEN MEIN MANN UND DÜMMER-ALS-SCHAF-FRAU SIND FORT ICH BIN HUND ALLEIN ZWEI MÄNNER KOMMEN NEHMEN RÄDERHAUS ICH BELLE ICH KNURRE ICH SPRINGE ICH BEISSE BÖSER HUND SAGT EIN MANN ER IST BÖSER MANN ICH BIN BÖSER HUND ICH BIN TRAURIGER HUND ICH BIN HUND ALLEIN RÄDERMASCHINE IST WEG RÄDERHAUS IST WEG BÖSER MANN PACKT MICH ZERRT MICH IN RÄDERKÄFIG MIT VIELEN TRAURIGEN HUNDEN WOHIN INS HUNDEHEIM SAGT TRAURIGER HUND HUNDEHEIM IST NICHT GUT SAGT TRAURIGER HUND ALLE HUNDE IM HEIM WOHNEN IN KÄFIGEN KLEINE KÄFIGE UND ALLES RIECHT NACH HUNDETRAUER NACHTS HEULEN TRAURIGE HUNDE SIE HABEN KEINEN MANN ICH WILL NICHT IN TRAURIGES HUNDEHEIM ICH BIN LAUFHUND MANN MACHT RÄDERKÄFIG AUF ICH SPRINGE ICH LAUFE MANN LÄUFT ICH LAUFE SCHNELLER ICH LAUFE WEG VOM RÄDERKÄFIG ICH LAUFE WEG VON HUNDETRAUER ICH SUCHE MEINEN MANN IN DER NÄHE VON TAUBENPLATZ ICH LAUFE ICH LAUFE ICH BIN HUND

Als er mich in der Speisekammer festhielt und mich an sich drückte und ich seine Arme um mich spürte, so stark und fürsorglich, da, in diesem Moment wusste ich, dass er der Richtige war. Es war dunkel. Ich konnte nichts sehen. Ich konnte nur riechen und fühlen. Ich roch Zwiebeln und Gewürze und ihn, als ich das Gesicht an seine Brust drückte, seinen warmen, nussigen Geruch, und ich spürte, wie unsere Herzen im Einklang schlugen. Bumm. Bumm. Bumm. Obwohl ich schreckliche Angst hatte, bei ihm fühlte ich mich geborgen. Es war wunderschön, wie die Stelle in *Krieg und Frieden*, als Natascha und Pierre endlich begreifen, dass sie füreinander bestimmt sind. Außer dass er es anscheinend noch nicht begriffen hatte.

Später nahm er mich bei der Hand, als wir rannten, was zwar keine Geste der Leidenschaft war, aber romantisch war es doch. Und ich dachte, selbst wenn sie nicht immer ewig hielt, die Romantik zwischen Mann und Frau, man musste doch daran glauben, oder? Denn wenn man nicht an die Liebe glaubt, woran soll man sonst glauben? Und jetzt, wo ich den Richtigen gefunden hatte, war es nur noch eine Frage der Zeit bis zum ersten Mal. Vielleicht schon heute Nacht, nur er und ich in unserem kleinen Wohnwagen, eng umschlungen auf dem ausklappbaren Doppelbett. Okay, ich wusste, es war nicht alles wie in *Krieg und Frieden*, aber na und?

Als wir merkten, dass der Wohnwagen weg war und wir keinen Zufluchtsort hatten, setzte er sich auf den Bordstein und ließ den Kopf hängen, und ich legte den Arm um ihn, weil ich dachte, er würde gleich weinen. Aber er sagte nur: »Hund! Sie haben sogar Hund mitgenommen!«

Es ist so süß, wie er an diesem schrecklichen Köter hängt. Ich dachte daran, dass sie auch meine neue Dreißig-Pfund-Hose mitgenommen hatten, was zu dumm war, weil ich sie noch keinmal getragen hatte, aber das sagte ich nicht.

Außerdem war ich traurig, dass unser gemütlicher kleiner Wohnwagen weg war, vor allem, als mir klar wurde, dass heute wohl doch nicht das erste Mal stattfinden würde. Dann zeigte ich Andrij den gelbschwarzen Aufkleber von der Windschutzscheibe, und mit einem ziemlich hässlichen Unterton sagte er: »Warum hast du mir das nicht gleich gezeigt?« Aber im nächsten Moment entschuldigte er sich: »Tut mir leid, Irina. Ist nicht deine Schuld. Wahrscheinlich war es sowieso schon zu spät.«

Es ist so süß, wenn er sich entschuldigt. Nicht viele Männer können das.

Wir saßen nebeneinander auf dem Bordstein, mit nichts als dem, was in unseren Taschen war. Wir hatten noch nicht mal den Lohn für die erste Woche bekommen. Wenigstens hatte ich etwas Trinkgeld. Jetzt bereute ich, dass ich die Hose gekauft hatte. Andrij sagte, wir sollten London verlassen und direkt nach Sheffield fahren, und ich sagte, ich würde mit ihm kommen. Manchmal muss man dem Mann die Entscheidung überlassen.

Wir verbrachten die Nacht im Freien, zusammengekuschelt auf einer Parkbank an einem Platz nicht weit von der Gasse, wo der Wohnwagen gestanden hatte, weil Andrij hoffte, der Hund würde vielleicht zurückkommen. Wir zogen alles an, was wir hatten, und dann suchten wir ein paar Zeitungen und Pappkartons zusammen, die wir uns unterlegten, und vor einem Laden fanden wir zwei unbenutzte schwarze Mülltüten, die wir als Schlafsäcke benutzten. Und obwohl es kalt wurde in der Nacht, war es, glaube ich, eine der glücklichsten Nächte meines Lebens, denn ich fühlte mich so geborgen in seinen Armen, an seinem Körper, stark wie ein Baum, um uns herum all die strahlenden Lichter der Stadt und über uns die Sterne, die schwach am Himmel funkelten.

Wir fanden nicht viel Schlaf, weil dauernd Leute kamen und mit uns redeten – Säufer, religiöse Typen, die Polizei, Drogendealer, ausländische Touristen, ein Mann, der fragte, ob wir für ein paar Fotos posieren wollten, ein anderer, der uns für die Nacht ein Bett in seiner Luxusunterkunft anbot, was, wie ich fand, sehr nett klang, doch Andrij lehnte höflich ab: »Nein, danke.« Eine Frau, die die Tauben fütterte, gab uns das Brot, das sie mitgebracht hatte, und ein bisschen Kuchen. Ein Mann brachte uns Kaffee. Es war erstaunlich, wie viele nette Menschen es hier in England gab. Aus irgendeinem Grund machte mich dieser Gedanke ganz rührselig.

»Warum weinst du denn?«, fragte er.

»Ich weiß nicht«, sagte ich schniefend. Er musste mich wirklich für dämlich halten. »Erzähl mir von Sheffield.«

»Also, Irina, Sheffield ist eine der großen Städte Europas«, sagte er mit seinem komischen Donbass-Tonfall, doch diesmal lachte ich nicht. »Es gibt breite, breite Alleen mit Bäumen, die im Sommer Schatten spenden, und viele marmorne Brunnen mit kühlen Wasserspielen, und es gibt Plätze und Parks voller Blumen, und rote und lila Bougainvilleen, die an den Schlossmauern wachsen.«

»Ist das wirklich wahr?«, fragte ich.

»Ich glaube schon.«

»Erzähl weiter.«

»Die Einwohner sind weltbekannt für ihre Sanftmut und Güte und für ihre Gastfreundschaft Fremden gegenüber, denn ihr Anführer hat sie gelehrt, in Frieden zu leben. Vlunki ist ein sehr weiser Mann, der oben auf dem Berg wohnt, in dem mit Bougainvilleen bewachsenen Schloss. Er ist ein Visionär, obwohl er blind ist. Wenn wir in Sheffield sind, Irina, sind wir in Sicherheit, und alle unsere Probleme haben ein Ende.«

Ich erinnere mich nicht, was er noch gesagt hat, weil ich einschlief, in seinen Armen.

Als wir am Morgen aufwachten, war der Platz voller Tauben, und Hund saß zu Andrijs Füßen und wedelte mit dem Schwanz.

Er sieht sie ganz deutlich vor sich – die Brunnen. War das in Jalta oder in Sheffield? Und die Bougainvilleen, die üppig über die Mauern wuchern, Kaskaden von roten und lila Blüten, die über den Stein hinunterwallen. Er hatte seinen Vater nach dem Namen der Pflanze gefragt. Ja, wahrscheinlich war das in Jalta gewesen. Was für eine schöne Stadt. In den alten Zeiten, in den Tagen der Sowjetunion, als ein Bergmann noch jemand war und ein Bergbaugewerkschafter noch etwas zu sagen hatte. In Jalta gab es ein Sanatorium für Bergarbeiter und ihre Familien, wo sie jeden Sommer verbrachten. Bestimmt gibt es etwas Ähnliches auch in Sheffield? Alle Häuser waren aus weißem Stein, und sie leuchteten in der Sonne. Das waren schöne Zeiten.

Du hast ihr von Vlunki, dem blinden Führer, erzählt, von seinen Worte des Friedens und dem herzlichen Willkommen, das euch in Sheffield erwartet. Wäre es nicht an der Zeit, Andrij Palenko, dass du ihr auch von Vagvaga Riskegipd erzählst?

Denn plötzlich will sie mit dir kommen, und sie ist ein anständiges Mädchen, ein Mädchen aus gutem Haus, und sie scheint dich zu mögen. Und auch wenn sie manchmal dumme Vorstellungen hat und nicht weiß, was sie will – du darfst ihr nichts vormachen, wenn du sie in Sheffield verlassen willst. Du musst dich entscheiden, so oder so. Vielleicht ist jetzt der Zeitpunkt, deine Chance bei diesem Mädchen wahrzumachen und Vagvaga Riskegipd und *angliski rosi* und rote Ferraris zu vergessen, die wahrscheinlich sowieso eine blöde Idee waren. Bye-bye, Ende, aus.

Und mach dir keine Sorgen wegen Vulk und Vitali und Mr. Zwanzigpfundschein. Du gehörst zu einer anderen Kategorie. Denn du bist der Mann, der sie beschützen wird und glücklich machen kann mit seiner Liebe. Früher oder später – eher früher, das siehst du daran, wie sie in die Welt blickt und jeden Mann anlächelt, der ihr über den Weg läuft – früher oder später kommt jemand und greift zu und behält sie für sich allein. Und dieser Jemand könntest du sein, Andrij Palenko.

Four Gables

Da standen wir also, an der North Circular Road, auf dem Weg nach Sheffield. Vor uns wälzte sich ein riesiger Strom aus Metall – eigentlich waren es zwei Ströme – in beide Richtungen, und die Autos blitzten in der Sonne, schwarz, blau, silbern, weiß, Welle für Welle, wie ein endloser Fluss, der sich ins Meer ergießt. Meiner Meinung nach gab es in England viel zu viele Autos. Andrij dagegen beobachtete den Verkehr wie verzaubert, blieb mit dem Blick an einzelnen Autos kleben, verrenkte sich den Hals. Einmal rief er: »Schau, Irina, siehst du den Ferrari?«

»Mhm. Ja. Wunderschön«, sagte ich, obwohl ich fand, dass sie alle gleich aussahen, bis auf die Farben. Aber das muss man tun bei Männern, ihre Interessen teilen.

Meine arme Mama hatte es versucht. Um Papas Interesse für die Politik zu teilen, wurde sie orange, stellte sich auf den Platz und skandierte für Juschtschenko. Aber anscheinend teilte er mehr mit Switlana Surocha.

»Wo das Herz die Hoffnung verliert, beginnt die Sklaverei«, hatte Papa gesagt. »Hoffnung ist der erste Schritt zur Freiheit.«

Und Mama sagte darauf: »Mein Herz hat noch Hoffnung, dass du eines Tages lernst, das Geschirr zu spülen.«

Sehen Sie? Mama ist selbst schuld. Sie hätte sich mehr

Mühe geben sollen. Vielleicht muss ich eben am Straßenrand stehen und für Ferrari skandieren.

»Andrij, was ist so besonders an einem Ferrari?«, fragte ich.

Er machte ein todernstes Gesicht und runzelte die Stirn. »Weißt du, Irina, worauf es ankommt, ist die Technik. Manche sagen, es ist das Design, aber ich bin der Meinung, das Besondere am Ferrari ist die hohe Qualität des V12-Motors. Quergetriebe. Trockensumpfschmierung.«

»Mhm«, sagte ich.

Mir war es lieber, wenn er von Sheffield sprach.

Es war zwar noch früh am Morgen, aber die Sonne brannte bereits herunter, die Luft war schlecht und es roch nach verbranntem Öl und heißem Asphalt. Trotz des Stroms von Autos dauerte es fast eine Stunde, bis jemand anhielt, um uns mitzunehmen. Es war ein uralter Mann, so gut wie kahl, mit dicken Brillengläsern. Auch sein Auto war uralt, mit Rostflecken an den Türen. Die Sitzpolster bestanden aus quadratischen Schaumstoffkissen, die in verschossenen Strickbezügen steckten. Ich sah die Enttäuschung auf Andrijs Gesicht.

Schon nach kurzer Zeit merkten wir, dass auch mit seiner Fahrweise etwas nicht stimmte. Dauernd wechselte er die Spur und überholte auf beiden Seiten. Wenn er beschleunigte, machte der Motor schreckliche Geräusche und der ganze Wagen bebte, als würden gleich die Räder abfallen. Andrij hielt sich mit beiden Händen am Gurt fest. Sogar Hund sah beunruhigt aus. Ab und zu drückte der alte Mann beim Überholen auf die Hupe: Tuut! Tuut! Tuut!, und schrie: »Noch so ein Kraut, den wir vom Himmel geschossen haben!«

»Warum schreit er die Autos an?«, fragte ich Andrij flüsternd.

»Deutsche Autos«, sagte Andrij leise. »Volkswagen. BMW.«

Ich fand, man hätte ihm den Führerschein abnehmen sollen.

Der Mann erkundigte sich, wo wir herkamen, und als ich Ukraine sagte, meinte er, Ukrainer seien feine Menschen, großartige Verbündete, und schüttelte mir die Hand, als hätte ich den Krieg persönlich gewonnen, und wir kamen fast von der Straße ab. Dann passierten wir einen Toyota, und er hupte, Tuut! Tuut!, und rief: »Du kleine gelbe Ratte!«, was sehr merkwürdig war, denn es war ein rotes Auto.

»Ich frage mich, was er tut, wenn er einen Ferrari überholt«, flüsterte ich Andrij ins Ohr, aber Andrij sagte, das wäre unmöglich.

Dann nahm er auf einmal eine Ausfahrt, jagte um einen Kreisel, bog links ab, und plötzlich waren wir auf einer kleinen Landstraße.

»Ist das der Weg nach Sheffield?«, fragte ich.

»Ja, ja. In der Nähe von Luton. Das liegt auf eurem Weg.«

Vor uns tuckerte ein alter blauer VW Polo langsam vor sich hin. Unser Fahrer fuhr dicht auf und fing an zu hupen und aufzublenden. Doch der Polo ließ sich nicht stören. Schließlich gab unser Fahrer Gas und setzte zum Überholen an. Andrij und ich hielten die Luft an. Die Straße war viel zu kurvig, um zu sehen, ob uns etwas entgegenkam. Als er mitten in einer Kurve an dem Polo vorbeifuhr, tauchte ein großer grauer Wagen vor uns auf und raste auf uns zu. Unser Fahrer bremste. Dann überlegte er es sich anders und trat aufs Gas. Der Wagen machte einen Satz nach vorn, dann schnitt der Fahrer nach rechts rein. Bremsen quietschten. Der Polo musste ausweichen und landete mit zwei Rädern im Graben. Der graue Wagen schleuderte und landete im Graben auf der anderen Seite. Unser Fahrer fuhr weiter.

»Na bitte!«, sagte er und machte ein zufriedenes Gesicht.

Ich sah Andrij an. Er war kreidebleich geworden.

»Wir müssen hier raus«, flüsterte er.

»Entschuldigen Sie bitte. Bitte halten Sie an«, rief ich. »Ich muss auf die Toilette. Dringend.«

Der Fahrer hielt. Andrij und Hund sprangen mit unseren Taschen vom Rücksitz, und ich sprang vom Beifahrersitz, und wir rannten, so schnell wir konnten, die Straße zurück, bis wir außer Sichtweite waren. Dann setzten wir uns an den Straßenrand und warteten, bis unsere Beine zu zittern aufhörten und wir wieder Luft bekamen.

Wir waren gestrandet, auf einer kleinen Landstraße mitten im Nirgendwo, und nicht ein Auto kam vorbei. Andrij meinte, wir sollten am besten zurück zur Autobahn gehen, und so machten wir uns auf den Weg. Wenn ein Wagen vorbeikam, wollten wir den Daumen raushalten, doch es kam kein einziger.

Wir mussten fast einen Kilometer gelaufen sein, als wir den blauen VW Polo wiedersahen, der immer noch mit zwei Rädern im Graben steckte. Die Fahrerin, eine junge Schwarze, stand daneben und sah äußerst verärgert aus.

»Brauchen Sie Hilfe, Madam?«, fragte Andrij.

Er klang so zuvorkommend, genau wie Mr. Brown. Und ich dachte, wie schön, gleich bekommen wir einen sonnengebräunten männlichen Oberkörper zu sehen. Und so war es auch. Die Frau setzte sich auf den Fahrersitz, und er stellte sich vor die Motorhaube und schob, und seine Armmuskeln schwollen an wie ... na ja, sie schwollen ganz schön an, und dann schob er den Wagen langsam, ganz langsam, auf die Straße zurück. Mmmh. Ich glaube, Mr. Brown hätte das nicht gekonnt.

Die junge Frau bot an, uns mitzunehmen. Sie war auf dem Weg nach Peterborough, und obwohl es nicht ganz die richtige Richtung war, stimmte ich zu. Ich wollte nicht den ganzen Weg zur Autobahn zurücklaufen. Sie sagte, sie könnte uns an der A1 absetzen, einer großen Straße, die nach Norden führte. Andrij und Hund stiegen wieder hinten ein, und ich setzte mich vorn auf den Beifahrersitz. Die Frau hatte eine hübsche Stupsnase und ihr Haar war zu lauter kleinen Zopfreihen geflochten, es sah aus wie Gemüsebeete in einem winzigen Garten. Ich hätte ihre Frisur am liebsten mal angefasst, aber ich wollte nicht unhöflich sein. Sie hieß Yaketa, sagte sie, und sie war Krankenschwester in der Ausbildung in einem Pflegeheim.

Als er das hörte, wurde Andrij ganz aufgeregt. »Haben Sie einen Bruder namens Emanuel?«

Wir erklärten, dass unser Freund aus Malawi eine Schwester hatte, die Krankenschwester war, und dass er den Kontakt zu ihr verloren hatte.

»In England gibt es viele afrikanische Krankenschwestern«, sagte Yaketa lachend. »Mehr als in Afrika. Ich komme aus Sambia, nicht aus Malawi, das ist das Nachbarland.« Als sie Andrijs enttäuschtes Gesicht sah, sagte sie: »Aber wo ich arbeite, gibt es auch eine Schwester aus Malawi. Vielleicht weiß sie etwas, denn die Malawier halten meistens zusammen.«

Also kamen wir überein, dass wir mit nach Peterborough fahren würden, um ihre malawische Kollegin kennenzulernen. Gemütlich gondelten wir dahin – meiner Meinung nach fahren Frauen viel besser Auto als Männer – und hatten jede Menge Zeit, uns zu unterhalten, was gut war, denn Yaketa war sehr gesprächig. Es stellte sich heraus, dass sie eigentlich gar nicht mehr in der Ausbildung war, denn sie hatte in Sambia bereits sechs Jahre lang ein medizinisches Zentrum geleitet, aber um in England zu arbeiten, wurde eine Umschulung verlangt. Sie erklärte, dass es ein neues Gesetz gab, nach dem es dem Staatlichen Gesundheitsdienst nicht erlaubt war, Schwestern aus Afrika zu rekrutieren, und daher musste sie während der Umschulung in einem privaten Pflegeheim arbeiten.

»Für Afrika ist das Gesetz gut, aber für die Schwestern ist es schlecht«, sagte sie, »denn solange man die Umschulung macht, bekommt man nur den Mindestlohn, kein richtiges Schwesterngehalt. Und dann die Abzüge. Steuern. Verpflegung. Unterkunft. Uniform. Ausbildungsgebühren. Die Gebühr für die Agentur. Am Ende der Woche bleibt nichts übrig.«

»Ja, Abzüge kenne ich«, sagte ich. »Wir sind Erdbeerpflücker. Unterkunft, Essen, Transport, alles wird vom Lohn abgezogen. In England hätte ich solchen Geiz nicht erwartet.«

»Das Schlimmste ist die Agentur«, sagte Yaketa. »Neunhundert Pfund muss ich dafür zahlen, dass sie die Stelle für mich gefunden haben.«

»Neunhundert Pfund!«, rief Andrij vom Rücksitz. »Das ist mehr, als wir für falsche Arbeitspapiere zahlen. Blutsauger!«

»Nightingale Human Solutions. Wirklich, das sind Geier, keine Nachtigallen.«

»Ist es das wert?«, fragte ich.

»Wenn ich erst mal beim Staatlichen Gesundheitsdienst bin, verdiene ich in England fünfzigmal mehr als in Sambia. Für Afrika ist das ein Problem, denn jetzt wollen alle afrikanischen Schwestern nach England kommen, und dann gibt es nicht mehr genug Schwestern für die Kranken bei uns zu Hause.«

»Das Gleiche bei uns. Lohn für Erdbeerpflücker in England ist besser als für Lehrer oder Krankenschwester in der Ukraine.« Andrij runzelte nachdenklich die Stirn, wobei er ziemlich intellektuell aussah, und das ist ganz schön sexy bei einem Mann. »Globalisierung der Wirtschaft ist ernste Sache.«

Sehen Sie? Er ist ziemlich intelligent, auch wenn er nicht sehr gebildet ist.

»Ihr kommt aus der Ukraine?«

»Ja, natürlich. Kennen Sie Leute aus der Ukraine?«, fragte ich.

Yaketa erzählte von einem alten Herrn in ihrem Pflegeheim, der Ukrainer war und der mit seinen Eigenheiten immer für Wirbel sorgte.

»Es wäre schön, wenn ihr mal mit ihm reden könntet. Vielleicht hört er auf euch, wenn ihr Ukrainisch mit ihm redet.«

»Natürlich«, sagte ich. »Wir reden gern mit ihm.«

Auf diese ukrainischen Eigenheiten war ich gespannt.

Jetzt ist es schon wieder passiert. Er wollte nach Sheffield, aber aus irgendwelchen Gründen ist er hier gelandet. Irgendwie ist Andrij genervt, von Irina, von Yaketa und von sich selbst. Warum hat er nicht einfach nein gesagt?

Das Pflegeheim Four Gables ist ein großes graues Gebäude am Stadtrand von Peterborough, von der Straße zurückgesetzt hinter eine Reihe von düsterem Immergrün. Yaketa fährt auf den Parkplatz und führt sie ins Haus. Das Erste, was Andrij bemerkt, ist der Geruch süßlich und ein bisschen wie im Zoo. Er schlägt ihm entgegen wie übler Mundgeruch, als die Tür aufgeht. Ein halbes Dutzend alter Frauen in verschiedenen Stadien der Klapprigkeit sitzen in ein paar Sesseln entlang der Wand, sie dösen mit offenem Mund oder starren vor sich hin. »Wartet hier«, sagt Yaketa. »Ich suche Blessing.« Sie setzen sich auf eine gepolsterte Bank und warten. Die Luft ist schal und schwer. Irina wird in ein merkwürdiges Gespräch mit der alten Dame verwickelt, die ihr am nächsten sitzt, sie scheint sie für ihre Nichte zu halten. Hund läuft den Korridor hinunter, auf der Fährte eines komischen Geruchs, und verschwindet. Andrij steht auf, um ihn zu suchen.

»Psst!« Ein dürrer Arm winkt ihn durch eine offene Tür. »Hier herein.«

Er betritt ein winziges Zimmer. Dieser Geruch – er erinnert ihn an den Kaninchenstall auf dem Balkon in Donezk. In der Mitte des Zimmers sitzt Hund zu Füßen einer sehr alten Dame auf dem Teppich und lässt sich mit Schokoladenkeksen aus einer Blechdose füttern.

»Hallo, junger Mann. Kommen Sie herein. Ich bin Mrs. Gayle. Wie heißen Sie?«

»Andrij Palenko.«

»Pole?«

»Nein, Ukrainer.«

»Oh, wunderbar! Ich habe eine Schwäche für ukrainische Männer. Setzen Sie sich. Nehmen Sie sich einen Keks.«

»Danke, Mrs. Gayle.« Andrij stopft sich den Keks im Ganzen in den Mund und muss husten, als er sich an den Krümeln verschluckt. Seit dem Brot letzte Nacht hat er nichts mehr gegessen.

»Nehmen Sie noch einen.«

»Danke.«

Er setzt sich auf einen Stuhl, dann merkt er, dass es eine Art Kiste mit einem gepolsterten Deckel und einer Lehne ist. Der Kaninchenstallgeruch ist durchdringend.

»Nehmen Sie zwei.«

Sie blinzelt. Oder zwinkert sie ihm zu? Ihre Augen sind klein und feucht und liegen tief in den faltigen Höhlen. Ihre Hände sind dünn und krumm wie Klauen. Werde ich eines Tages auch so sein?, fragt sich Andrij. Er kann es sich nicht vorstellen.

Er erinnert sich an das Zimmer seiner Großmutter zu Hause, in dem sich vom Boden bis zur Decke modrige Kleiderhaufen stapelten und der Platz zum Sitzen immer kleiner wurde. Es war traurig mit anzusehen, wie ihr Leben wegschrumpfte. Als sie das Wasser nicht mehr halten konnte, wurde der Geruch so stark, dass man kaum noch hineingehen konnte. Egal wie viel seine Mutter wusch und schrubbte, wie viel Puder sie verteilte, der Kaninchenstallgeruch wurde immer stärker, bis seine Großmutter am Ende starb und nur noch der Geruch übrig war. So ähnlich riecht es im Zimmer von Mrs. Gayle. Auf einmal überlegt er, was in der Kiste ist, auf der er sitzt. Was verbirgt sich unter dem Deckel?

»Meine Tochter hat mich hierher abgeschoben, nach dem Tod meines Mannes, wissen Sie. Sie sagt, dass ich rieche. Was tut man in Ihrem Land mit alten Leuten, junger Mann?«

»Bei uns leben sie normalerweise in Familie, aber manchmal gehen sie in Kloster. Frauen-Kloster ist sehr beliebt bei orthodoxe Damen.«

»Hm. Das klingt sehr nett, ein Kloster nur für Frauen.« Mrs. Gayle nagt an einem Keks. Viele Zähne hat sie nicht mehr. »Gesellschaft. Ein Dach über dem Kopf. Keine Oberschwester, die einen herumkommandiert. Und der einzige Mann, um den man sich kümmern muss, ist unser Herr Jesus …« Sie kramt in ihrer Handtasche und holt ein Päckchen Zigaretten heraus. »… der wahrscheinlich viel weniger anstrengend ist als ein Ehemann. Wahrscheinlich trinkt er auch nicht so viel.« Wieder wühlt sie in der Tasche. »Haben Sie Feuer?«

»Nein, tut mir leid. Ich nicht …«

»Im Hausmeisterzimmer gibt es Streichhölzer. Gehen Sie einfach den Gang runter, dann die Treppe in den Keller, und dann ist es links.«

Als sie Hund noch einen Keks hinhält, macht er Männchen. Das kennt Andrij gar nicht von ihm. Im Zimmer ist es sehr heiß, und der Geruch ist erdrückend. Ihm ist ein bisschen schwindlig.

»Gehen Sie schon.« Sie gibt ihm einen kleinen Klaps mit dem Stock. »Trödeln Sie nicht herum. Der Hausmeister ist gerade nicht da.«

Das Hausmeisterzimmer im Keller ist eine Höhle, vollgestopft mit altem Holz, Möbeln, die auf Reparatur warten, kaputten Geräten, obskuren Maschinenteilen und so weiter, und in den Regalen an der Wand ist eine interessante Werkzeugsammlung. Andrij bleibt in der Tür stehen. Vom Hausmeister ist nichts zu sehen. Auf dem Tisch an der Tür liegen ein Päckchen Tabak, eine lange gebogene Pfeife und eine Schachtel Streichhölzer. Er zögert. Dann nimmt er die Streichhölzer, steckt sie in die Tasche und geht wieder nach oben.

An der Tür zum Korridor ist ein Rauchen-verboten-Schild.

»Mrs. Gayle. Entschuldigung. Wissen Sie von Rauchen verboten?«

»Ha! Sie klingen schon wie meine Tochter! Die sagt mir auch immer, dass ich aufhören soll. Aber ich muss hier drin rauchen – sonst ist der Gestank nicht auszuhalten. Haben Sie die Streichhölzer?«

Er zögert. Sie stochert mit dem Stock nach ihm.

»Kommen Sie schon, junger Mann. Lassen Sie einer alten Frau das bisschen Spaß.«

Also gibt er ihr die Streichhölzer. Sie zündet sich eine Zigarette an und beginnt sofort zu husten.

»Wissen Sie, meine Tochter hat mich hier reingesteckt, weil ich Kommunistin bin. Ja, wegen meiner politischen Gesinnung haben sie mich hier eingekerkert.«

»Nein!« Kann das wahr sein? Passieren solche Dinge in England?

»Doch. Sie ist mit einem Börsenmakler verheiratet. So ein saftloser Adelsspross. Ein böser Mensch. Und jetzt bin ich hier, und sie leben in meinem Haus.« Ihr linkes Augenlid zuckt.

»Wie kann das sein?«

»Ich wollte das Haus den International Workers of the World spenden, aber sie haben es mir weggenommen. Mich gezwungen, etwas zu unterschreiben. Haben beim Sozialamt behauptet, ich wäre verrückt.« Jetzt ist sie so aufgeregt, dass sie sich noch eine Zigarette aus dem Päckchen nimmt und ansteckt, obwohl die erste noch im Aschenbecher vor sich hin glimmt. »Komme ich Ihnen etwa verrückt vor?«

»Nein. Sehr nicht verrückt, Mrs. Gayle.«

»Aber was meine Tochter nicht weiß, ist, dass ich zurückkomme. Ich werde wieder heiraten, und dann komme ich nach Hause.« Sie kichert. »Sind Sie verheiratet, junger Mann?« Wieder zuckt ihr Augenlid. Oder zwinkert sie ihm zu? Andrij spürt einen Anflug von Panik. Er schüttelt den Kopf. Sie nimmt noch ein paar tiefe Züge von der Zigarette, hustet ein-, zweimal und fährt fort: »Ja, Mr. Majevski aus Zimmer neun. Der ukrainische Gentleman. Haben Sie ihn schon kennengelernt?«

Inzwischen ist das ganze Zimmer voller Rauch. Bestimmt riecht man es schon im Flur. Wenn sie erwischt werden, kriegen sie Ärger. Andrij will die Zigarette im Aschenbecher ausdrücken, aber Mrs. Gayle hat sie ihm blitzschnell weggeschnappt und steckt sie sich in den Mund, zu der anderen Zigarette.

»Nichts da, junger Mann.« Jetzt flüstert sie vertraulich, während sie an beiden Zigaretten gleichzeitig pafft. »Er hat einen unglaublichen Sexualtrieb für einen Mann von zweiundneunzig Jahren, wissen Sie. Ja, die haben noch keine Ahnung, aber wir heiraten, und dann ziehen wir wieder zu Hause ein.«

»Das wird nette Überraschung für Ihre Tochter.«

»Eine Überraschung wird es. Ob sie nett ist, weiß ich nicht.«

Während ich wartete, dass Yaketa und Andrij zurückkamen, hörte ich plötzlich jemanden um Hilfe rufen. Es war der alte Mann in Zimmer neun. Sein Hörgerät war hinter die Sessellehne gefallen, und ich half ihm, es zu finden. Schnell stellte sich heraus, dass er der ukrainische Bewohner war, von dem Yaketa gesprochen hatte. Sobald das Hörgerät wieder an seinem Platz saß, unterhielten wir uns über die Ukraine, wie es zu seiner Zeit dort war und wie es jetzt ist. Dann räusperte er sich auf einmal und begann eine lange Rede über falsch konstruierte Hydrauliklifte und andere technische Probleme, und als er fertig war, nahm er mich plötzlich bei der Hand und sagte, ich hätte eine sehr hübsche Figur und ob ich ihn heiraten wolle.

Aus Spaß sagte ich, ich könne ihn nicht heiraten, weil ich wie Tolstoi der Meinung sei, dass eine Ehefrau die Interessen ihres Gatten teilen solle, und ich interessierte mich einfach nicht für Hydraulik.

»Oj, oj!«, rief er und schlug sich gegen die Stirn. »Ich habe noch andere Interessen. Wie wäre es mit Kunst oder Philosophie oder Poesie oder Traktoren?« Bevor ich antworten konnte, begann er ein Majakowski-Gedicht über die Liebe und das Schicksal zu rezitieren, doch nach ein paar Zeilen blieb er stecken, was ihn so aufregte, dass er anfing, nach seinen Büchern zu schreien. Also machte ich mich auf die Suche nach Yaketa.

Yaketa beruhigte Mr. Majevski und brachte ihm eine Tasse Tee. Dann machte sie uns auch einen Tee, den wir im Garten tranken. Seltsam, in Kiew kannte ich überhaupt keine Afrikaner, und hier in England bin ich schon mit zweien befreundet.

Ich erzählte Yaketa von Mr. Majevskis Heiratsantrag, und da griff sie nach meiner Hand und lachte laut.

»Jetzt weißt du, was ich mit Eigenheiten meine«, sagte sie. »Der arme alte Mann. Seit sie ihm das Getriebe weggenommen haben, ist er labil.«

»Das Getriebe?«

»Er hat eins bei sich im Zimmer aufbewahrt. Hat er dir nichts davon erzählt? Es ist ein Andenken an sein geliebtes Motorrad.«

»Aber warum hat man es ihm weggenommen?«

»Die Oberschwester hat gesagt, es ist nicht hygienisch, Motorradteile auf dem Zimmer zu haben.«

»Hm. Was soll an einem Getriebe unhygienisch sein?«

»Keine Ahnung«, sagte Yaketa. »Aber mit der Oberschwester kann man nicht diskutieren. Du weißt nicht, wie sie ist.«

»Ein Getriebe tut doch niemandem weh. Ich würde es ihm zurückgeben.«

Yaketa kicherte. »Du wärst die perfekte Frau für ihn. Vielleicht solltest du seinen Antrag annehmen. Er wäre sehr glücklich. Und in ein paar Jahren hast du einen britischen Pass und eine Erbschaft.«

»Nicht alle ukrainischen Frauen sind auf der Suche nach einem alten Mann, den sie wegen Geld heiraten können, weißt du, Yaketa.« Ich fand, ganz ehrlich, solche Klischeevorstellungen von ukrainischen Frauen waren gar nicht hilfreich. Wer hatte die bloß in die Welt gesetzt?

»Aber warum denn nicht? Wenn in meinem Land ein junges Mädchen eine gute Heirat mit einem wohlhabenden älteren Mann eingehen kann, ist es gut für die Familie. Alle sind glücklich. Heutzutage kann das Mädchen natürlich Aids bekommen, eine schreckliche Tragödie in meinem Land. Dieses Risiko gibt es bei Mr. Majevski nicht«, sagte sie schnell. »Das einzige Problem sind seine zwei Töchter. Die sind keine netten Menschen. Sie haben sich schon dreimal eingemischt, um ihn am Heiraten zu hindern.«

»Ist das wahr? Er hatte drei Verlobte?«

»Vielleicht haben sie Angst um ihr Erbe.«

»Er hat ein Erbe?«

»Mir hat er erzählt, er ist Millionär.« Ihre Augen funkelten dunkel. »Und er hat ein berühmtes Buch geschrieben. Die Geschichte des Traktors.«

Ich konnte mir sehr gut vorstellen, dass Mr. Majevski die Geschichte des Traktors aufgeschrieben hatte. Aber wie ein Millionär sah er nicht aus. Er roch auch nicht wie einer.

»Aber vielleicht hast du schon einen Liebsten.« Sie zwinkerte mir zu.

»Vielleicht«, sagte ich ganz gleichgültig.

»Weißt du was? Wenn ihr wollt, könnt ihr hierbleiben. Oben unter dem Dach ist ein Zimmer frei, in dem wir aus Sicherheitsgründen keine Patienten unterbringen können. Es steht seit Jahren leer.«

Wieder zwinkerte sie. Ich spürte, wie ich rot wurde. Dachkammern waren so unglaublich romantisch.

Wie sich herausstellt, ist die malawische Pflegerin doch nicht Emanuels Schwester, auch wenn sie Emanuel irgendwie ähnlich sieht, denkt Andrij. Sie ist sehr klein und zierlich und hat ein rundes, strahlendes Gesicht. Ihr Name ist Blessing.

»Tut mir leid, euch zu enttäuschen.« Ihr umwerfendes Lächeln erinnert ihn ebenfalls an Emanuel.

Sie sitzen zusammen im Schwesternzimmer, Yaketa und Blessing haben gerade Teepause.

»Kennst du noch andere malawische Pflegerinnen?«, fragt Yaketa.

»Meine Cousine hat in einem Altersheim in London gearbeitet, das wegen eines Skandals geschlossen wurde – der Inhaber hat die Bewohner um ihr Geld betrogen. Ein paar der Pflegerinnen waren aus Malawi. Sie haben ihren Job verloren. Ich glaube, die Agentur hat neue Arbeit für sie gefunden, aber sie mussten noch mal die Gebühr bezahlen. Nightingale Human Solutions.«

Yaketa rümpft die Nase. Sie hat eine kleine, breite Nase, wie aus glänzend poliertem Holz. Es ist eine sehr hübsche Nase, muss man sagen.

»Soll ich meine Cousine mal fragen?«

»Ja, bitte. Ich gebe Ihnen Telefonnummer von Emanuel. Vielleicht mit Ihrer Hilfe werden Bruder und Schwester vereinigt.« Er schreibt Adresse und Telefonnummer der McKenzies auf ein Blatt Papier und reicht es Blessing.

Noch ein angenehmer Gedanke schleicht sich bei ihm ein. Er hat gehört, dass schwarze Frauen ungeheuer sinnlich sind, aber bisher hatte er nie die Gelegenheit, es selbst herauszufinden. Womöglich hat er jetzt die Chance dazu? Die kleine malawische Pflegerin ist absolute Coupé-Klasse, und sie hat ein wirklich bezauberndes Lächeln. Und die andere – Yaketa –, die Art, wie sie sich bewegt, die Rundungen ihrer schönen Beine, noch hervorgehoben durch die plumpen, hochgeschnürten Schwesternschuhe, das Wiegen ihres Hinterns in der etwas zu engen Schwesternuniform. Er muss zugeben, Frauen in Uniform sind unglaublich sexy.

Schluss! Hör auf mit diesem Blödsinn, Andrij Palenko! Hier sitzt ein wunderschönes, hochklassiges ukrainisches Mädchen neben dir, und du guckst immer noch anderen

Frauen hinterher. Du stehst an einer Weggabelung, und egal für welche Richtung du dich entscheidest, du kannst nur einen Weg einschlagen. Bye-bye, Afrika Yaketa. Bye-bye, Vagvaga Riskegipd.

Bye-bye und leb wohl? Oder Bye-bye und auf Wiedersehen? Hm. Andrij Palenko, was ist los mit dir? Bye-bye ist Bye-bye. Schluss, aus. Aber … Aber es ist nicht das Verlangen, das ihm den endgültigen Abschied so schwer macht – es ist die Neugier. Nie herauszufinden, wo der andere Weg hingeführt hätte. Nie zu erfahren, was sich unter der engen, gestärkten Uniform versteckt; nie zu erfahren, ob jener Kuss vor langer Zeit in ihrer Erinnerung so lange überdauert hat wie in seiner. Nie zu erfahren, was passiert wäre, wenn ihr euch wiedergesehen hättet.

Irinas Stimme weckt ihn aus seinem Traum. Sie redet über etwas äußerst Interessantes.

»Ich glaube, wir können nur eins tun«, sagt sie. »Wir müssen Mr. Majevski sein Getriebe zurückgeben.«

»Getriebe?«

»Yaketa hat erzählt, dass er in seinem Zimmer ein Getriebe hatte. Ein Andenken an sein geliebtes altes Motorrad. Bis die Oberschwester es gefunden und ihm weggenommen hat.«

»Seitdem«, sagt Yaketa, »ist er labil.«

»So was würde jeden Mann labil machen.«

»Ich glaube, wenn er sein Getriebe wieder hätte, würde er sich wieder normal benehmen.«

»Du hast recht, Irina.«

Manchmal muss man einer Frau das Gefühl geben, dass sie recht hat.

ICH BIN HUND ICH BIN TRAURIGER HUND MEIN MANN LIEBT DÜMMER-ALS-SCHAF-FRAU SEINE STIMME IST DICK UND WEICH SEINE PISSE IST TRÜB ER STINKT NACH LIE-

BESHORMON SIE STINKT NACH LIEBESHORMON BALD PAAREN SIE SICH DANN IST KEINE LIEBE ÜBRIG FÜR HUND ICH BIN TRAURIGER HUND ICH BIN HUND

»Bill, der Hausmeister, müsste wissen, wo das Getriebe ist«, sagt Yaketa. »Da die Oberschwester ihn beauftragt hat, es Mr. Majevski wegzunehmen.«

»Die Treppe am Ende des Korridors hinunter, und dann links«, sagt Blessing.

Bill sitzt in seinem Kellerraum und liest die Zeitung. Er ist ein kleiner quadratischer Mann mit Glatze und einem Schnurrbärtchen. Als Andrij reinkommt, blickt er auf.

»Haben mir schon wieder die verdammten Streichhölzer geklaut. Diese alten Schachteln. Denen kann man nicht über den Weg trauen. Ein Haufen Feuerteufel. Wer bist du überhaupt?«

»Ich suche Getriebe für Mr. Majevski. Er hat danach gefragt.«

Bill fasst das als Vorwurf auf. »War nicht meine Idee, ihm das Ding wegzunehmen. Ich hab nur getan, was die Oberschwester verlangt hat.«

Während er noch sein Gesicht in verärgerte Falten legen will, fällt sein Blick auf Hund.

»Ist das dein Hund?«

»Ja, mein Hund. Hund.«

»Ich hatte mal genauso einen. Mischling. Hab ihn Spango genannt. Guter Rattenfänger.« Bill lehnt sich in seinem Stuhl zurück und schiebt Andrij die Zeitung hin, die er gelesen hat. »Was hältst du davon, he?«

Auf dem Deckblatt lächelt eine junge Frau mit nackten Brüsten und blondem Haar in die Kamera. Andrij studiert das Bild. Das Licht ist schlecht hier unten. Ehrlich gesagt, sie sieht genau so aus wie seine Exfreundin Lida Sakanowka. Ist sie es wirklich? Er sieht näher hin. Ist sie nach England gegangen? Hatte sie so einen Leberfleck an der linken Schulter?

»Hübsch, was? Besser als meine Alte. Hättest mal die zwei von letztem Donnerstag sehen sollen. Mordsgeräte.« Bill grunzt kumpelhaft. »Behalt's, wenn du willst. Ich bin durch. Und den Hund kannst du jederzeit hier mit runterbringen.«

»Danke.« Andrij faltet die Zeitung zusammen und klemmt sie sich unter den Arm. Das muss er sich bei Tageslicht ansehen.

»Trinkt er Tee, der Hund? Spango hat immer gern Tee getrunken. Hier, mein Junge ...«

Bill nimmt die Tasse, in der noch ein Schluck kalter brauner Tee ist, und kippt sie für Hund in eine Schale. Hund wedelt mit dem Schwanz und schlabbert den Tee mit lauten Schlucken auf. Andrij sieht ihm erstaunt zu. Zum ersten Mal wird ihm klar, wie wenig er über diesen Hund weiß. Erst macht er für einen Schokoladenkeks Männchen. Jetzt schlürft er fast ekstatisch kalten Tee. Wo kommt er her? Wie ist es dazu gekommen, dass er mitten in der Nacht bei ihnen aufgetaucht ist? Wovor ist er davongelaufen? Warum hat er sie ausgewählt?

Inzwischen durchsucht Bill die ganze Werkstatt und kommt schließlich mit einem kleinen, schweren, in Wachstuch eingewickelten Paket in einer Plastiktüte zurück.

»Das hier muss es sein. Sie hat gesagt, ich soll das Ding wegschmeißen. Aber ich hab's nicht übers Herz gebracht. Sag ihr bloß nicht, wo du es herhast.«

»Danke. Hund mag den Tee.«

Andrij nimmt das Getriebe mit nach oben, doch das Schwesternzimmer ist leer, und so setzt er sich auf einen Stuhl und wartet. Etwas beschäftigt ihn. Dieser Leberfleck – hatte Lida Sakanowka an dieser Stelle einen Leberfleck? Er faltet die Zeitung auseinander, um sich das Bild näher anzusehen.

Hm. Sieht eindeutig aus wie Lida. Heiliger Strohsack! Was macht sie in England? Hier, im hellen Licht des Schwesternzimmers, kann er besser sehen. Die Frau auf dem Foto ist vielleicht etwas pneumatischer. Seine Lida war eher ein Cabrio-Modell. Dass er vier Jahre seines Lebens an sie verschwendet hat! Was für ein Idiot er gewesen ist. Ein Glück, dass sie nicht schwanger wurde. Aber die Kleine auf dem Foto ist nicht ohne. Ordentliche Kurven. Nicht zu dünn. Ob es Lida ist?

»Was hast du denn da?«

Andrij zuckt zusammen. Hinter ihm steht Yaketa. Sie muss sich mit ihren leisen Schwesternschuhen auf Zehenspitzen angeschlichen haben. Sie runzelt die Stirn. Andrij springt hoch und faltet hastig die Zeitung zusammen. Hat sie das Bild gesehen? Natürlich hat sie. Das war schlechtes Timing.

»Yaketa, ich habe das Getriebe.« Er grinst verlegen.

»Du hast es schon?« Sie sieht ihn ernst an. Die Uniform ist so frisch gestärkt, dass sie fast knistert. Er spürt, wie er rot wird.

»Soll ich es Mr. Majevski bringen?«

»Warten wir lieber bis morgen. Es ist fast Schlafenszeit. Zu viel Aufregung vor dem Zubettgehen macht ihn kirre.«

»Was heißt kirre?«

Jetzt wird ihr Gesicht weicher. Sie lächelt wieder. »Weißt du, dieser alte Ukrainer, er ist immer auf der Suche nach einer neuen Frau. Mrs. Gayle, Mrs. Tollington, Mrs. Jarvis. Alle drei haben mir erzählt, dass er ihnen einen Heiratsantrag gemacht hat. Und alle drei haben ja gesagt. Und jetzt ...« Yaketa schüttelt sich vor Lachen. Vor lauter Prusten muss sie sich an der Tür festhalten. »Und jetzt auch noch Irina.«

»Irina?«

»Ja, er hat Irina einen Heiratsantrag gemacht. Und ich glaube, sie wird ja sagen.«

»Irina?«

»Es wäre eine gute Heirat für sie. Britischer Pass. Und es gibt ein Erbe.«

»Unmöglich.«

Yaketa lächelt. »In der Liebe ist alles möglich.«

Dann geht ein Summer los, und Yaketa greift nach ihrer Tasche und verschwindet so leise, wie sie gekommen ist.

Ein Kiesweg führte zwischen den Rosenbeeten zu einem tiefer gelegenen Garten, versteckt in einem Kreis von Lorbeerbüschen, mit zwei Bänken und einer alten Sonnenuhr in der Mitte.

»Du und Andrij, ihr könnt euch dort unten hinsetzen«, sagte Yaketa. »Um sieben bin ich fertig. Dann zeige ich euch das Zimmer.«

Es war noch warm, doch am Himmel hingen bereits schwere Regenwolken, und außer uns war niemand im Garten. Man spürte, dass ein Sturm im Anzug war, und die Lorbeerblätter rollten sich in der Hitze ein. Hund tauchte aus dem Nirgendwo auf, trottete hinter uns her und furzte dabei grässlich. Was hatte er bloß gefressen? Warum konnte er uns nicht in Ruhe lassen?

Andrij setzte sich auf eine der Bänke, und ich setzte mich zu ihm. Anscheinend hatte er mal wieder schlechte Laune. Ich fragte mich, ob ich ihn irgendwie geärgert hatte. Schlechte Laune ist nicht sehr attraktiv bei einem Mann.

»Es gibt ein Problem, über das ich mit dir reden muss«, sagte er. »Ein Liebesproblem. Die Beziehung zwischen Mann und Frau.«

Endlich, dachte ich, und mein Herz begann schneller zu schlagen.

Doch dann sagte er: »Mr. Majevski, dieser alte Schürzenjäger, hat drei alten Damen einen Heiratsantrag gemacht, und alle drei haben ja gesagt.« Er kniff die Augen zusammen und warf mir einen bösen Blick zu. »Und jetzt habe ich gehört, dass es noch eine Vierte gibt. Und dass auch du, Irina, seinem Charme erlegen bist. Stimmt das?«

Was hatte ihm die freche Yaketa da bloß erzählt? Ich zuckte die Schultern.

»Irina, du kannst nicht durch die Welt spazieren und jeden Mann anlächeln, der dir über den Weg läuft.«

Jetzt reichte es mir aber. Wie kam er dazu, mir Vorschriften zu machen?

»Ich kann lächeln, so viel ich will.«

Da sagte er mit einer ganz primitiven Stimme: »Wenn du das tust, machst du am Ende Ganzkörpermassage für einen von Vitalis Mobilfonkunden für zwanzig Pfund.«

Ich war entsetzt. Wie konnte er nur so etwas Hässliches zu mir sagen? Erst dachte ich, es sollte ein Witz sein, aber anscheinend meinte er es ernst.

»Vitali ist tot«, sagte ich.

»Nein. Die Welt ist voller Vitalis. Du siehst sie nur nicht, Irina.«

»Wovon redest du, Andrij?«

»Von den Männern, die du anlächelst, Irina – manche davon sind einfach keine anständigen Menschen.«

Ach so, er war immer noch sauer wegen des Zwanzigpfundscheins.

»Mr. Majevski ist anständig.«

»Er ist ein Schürzenjäger.« Er runzelte die Stirn. »Wirst du ihn heiraten?«

»Das ist meine Sache. Ich kann selbst entscheiden, wie ich mein Leben lebe. Ich brauche keinen, der mir Vorschriften macht.«

»Irina, du bist blind. Du siehst einfach nicht, was auf der Welt los ist.«

»Was zum Beispiel? Was sehe ich nicht?«

»Die Mobilfonwelt um dich herum. Geschäftsmänner, die Menschenseelen kaufen und verkaufen. Auch deine, Irina. Auch dich kaufen und verkaufen sie.«

»Niemand kauft und verkauft mich. Es war meine Entscheidung, in den Westen zu gehen.«

Wenn er so weitermachte, dachte ich, würde *es* heute Nacht jedenfalls nicht passieren.

»Im Westen ist es auch nicht anders. Diese orange Revolution, von der du so begeistert bist, das ist doch nichts anderes als eine riesige Werbekampagne nach Vitali-Art. Was glaubst du, wer für die ganzen orangen Fahnen und Banner bezahlt hat, und für die Zelte und die Musik auf dem Platz?«

Was um Himmels willen war in ihn gefahren? Ich hatte gedacht, wir würden durch den Garten spazieren und romantische Gespräche führen, das wäre schön gewesen, aber stattdessen fängt er von Politik an. Vielleicht war es bei meinem Vater und Switlana Surocha auch so? Nein, bei denen war es wahrscheinlich genau umgekehrt – zuerst die Politik und dann die Romantik. Wenn er diskutieren wollte, das konnte ich auch.

»Wo wir schon darüber reden, Andrij, lass uns wenigstens ehrlich sein. Meine Mutter und meinen Vater hat niemand dafür bezahlt, dass sie auf den Platz gegangen sind. Sie sind hingegangen, weil sie wollen, dass sich die Ukraine endlich von Russland befreit. Dass wir unsere eigene Demokratie haben – keine, die vom Kreml gesteuert wird.«

»Der einzige Unterschied ist, dass sie statt vom Kreml von den USA gesteuert wird.«

»Das ist doch russische Propaganda, Andrij. Warum hast du solche Angst vor der Wahrheit? Selbst wenn die Regierung sich nicht ändert, das Wichtigste ist, dass wir, das Volk, uns verändert haben. Keiner kann mehr glauben, er könnte mit uns machen, was er will. Es passiert nur einmal im Leben, dass ein Land nach der Freiheit greift, und in so einem historischen Moment kann man entweder mitmachen, oder man steht am Rand und sieht zu.« Waren das die Worte von Papa oder die von Switlana Surocha?

»Was nutzt die Freiheit ohne Öl und Gas?«, sagte er böse.

»Mit der Freiheit können wir uns vielleicht der Europäischen Union anschließen.«

»Die interessieren sich doch gar nicht für uns, Irina. Denen geht es nur ums Geschäft.« Er versuchte mich mit seinem lächerlichen Donbass-Dialekt zu belehren, als wäre ich ein Vollidiot.

»Und wer, glaubst du, hat für die Busse gezahlt, die euch von Donezk nach Kiew gebracht haben? He?«

»Das ist Propaganda der westlichen Medien. Du bist so naiv, Irina, du glaubst alles, was dir irgendein Mobilfonheini erzählt. Ihr dachtet, ihr wärt die Hauptdarsteller, dabei wart ihr nur Statisten.«

»Aber zu Fuß bist du wohl nicht gegangen, oder? Du Donbass-Bergmann?«

»Ha! Da spricht das bürgerliche Schulmädchen. Typisch.« Sein Ton war messerscharf und triefte vor Sarkasmus.

»Ich bin kein Schulmädchen!«

Ich weiß nicht, was über mich kam in diesem Moment, aber ich hätte ihm am liebsten eine geschmiert. In sein selbstgefälliges dummes Gesicht geschlagen. Dieses blöde überlegene Grinsen – was gab es da überhaupt zu grinsen? Ich wollte, dass er mit dem Grinsen aufhörte. Unwillkürlich holte ich mit der Hand aus. Doch er packte mich am Handgelenk. Und ließ nicht los. Dann zog er mich an sich, nahm mich in die Arme, und im nächsten Moment küsste er mich, auf den Mund, mit den Lippen, mit der Zunge. Er drückte mich fest an sich, so fest, dass ich keine Luft mehr bekam, und mein Herz flatterte wie ein Vogel, der gegen einen Sturm ankämpft. Und der Himmel und die Wolken drehten sich über mir, bis ich nicht mehr wusste, wo ich war. Aber mein Herz wusste, wo ich war – genau da, wo ich sein wollte.

Es ist Nacht. Die Wolken haben sich verzogen, und durch das spitze Giebelfenster über dem Eisenbett kann Andrij den Jäger Orion sehen, der hell am südlichen Himmel leuchtet, mit seinem glitzernden Gürtel und dem Schwert, und daneben den strahlenden Sirius, den treuen Hundsstern. Am Fußende auf dem Boden liegt sein eigener treuer Hund und schnauft im Schlaf.

Irina ist im Bad am Ende des Korridors und duscht. Sie ist schon seit einer halben Stunde da drin. Was macht sie so lange?

Bis jetzt läuft alles planmäßig. Zufriedenstellend. Er hat aus dem zweiten in den dritten geschaltet, ohne dass ihm der Gang rausgeflogen ist, und jetzt muss er nur noch sanft Gas geben, sachte in den vierten schalten und aufpassen, dass er nicht plötzlich im Rückwärtsgang landet. Nein, Andrij Palenko, es ist mehr als zufriedenstellend, es läuft phantastisch. Dieses Mädchen ist kein Zaz, diese Irina – sie ist süß und anschmiegsam, in einem Moment schmilzt sie in deinen Händen wie eine Schneeflocke, und im nächsten verbrennt sie dich wie Feuer, bis du nicht mehr weißt, ob dir heiß oder kalt ist; du weißt nur, dass du mehr willst. Und selbst wenn sie noch nicht weiß, was passieren wird, ihr Körper scheint schon zu wissen, dass er dir gehört; du spürst es, und sie spürt es auch. Wie ein Garten, der darauf wartet, dass der Regen kommt.

Und obwohl dir klar ist, dass ihr noch viele Meinungsverschiedenheiten zu verhandeln habt – denn das Mädchen, Irinotschka, sie ist noch so jung und denkt, sie weiß alles; sie ist sehr behütet aufgewachsen, Bourgeoisie, und hat noch nicht viel Erfahrung, und sie muss noch so viel lernen – ganz ehrlich, manchmal redet sie ziemlich dummes Zeug. Aber du hast es nicht eilig – du hast eine Ewigkeit, um sie umzuerziehen. Sie kann zwar stur sein und unberechenbar, aber unintelligent ist sie nicht. Im Gegenteil. Sie fängt schon an, sich für Dinge wie Ferraris zu interessieren, und wie sie das Problem mit dem Getriebe gedeichselt hat! Ja, du hast eindeutig die richtige Wahl getroffen.

Andrij sieht in die Sterne. Wofür braucht sie so lange? Seine Gedanken wandern zu den Ereignissen des Tages zurück, und er denkt ohne besonderen Grund: Zimmer sechsundzwanzig, Mrs. Gayles Zimmer, ist genau unter ihnen, zwei Etagen tiefer. Ob sie da unten immer noch raucht? Fast bildet er sich ein, er würde ganz schwach Rauch riechen. Die Streichhölzer – er hätte ihr die Streichhölzer nicht dalassen dürfen. Gibt es eigentlich eine Feuerleiter hier oben auf dem Dachboden? Wenn nachts in Mrs. Gayles Zimmer Feuer ausbricht, wie viele von ihnen würden den nächsten Morgen erleben?

Dann geht die Tür auf. Irina kommt herein, leise tapsend auf bloßen Füßen. Sie hat fast nichts an, nur ein Handtuch auf dem Kopf wie ein Turban und ein kleines Handtuch, das sie sich um den Körper gewickelt hat. Ein sehr kleines Handtuch. Sie kommt auf ihn zu. Ihre Arme und Beine sind rosig vom heißen Wasser, und ihre Wangen glühen. Sie riecht phantastisch. Er flüstert ihren Namen.

»Irinotschka!«

Sie lächelt schüchtern. Er lächelt auch. Dann breitet er die Arme aus. Er hat das Gefühl, sein ganzer Körper ist von ihrem Leuchten erfüllt. Moment mal – ein Teil seines Körpers ist nicht von Leuchten erfüllt – der männliche Teil. Dort scheint alles Leuchten komplett verschwunden zu sein. Was ist da los? Was ist mit dir, Andrij Palenko?

In diesem Moment wacht Hund auf und hebt schnuppernd die Nase. Er knurrt, ein langes, tiefes Knurren. Er schnuppert noch einmal, und dann fängt er wie verrückt zu bellen an.

ICH BIN HUND ICH BIN GUTER HUND ICH SCHNUPPER ICH RIECHE RAUCH MENSCHENRAUCH FEUERRAUCH ICH RIECHE FEUER PAPIERFEUER WOLLE GUMMI STOFF BÖSES FEUER RIECHE FEUER LÄRM KNISTER KNISTER ICH BELLE WUFF WUFF ICH BELLE MEINEN MANN AN WUFF WUFF WUFF MEIN MANN RENNT ZUM FEUER HILFE HILFE FEUER RUFT ER GUTER HUND SAGT ER ICH BIN GUTER HUND ICH BELLE ER RUFT GLOCKE SCHRILLT ALLE RENNEN ALLE TÜREN AUF ALLE ALTEN RENNEN MANCHE PISSEN ALLES RIECHT NACH PISSE NACH RAUCH FEUER UND ALTE PISSE ALLE ALTEN STEHEN IM GARTEN REDEN REDEN GROSSE ROTE RÄDERMASCHINE TUU TAA TUU TAA RÄDERMASCHINE VOLL WASSER MASCHINE PISST AUF FEUER SSSSSSS FEUER WEG ALTE LACHEN MEIN MANN LACHT GUTER HUND SAGT ER ICH BIN GUTER HUND ICH BIN HUND

Mrs. Gayle wird aus dem Heim verwiesen. Die Tür ihres Zimmers steht offen, und als Andrij einen Blick hineinwirft, sieht er, dass alles schwarz ist. Von dem kleinen Teppich, auf dem Hund gestern saß und Kekse verspeiste, ist nur noch ein verkohlter Rest übrig. Sogar die Bettwäsche ist angesengt. Sie hat wirklich ein Riesenglück gehabt. Guter Hund.

Ein paar Türen weiter auf dem gleichen Gang ist Mr. Majevskis Zimmer. Es ist ein kleines, unordentliches Zimmer mit Papieren und Büchern, die überall herumliegen, und dem gleichen alles durchdringenden Geruch nach Kaninchenstall und Raumspray. Mal ist der Kaninchenstall stärker, mal das Raumspray; und dann ist da noch der schale Brandgeruch, der seine eigene düstere Note hereinbringt.

»Mein Schatz!«, ruft Mr. Majevski.

Erst denkt Andrij, er meint ihn, doch der Blick des alten Mannes ist auf das Getriebe gerichtet, das Andrij in Händen hält.

»Es stammt von einer 1937er Francis Barnett. Meine erste große Liebe.«

»Aber nicht Ihre letzte, Mr. Majevski. Ich habe gehört, dass Sie in Four Gables viele Eroberungen machen.«

»Ja, zwangsläufig«, strahlt der alte Mann. Er hebt die Hände, wie um zu sagen: Was soll ich machen.

Er ist vollkommen kahl, vollkommen zahnlos und die Haut hängt ihm in losen Falten von den Knochen; er sitzt im Rollstuhl, und durch einen Plastikschlauch tropft der Urin in einen Beutel an seinem Bein. Das ist also sein Rivale! Doch er verströmt eine so unbezähmbare Energie, dass Andrij seine Anziehungskraft fast versteht.

»Wie schön, Ukrainisch zu reden.« Er beugt sich erwartungsvoll in seinem Rollstuhl vor. »Ach! Diese wunderschöne Sprache, in der sich sowohl Poesie als auch Wissenschaft so elegant ausdrücken können. Sie kommen aus dem Donbass, sagt mir Ihr Tonfall, junger Mann? Und haben die lange Reise auf sich genommen, nur um mir mein Getriebe zurückzubringen? Ich frage mich wirklich, wie es dort gelandet ist – wahrscheinlich haben es diese betrügerischen Afrikanerinnen gestohlen und gegen Wodka eingetauscht.« Er redet so schnell, dass Andrij nichts einwerfen kann. »Diese junge Frau, Irina, sie kommt ebenfalls aus der Ukraine. Meine jüngste Eroberung. Was für eine Schönheit! Was für eine Figur! Übrigens eine sehr kultivierte Ukrainerin. Haben Sie sie mal kennengelernt?«

»Ja, ich habe sie kennengelernt. Sie ist wirklich sehr kultiviert. Aber …«

»Halt!« Er hebt seine knotige Hand. »Ich weiß, was Sie sagen wollen. Sie ist zu jung für mich. Aber ich sehe es so: Weisheit und Schönheit in einem Individuum vereint zu finden, ist sehr selten. Doch in der Ehe lässt sich beides kombinieren.«

»Sie denken daran, sie zu heiraten?«

»Natürlich. Zwangsläufig.«

Zwangsläufig? Was hat Irina zu ihm gesagt? Vielleicht ist sie doch nicht so unschuldig, wie sie tut. Dieses Lächeln – wen grinst sie sonst noch an? Was für ein Idiot bist du, Andrij Palenko, wenn du denkst, dieses Lächeln gäbe es nur für dich.

»Aber Sie haben auch Mrs. Gayle einen Antrag gemacht, und zwei weiteren Damen. Und alle haben ja gesagt.«

»Ach«, er wedelt mit der Hand und lächelt zahnlos, »das waren doch nur kleine Abenteuer.«

»Mr. Majevski, es ist nicht die feine Art, so vielen Damen die Heirat anzutragen.«

»Hm.« Er zuckt mit einem so selbstgefälligen kleinen Grinsen die Schultern, dass Andrij dem alten Schwerenöter am liebsten eins auf die Nase gegeben hätte. Reiß dich zusammen, Palenko. Sei ein Mann.

»Frauen sind schwache Geschöpfe, sie lassen sich zu leicht in Versuchung führen. Es ist nicht die feine Art, ihre Schwäche auszunutzen.«

Der alte Mann grinst immer noch. »Sehen Sie, in unserer Situation gibt es keine anderen Männer, in die sich diese törichten Geschöpfe verlieben könnten. Jetzt Sie, natürlich. Übrigens sind mir diesbezüglich auch schon Gerüchte zu Ohren gekommen, junger Mann.«

»Gerüchte über mich?« Andrij spürt einen Anflug von Panik.

»Eine der Damen erzählt, ein geheimnisvoller ukrainischer Besucher habe um ihre Hand angehalten. Genau genommen handelt es sich um ebendiese Mrs. Gayle. Meine Exverlobte. Gestern Abend hat sie das freudige Ereignis mit einer Flasche Whisky gefeiert. Sogar ihre Familie ist bereits unterrichtet.«

Seine Panik wird stärker. Er hat das Gefühl, er könnte riechen, wie sich der Kaninchenstall immer enger um ihn schließt.

»Aber das ist einfach nicht wahr.«

»Sie würden eine gute Partie machen. Papiere. Arbeitserlaubnis. Erbschaft. Ein großes Haus«, fährt der alte Mann begeistert fort. »Nur die Familie könnte Schwierigkeiten machen. Genau wie bei mir. Kinder, die ihre neugierigen Nasen in die Liebesdinge ihrer Eltern stecken.«

Heiliger Bimbam! Das wäre ein überraschendes Ende dieser Geschichte – er heiratet Mrs. Gayle, Mr. Majevski heiratet Irina, und alle leben glücklich in Peterborough, Ende, aus.

»Mr. Majevski, falls es Missverständnisse über meine Absichten gegeben hat, werde ich mein Bestes tun, alle Beteiligten über den wahren Sachverhalt aufzuklären. Aber das Gleiche müssen auch Sie tun. Sie müssen den Damen sagen, dass es nur ein Abenteuer für Sie war und Sie nicht die Absicht haben zu heiraten. Und falls Sie sich weigern, nehme ich Ihnen das Getriebe wieder ab.«

»Meine liebe Francis Barnett! Wir hatten schöne Zeiten zusammen.« Der alte Mann schiebt die Unterlippe vor, als würde er gleich anfangen zu weinen. »Ist es so falsch, sich nach Liebe zu sehnen?«

»Mr. Majevski, Sie sind ein alter Mann. Es ist das Beste für alle, wenn Sie Ihr Getriebe lieben und die Damen ihren Torheiten überlassen.«

Der alte Mann betrachtet das Getriebe. Dann nickt er.

»Möglicherweise war ich zu verschwenderisch mit meiner Liebe.«

Andrij nimmt ein Kleenex aus der Schachtel auf dem Nachttisch, wischt ein paar Ölreste von der Maschine und stellt sie auf den Nachttisch.

»Sie müssen mir versprechen, dass Sie den Damen sagen, Sie hätten ein Keuschheitsgelübde abgelegt, und von Heiraten wird nicht mehr geredet. Und jetzt zum nächsten Problem: Wo verstecken wir das Getriebe, damit es die Oberschwester nicht findet und wieder wegnimmt?«

Mr. Majevski tippt sich an die Nase. »Die Oberschwester ist sehr neugierig. Falls sie auch nur eine Spur meines Getriebes entdeckt, lässt sie es garantiert entfernen. Lassen Sie mich nachdenken. In der untersten Schublade ...«, er senkt die Stimme und zeigt auf ein ramponiertes Sperrholzmöbel, »... bewahre ich meine eigens angefertigte Spezialunterhose auf. Aber ich darf sie nicht tragen, und daher schaut auch niemand dort hinein. Vielleicht können wir das Getriebe dort verstecken, unter der Unterhose, damit ich es von Zeit zu Zeit herausnehmen und mit ihm sprechen kann.«

Andrij zieht die Schublade auf. Darin liegt ein Etwas aus zerknülltem gräulichem Baumwollstoff und langen Gummibändern, die mit schwarzem Garn daran festgenäht sind, außerdem eine Rolle durchsichtiger Plastikschlauch, mehrere Stück rosa Schaumgummi und ein leerer Joghurtbecher. Interessant. Andrij wickelt das Getriebe wieder in das Wachstuch und verstaut es in einer Ecke der Schublade.

Als er die Schublade schließt, hört er das Knirschen von Reifen auf dem Kies unter dem Fenster. Er zieht die Jalousie hoch. Vor dem Gebäude steht ein großer schwarzer Wagen. Eine elegante, blond gesträhnte Frau mit einem Pferdegesicht steigt aus der Beifahrertür. Auf der anderen Seite taucht ein großer, dunkelhaariger Mann auf, der aussieht wie – eine andere Beschreibung fällt Andrij nicht ein – wie ein saftloser Adelsspross.

»Leben Sie wohl, Mr. Majevski. Ich wünsche Ihnen ein langes Leben und viel Freude mit Ihrem Getriebe. Für mich ist es höchste Zeit, in den Donbass zurückzukehren.«

Ich wünschte, es würde bald regnen. Alle schwitzen und murren. Man spürt die Elektrizität in der Luft. Ich spüre sie sogar in meinem Körper. Ein richtiger Sturm würde die Hitze und die Spannung lösen. Yaketa ist irgendwohin verschwunden. Andrij bringt Mr. Majevski das Getriebe zurück. Ich sitze im Speisesaal und warte auf ihn. Ich wünschte, ich könnte die Flügeltür zum Rosengarten aufmachen, aber sie ist abgeschlossen, damit keiner ausreißt. Hinter den Rosenbeeten beginnt der Kiesweg, der hinunter zu unserem geheimen Garten führt.

Zweimal hat er mich gestern dort geküsst. Der erste Kuss war wunderschön, wie im Himmel, ich konnte kaum glauben, dass alles kein Traum war. Der zweite Kuss war fest und irdisch, und all meine Zweifel verschwanden. Ja, er ist der Richtige, eindeutig. Ich spüre immer noch seine Hände auf mir, heiß und stark, als hätte er mich schon in Besitz genommen. Und dieses schmelzende Gefühl in meinem Innern. Gestern dachte ich, es ist so weit: das erste Mal. Aber dann hat der lästige Hund dazwischengefunkt. Na ja, ich gebe zu, es war gut, dass er uns vor dem Feuer gerettet hat. Aber wie lange soll ich noch warten? Hoffentlich ist es endlich bald so weit.

Wer hätte gedacht, dass ich so weit reisen würde, um meine Jungfräulichkeit am Ende nicht an einen romantischen Engländer mit Melone zu verlieren, sondern an einen Bergmann aus dem Donbass? Da wo ich herkomme, gibt es davon jede Menge – das Seltsame ist nur, dass wir uns in der

Ukraine wohl nie kennengelernt hätten. Wir kommen aus verschiedenen Welten, ich aus der fortschrittlichen, westlich orientierten orangen Welt, er aus dem primitiven, blauweißen industriellen Osten, diesem Relikt aus der Sowjet-Ära, die wir hinter uns lassen wollen. Und selbst wenn wir uns kennengelernt hätten, hätten wir uns wohl nicht viel zu sagen gehabt – eine Professorentochter und ein Bergmannssohn? Aber dass wir zusammen hier in England sind, macht alles ganz anders. Es ist, als hätte uns das Schicksal zusammengeführt. Wie Natascha und Pierre – sie kannten sich schon seit Jahren, aber es musste erst Krieg und Frieden geben, bevor sie einander mit neuen Augen sahen und begriffen, dass sie füreinander bestimmt waren.

Ich gebe zu, es gibt ein paar Dinge, vor denen ich mich fürchte. Wird es wehtun? Werde ich wissen, was ich tun muss? Wird er mich danach immer noch lieben? Werde ich schwanger? Aber von solchen Ängsten darf man sich nicht abhalten lassen. Und noch etwas macht mir Sorgen, ein vages Gefühl, das schwer in Worte zu fassen ist, dabei ängstigt es mich von allem irgendwie am meisten: Bin ich danach immer noch derselbe Mensch?

»Wovon träumst du?«

Es war Yaketa. Sie hatte sich von hinten angeschlichen und hielt mir die Augen zu. Obwohl ich sie an der Stimme erkannte, sagte ich: »Andrij?«

»Aha!« Lachend nahm sie die Hände von meinen Augen. »Von diesem seltsamen Typen also.«

»Er ist nicht seltsam, Yaketa. Er ist der beste Mann auf der Welt.«

Sie sah mich komisch an. »Findest du?«

»Ich finde ihn wundervoll. Er ist ein Gentleman, und er ist aufmerksam und tapfer. Wie er uns alle vor dem Feuer gerettet hat – das war ganz typisch für ihn, weißt du? Das Einzige, was mich stört, ist sein Hund, aber vielleicht gibt er ihn ja irgendwann weg. Und weißt du, was ich am liebsten an ihm mag, Yaketa? Wenn er sagt: ›Du hast recht, Irina.‹ Das können nicht viele Männer.«

»Ich finde trotzdem, dass der ukrainische Millionär vielleicht besser für dich wäre, Irina. Andrij hat so was an sich ...«

»Was?«

Wieder sah sie mich komisch an.

»Was meinst du, Yaketa?«

Da lachte sie. »Ich habe das Gefühl, dass ukrainische Männer genau wie sambische Männer sind.«

Was meinte sie damit?

»Hast du einen Freund, der in Sambia auf dich wartet?«, fragte ich. »Was machst du, wenn du mit der Umschulung fertig bist?«

»Die Sklavenarbeit hier muss ich nur noch drei Wochen machen. Und dann, wenn mir die Oberschwester ein gutes Zeugnis ausstellt, kann ich für den staatlichen Gesundheitsdienst arbeiten und gutes Geld verdienen. Bald kann ich endlich wieder als richtige Krankenschwester arbeiten und muss nicht mehr Klos putzen zum Mindestlohn wie hier. Ich würde gern OP-Schwester werden oder Intensivschwester. Auf jeden Fall werde ich frei sein – frei von Four Gables, frei von Nightingale Human Solutions.« Sie drückte meine Hand. »Also mach dir um mich keine Sorgen, Irina. Und viel Glück mit deinem Millionär!«

Ich wollte gerade protestieren, als wir draußen auf der Einfahrt Geschrei hörten, und gleich darauf kam Andrij hereingerannt, mit wildem Blick und einer blutigen Nase.

»Andrij, was ist denn passiert?« Ich legte die Arme um ihn – mein verwundeter Krieger!

»Irina, ich muss sofort hier abhauen. Kommst du mit?«

»Natürlich komme ich mit, Andrij. Aber warum?«

»Es hat ein Missverständnis gegeben. Geh und hol deine Sachen. Ich erkläre es dir später.«

Ich umarmte Yaketa rasch. »Lebwohl. Vielen Dank für alles.«

»Ich bin sicher, du kommst wieder«, sagte sie.

Da standen wir also wieder auf der Great North Road, Andrij, ich und der Hund. Wie gewohnt rollte der Strom von Autos an uns vorbei, ohne dass jemand anhielt. Glücklicherweise hatte es noch nicht angefangen zu regnen. Andrij schien immer noch ganz durcheinander, und ich drückte seine Hand.

»Was ist passiert? Warum mussten wir so plötzlich weg?«

»Es war alles ein großes Missverständnis.«

»Was für ein Missverständnis?«

»Ach nichts. Jetzt ist es vorbei.«

»Du hast gesagt, du erklärst mir alles, Andrij. Du hast es versprochen.«

»Es geht um die alte Dame, Mrs. Gayle. Sie hat behauptet, ich hätte ihr einen Heiratsantrag gemacht. Dann hat sie es ihrer Tochter und ihrem Schwiegersohn erzählt und ihnen gesagt, sie müssten aus dem Haus ausziehen, weil sie wieder einziehen würde. Und das hat sie mit einer Flasche Whisky gefeiert.«

»Andrij – du willst mir Vorträge darüber halten, dass ich alte Männer anlächle, dabei tust du genau das Gleiche mit alten Frauen.«

»Das ist was völlig anderes.«

»Was soll daran anders sein?«

»Es war ein Missverständnis.«

»Wo ist da der Unterschied? Irgendwie wirst du sie wohl ermutigt haben.«

»Irina, das ist nicht lustig. Diese Leute waren furchtbar, richtige Barbaren. Du kannst dir nicht vorstellen, was sie alles zu mir gesagt haben.«

Sturmwolken wanderten über sein Gesicht.

Glücklicherweise hielt genau in diesem Moment ein Auto am Straßenrand – eigentlich war es kein Auto, eher ein Transporter. Oder ein Bus. Ein Bus, der zu einem Wohnmobil umgebaut worden war.

»Hallo. Wo soll's denn hingehen?«

»Nach Sheffield, sonst nirgends«, sagte Andrij mit Nachdruck.

»Rein mit euch. Ist genau meine Richtung.«

Der Fahrer war ein junger Mann, etwa in Andrijs Alter. Er trug eine kleine runde Brille und hatte roten, lockigen Flaum am Kinn, der sich Mühe gab, wie ein Bart zu wirken. Die roten Haare hatte er in einem Pferdeschwanz zusammengebunden – es war ein dichter, lockiger Pferdeschwanz, nicht wie ... Meiner Meinung nach sollten sich Männer die Haare überhaupt nicht lang wachsen lassen. Andrijs Haar zum Beispiel war nicht zu lang. Und auch nicht zu kurz.

»Ich heiße Rock.«

Rock? Ich konnte mir niemanden vorstellen, der weniger wie ein Fels ausgesehen hätte als er. Er erinnerte mich eher an eine scheue kleine Schnecke, die mit ihrem Schneckenhaus herumreist. Dann stellten wir uns vor, und zum Glück verstanden wir uns gut, denn der Wohnwagen fuhr tatsächlich im Schneckentempo, und es war klar, dass wir eine lange Reise vor uns hatten.

Neun Ladys

Es wäre ein Wunder, wenn wir je in Sheffield ankommen, denkt Andrij. Dieser alte Bus hat mindestens fünfzig Jahre auf dem Buckel und ein prähistorisches Getriebe mit nur vier Gängen und einem langen, abgewinkelten Schaltknüppel wie bei den alten Wolgas. Der Motor dröhnt wie ein Schwarm Bienen, und wenn Rock beschleunigt – Höchstgeschwindigkeit vierzig Stundenkilometer –, zittert und bebt die ganze Karosserie. Mit so einer Rostlaube würde man selbst in der Ukraine einen Priester rufen und um ein, zwei Segenssprüche bitten, bevor man eine längere Reise unternimmt.

Noch etwas fällt ihm auf – der Geruch aus dem Motor. Eigentlich riecht es sogar ganz gut. Es erinnert ihn an – merkwürdig – an das kleine Restaurant Ecke Rebetow. Bratkartoffeln. Irina setzt sich auf und schnuppert.

»Fish and chips?«, fragt sie.

»Beinahe«, sagt Rock. »Die Kiste läuft mit altem Pommes-Öl – hab sie selber umgerüstet. Verbrennt die überschüssigen Nebenprodukte der Konsumgesellschaft. Nicht ganz legal, weil keine Steuer drauf ist. Aber, wie Jimmy Binbag sagt, die Pommes des Zorns sind weiser als der Essig der Belehrung.«

Sie sitzt neben ihm auf dem Vordersitz und klammert sich am Rand der Sitzbank fest. Andrij fängt ihren Blick auf.

»Meinst du, alle Angliski-Fahrer sind verrückt?«, flüstert sie auf Ukrainisch.

»Scheint so«, flüstert er zurück. »Wenigstens ist der hier kein Raser.«

»Und wo kommt ihr her?« Rock macht es sich bei dreißig Stundenkilometern gemütlich. Er stützt beide Unterarme aufs Lenkrad und dreht sich eine Zigarette.

»Ukraine. Kennst du?«

»Aye.« Er leckt das Zigarettenpapier an. »Wir hatten ein paar Ukrainer in Barnsley. Bergleute.«

»Mein Vater war Bergmann«, sagt Andrij.

»Ha«, sagt Rock. »Meiner auch. Bevor er gestorben ist.«

»Ist er bei Unglück gestorben?«

»Nee. Pneumokoniose. Staublunge.«

»Meiner ist bei Unglück gestorben. Stollen eingestürzt.«

»Scheiß-Grubenunglücke. Tragische Sache. Tut mir leid, Kumpel.«

»Bist du immer noch Bergmann?«

»Nee. Haben alle Gruben im Umkreis geschlossen. Außerdem hat mein Dad gesagt, ich wär eh zu schwach. Ich soll lieber 'ne Ausbildung kriegen. Was soll man in Barnsley mit 'ner Ausbildung, hab ich gefragt. Na ja, dann bin ich doch aufs College und hab meinen Ingenieur gemacht. Aber dann hab ich mir gesagt, Technik, ist das nicht Teil vom Problem? Und da hab ich mich dann für das hier entschieden.«

Immer noch auf das Lenkrad gestützt, reißt er ein Streichholz an und hält es an die Zigarette. Schwaden von süßlichem Rauch hüllen sie ein.

»Und du, bist du Bergmann?«

»Früher. Vor Vaters Unfall. Jetzt kann ich nicht mehr runter. Kann ich nicht unter Tage arbeiten. Deswegen habe ich keine Arbeit. Ich bin nach England gekommen für Erdbeerpflücken.«

»Aye, das ist schon Scheiße. Wie Jimmy Binbag sagt, wenn die Klospülung des Kapitalismus gezogen wird, kriegen die, die unten sind, die Scheiße ab.«

Er nimmt noch einen tiefen Zug und hält den Rauch in den Lungen. Dann bietet er Andrij die Zigarette an. Andrij schüttelt den Kopf.

»Mein Vater sagt, wenn Bergmann unter Tage ist, kann Tod vorbeikommen. Wenn Bergmann raucht, ist Tod persönlich eingeladen.«

»Jesses! Das kann's einem verleiden! Aber ich dachte, sie hätten die ganzen Gruben in der Ukraine dicht gemacht?«

»Viele sind zu. Aber wir haben wieder aufgemacht.«

»Ihr habt die Gruben wieder aufgemacht?«

»Wir Bergleute. Mit unseren Händen.«

»Ist das nicht gefährlich?«

»Natürlich. Und illegal. Arbeit in Flözen, ein Meter hoch. Siebenunddreißig Grad heiß. Hundert Prozent Luftfeuchtigkeit. Kein *ventilazija*. Kein Sicherheit-*vychod*. Keine Maschinen. Nur mit Hacke in der Hand gehen wir runter, Kohle abbauen. Wir verkaufen sie. Heute gibt keine andere Arbeit, weißt du. Wir müssen leben.«

»Heilige Scheiße.«

Der Schwarm Bienen im Motor dröhnt vor sich hin, beruhigend und zielstrebig. Ein paar Regentropfen klatschen gegen die Windschutzscheibe. Irina seufzt und verlagert das Gesicht, ihr Kopf liegt schwer auf seiner linken Schulter. Sie schläft. Sie hat nichts von ihrem Gespräch mitbekommen. Eines Tages wird er ihr die ganze Geschichte erzählen: von dem strahlenden Frühlingsmorgen, von dem Loch im Boden, wie eine klaffende Wunde, wo sie in die Erde hinuntergestiegen sind, die erstickende Dunkelheit, die sie verschluckte. Das erste Zittern des Bodens. Dann das langgezogene Brüllen der Explosion. Das Beben. Die Brocken, die von der Decke fielen. Die Stimmen, die Rufe, die Schreie. Dann die Stille. Schwarzer Staub. Er hebt den Arm, legt ihn um sie und drückt ihren Kopf an seine Brust. Ihr Haar fließt über ihn wie schwarze Seidenbänder.

Hinter den Vordersitzen hängt ein Vorhang aus einem alten Bettlaken. Er ist nur halb zugezogen, und Andrij sieht, dass hinten alle Sitze rausgenommen sind bis auf vier, zwischen denen ein behelfsmäßiger Tisch steht. In einer Ecke ist ein kleiner Schrank mit einem Gaskocher darauf und ein paar Pappkartons, in denen Kleider, Lebensmittel und Töpfe durcheinanderfliegen. Den Rest der Fläche nimmt eine breite Matratze ein, mit zerwühlten graubraunen Laken.

»Hast du Bus selbst umgebaut?«

»Aye. War nicht schwer.«

»Würde ich auch gern machen. Alten Bus kaufen. Umbauen. Um die Welt fahren.«

Würde Irina auf so eine Reise mitkommen, fragt er sich. Und Hund? Hund liegt hinten auf der Matratze und schnarcht und furzt so energisch wie immer, und Rocks Hündin Maryjane liegt eingerollt neben ihm und schnauft und seufzt etwas dezenter als er.

»Weiß nicht, ob Alice es um die Welt schaffen würde.«

»Alice ist deine Freundin?«

»Nee, Alice ist der Bus. Meine Freundin heißt Thunder.«

Donner? Hm. Interessanter Name für eine Frau. Ziemlich sexy.

»Ist sie auch Bergmann?«

»Nee. Bei uns gibt es keine Frauen im Bergbau. Aber wenn sie es machen würde, wäre sie sicher spitze.«

»Rock, wenn du nicht Bergmann bist und nicht Ingenieur, was arbeitest du dann?«

»Ich?« Rock nimmt noch einen langen Zug von seiner Zigarette, dann rückt er sich die kleine runde Brille zurecht, die zur Seite gerutscht ist. »Ich schätze, du kannst sagen, ich bin so ’ne Art Krieger.«

»Art Krieger? Ist das ein Job?«

»Nee, kein Job. Mehr so ’ne Art Berufung. Aye, ein Krieger der Erde. Wir verteidigen die Erde vor den bösen Fängen der großen, gierigen Unternehmen.« Er fängt zu kichern an.

»Hm. Das ist interessant.«

»Aye. Weißt du, da ist so ein uralter Kreis von Findlingen oben in den Bergen. Die Neun Ladys. Dreitausend Jahre alt. Und irgendein gieriges Arschloch will genau daneben einen Steinbruch aufmachen. Und wir Krieger, wir haben ein Lager errichtet, oben in den Bäumen. Sie können keinen Steinbruch sprengen, ohne vorher die Bäume zu fällen. Und die Bäume können sie nicht fällen, weil wir draufsitzen«, er kichert wieder, »weil wir unser altes britisches Erbe vor den Krakenarmen der Globalisierung retten, in Jimmys unsterblichen Worten.«

Dieser Jimmy scheint ein interessanter Kerl zu sein.

»Aber warum wollen sie Steinbruch an einer historischen Stelle machen?«

»Gier, Kumpel. Reine Gier. Alles für den Export. Der Bauboom in Amerika. Dreck zu Gold machen. Jimmy nennt die Typen den Feind im Bett.« Rock hat sich richtig ereifert und starrt wild in die Gegend.

»In der Ukraine war es dasselbe«, sagt Andrij tröstend. »Alles verkauft. Nichts übrig.«

»War es nicht in der Ukraine, wo sie diese Demonstrationen hatten? Irgendwas wegen den Wahlen? Orangene Plakate und so’n Zeug?« Jetzt redet er wieder ruhiger, fast verträumt.

»Das war auch Gier. Wenige Geschäftsleute haben ganzes Volksvermögen in Hände gekriegt. Jetzt wollen sie an Westen verkaufen.«

»Andrij, du redest vollkommenen Quatsch!«

Irina hat sich kerzengerade aufgesetzt und reibt sich die Augen.

»Ich dachte, du schläfst.«

»Wie kann ich schlafen, wenn du solchen Quatsch redest?«

»Das ist kein Quatsch, Irina. Du weißt nichts vom Leben bei uns im Osten.«

Sie sprechen Ukrainisch, mit erhobenen Stimmen. Rock sieht ihnen mit einem wohlwollenden Lächeln zu, tief über das Lenkrad gebeugt. Der Bus ist unglaublich langsam geworden, sie fahren jetzt zehn Stundenkilometer, höchstens.

»Ich weiß sehr wohl, was gut für die Ukraine ist, Andrij«, sie zeigt mit dem Finger auf ihn, »und die russische Vorherrschaft gehört nicht dazu.«

Was ist bloß in sie gefahren? Okay, vielleicht ist der Zeitpunkt gekommen, wo er mit der Umerziehung anfangen muss.

»Es geht nicht um Beherrschung, sondern um wirtschaftliche Integration, Irina. Integrierte Produktion, ein gemeinsamer Markt.« Er spricht langsam und deutlich. Ist sie – ein junges Mädchen mit dem Kopf voll Frauensachen – überhaupt in der Lage, solche Konzepte zu verstehen? »Die ukrainische und die russische Wirtschaft sind eins gewesen. Ohne Russland bricht die ukrainische Industrie zusammen.«

»Andrij, Russland hat die Ukraine unter den Zaren ausgeraubt, dann während des Kommunismus und jetzt unter dem Mäntelchen der wirtschaftlichen Integration. Es ist nur ein anderer Name für die gleiche Sache. Mit Juschtschenko können wir wenigstens eine eigene unabhängige Wirtschaft aufbauen.«

Sie hat einen unangenehm predigenden Ton angeschlagen, der bei einer Frau überhaupt nicht attraktiv ist. Sie sollte sich lieber mit Frauenthemen beschäftigen, statt ihr hübsches Näschen in die Politik zu stecken.

»Irina, die Leute, die die Ukraine ausgeraubt haben, waren hauptsächlich unsere eigenen Landsleute. Krawtschuk, Kutschma, deine Tymoschenko – alles Milliardäre. Wusstest du das, als sie die Minen im Donbass geschlossen haben, kamen Hilfsgelder aus Europa für die Bergleute, um neue Industrien anstelle der alten aufzubauen. Und was ist passiert? Das ganze Geld ist in die Taschen der Beamten geflossen. Neue ukrainische Beamte, keine Russen. Mobilfon-Männer. Die Minen wurden verkauft, und als sie die Maschinen rausgeholt hatten, wurden sie geschlossen. Keine neuen Industrien. Vor lauter Verzweiflung sind die Bergleute auf eigene Faust in die Gruben runter und haben die Kohle mit der Hand abgebaut. Kannst du dir die Zustände vorstellen? Kannst du dir das auch nur einen Moment lang vorstellen?«

»Du brauchst nicht so zu schreien.«

»Tut mir leid.« Sie hat recht. Schreien macht ihn auch nicht wieder lebendig. »In einer dieser Minen ist mein Vater gestorben.«

»Oh, Andrij!« Sie legt die Hand auf den Mund. »Oh, warum hast du mir das nicht früher erzählt? Es tut mir so leid. Es tut mir schrecklich leid.«

Jetzt hat sie Tränen in den Augen und sieht so traurig aus, dass er sie in den Arm nehmen und trösten muss. Das nächste Mal muss er bei der Umerziehung sanfter vorgehen.

»Es ist ja nicht deine Schuld, Irina. Bitte, wein doch nicht. Du hast ihn ja nicht umgebracht.«

Seufzend vergräbt sie das Gesicht an seiner Brust. Er streichelt ihr über das Haar, schwarz und glänzend wie ein Rabenflügel.

Moment mal – was passiert hier? Der Bus ist so langsam geworden, dass er fast stehen bleibt, und jetzt rollt er quer über die Straße. Rock, der über dem Steuer hängt, seufzt leise und kichert immer noch vor sich hin. Hektisch beugt sich Andrij hinüber, greift ins Steuer und versucht, den Bus wieder auf Kurs zu bringen. Gleichzeitig versetzt er Rock einen Stoß mit dem Ellbogen. Rock schüttelt den Kopf, blinzelt, lächelt, rückt die Brille zurecht, die ihm fast von der Nase gerutscht ist, dann übernimmt er wieder das Steuer.

»Nur kein Stress, Kumpel. Zeit für ein Nickerchen.«

An der nächsten Raststätte fährt er raus, parkt den Bus, legt sich über das Steuer und ist nach ein paar Sekunden fest eingeschlafen. Irina macht sich auf die Suche nach einem Waschraum. Andrij bleibt im Bus sitzen, lauscht dem Schnarchen von Rock und den Hunden und spürt, wie seine Ungeduld sich staut wie Dampf in einem Zylinder. Ob sie jemals nach Sheffield kommen?

»Was ist los mit ihm?«, flüstert Irina, als sie neben ihn auf den Sitz klettert. Sie sieht frisch aus und entspannt.

»Müde vom Fahren. Bei dem uralten Bus, weißt du. Keine Servolenkung.«

Er denkt sich seinen Teil, was Rocks Zigarette angeht, aber er will Irina nicht beunruhigen.

Nach einer halben Stunde wacht Rock auf, kratzt sich am Kopf, dann schüttelt er sich wie ein Hund und zieht los auf der Suche nach etwas zu essen. Als er aus dem Bus steigt, bemerkt Andrij erst, wie klein er ist – wie er so in seiner weiten, erdfarbenen Kluft auf die Raststätte zuhüpft, sieht er aus wie ein lockenhaariger Elf. Ein paar Minuten später kommt er mit einer Flasche Wasser, einer Orange, einem Weißbrot und vier Schokoladenriegeln zurück. Andrij greift in die Tasche, um ihm Geld zu geben, aber Rock schüttelt den Kopf.

»Kein Stress. Ich hab das Zeug befreit.«

Bedächtig schält er die Orange, dann teilt er die Stücke gerecht zwischen ihnen drei auf. Mit der Schokolade macht er das Gleiche. Dann zählt er die Brotscheiben ab. Er scheint es kein bisschen eilig zu haben. Hinter der kleinen runden Brille sind seine Augen rot geworden.

»Ich kann fahren, wenn du willst«, sagte Andrij.

»Kein Stress«, sagt Rock.

Als sie eine halbe Stunde später mit dem Essen fertig sind, füllt er mit einem Kanister aus dem Gepäckfach den Tank auf, reicht Andrij die Autoschlüssel und klettert nach hinten.

»Rückt mal ’n Stück«, sagt er und streckt sich zwischen Hund und Maryjane aus. Bald schnarchen die drei im Chor mit dem Brummen des Motors. Auch Irina auf dem Beifahrersitz scheint eingeschlafen zu sein.

Am Steuer tut Andrij sein Bestes, sich auf die Straße zu konzentrieren. Mit der Lenkung hatte er jedenfalls recht – der alte Bus ist noch schlimmer als der Landrover. Auch die Schaltung ist ein wahres Teufelswerk. Glücklicherweise gibt es nicht viel zu lenken oder zu schalten, als sie erst mal auf der Straße sind; es ist überhaupt nicht viel zu tun, außer dazusitzen und zuzusehen, wie die Kilometer langsam vorbeikriechen.

Der versprochene Regen hat nicht eingesetzt, und der Himmel ist immer noch schwer und heiß. Inzwischen ist es früher Abend, und der Verkehr wird dichter. Nicht dass es für sie einen Unterschied macht – der Bus ist bei weitem das langsamste Fahrzeug auf der Straße. Komisch, denkt er, Sheffield scheint einfach nicht näher kommen zu wollen. Sie hätten doch längst ein Schild sehen müssen. Links ist ein Schild nach Leeds. Ist das nicht irgendwo im Norden? Dann kommt ein Schild nach York. Hm. Wenigstens sind sie in der richtigen Grafschaft. Aber ist Sheffield nicht in Süd-Yorkshire? Wo ist es bloß hinverschwunden?

Irina wacht auf und berührt seine Hand.

»Sind wir bald da?«

»Ich glaube schon.«

»Erzähl mir mehr von Sheffield.«

»Also, weißt du, Sheffield war die erste Stadt in England, die zur sozialistischen Republik ausgerufen wurde, und der Anführer, Vlunki, ist auf der ganzen Welt bekannt für seine progressiven Grundsätze.«

»Was sind das für progressive Grundsätze?«, fragt sie argwöhnisch. »Werden die mir gefallen?«

»Die Bougainvilleen werden dir auf jeden Fall gefallen.«

Er beugt sich zu ihr und küsst sie, wobei er das Steuer mit dem rechten Knie festhält.

Auch wenn Andrij sehr attraktiv und männlich ist, wünsche ich mir manchmal, er wäre nicht gar so primitiv. Wie konnte ich mich nur in einen Mann verlieben, der der Sowjet-Ära nachhängt? Ich hoffe, dass er seine reaktionären Vorstellungen hier im Westen bald ablegt, aber langsam habe ich meine Zweifel, was dieses Sheffield angeht. Muss ich mir etwa eine Art kommunistisches Arbeiterparadies vorstellen wie Jalta oder Sotschi, überall Sanatorien und Gemeinschaftsschlammbäder? Wir werden sehen.

Rock wachte erst nach ein paar Stunden wieder auf. Und dann staunte er, wie weit wir gekommen waren.

»Du hättest auf der A57 abfahren müssen. Wir sind viel zu weit im Norden. Wir müssen umkehren und wieder zurück.«

»Davon hast du nichts gesagt«, sagte Andrij missmutig. Das ist noch einer seiner Fehler, wie ich festgestellt hatte. Er neigt zu schlechter Laune. Ich schätze, es war ihm wirklich wichtig, bald nach Sheffield zu kommen.

Rock sah bedauernd drein.

»Das war dieser verdammte Afghane«, murmelte er und

starrte nach hinten in den Bus, aber ich verstehe wirklich nicht, wie er Hund die Schuld daran geben konnte.

Jedenfalls wendeten wir, und ab ging es in die andere Richtung. Rock saß wieder am Steuer. Das Licht verblasste am Himmel. Ab und zu donnerte ein Auto oder ein Lastwagen an uns vorbei nach Süden, mit in der Dämmerung grell aufstrahlenden Scheinwerfern. So fuhren wir etwa eine Stunde lang, im Schneckentempo, Rock hatte beide Hände am Steuer, den Blick starr nach vorn gerichtet, und sprach kein Wort. Der Verkehr auf den Straßen hatte wieder abgenommen. Ein paarmal wurden wir von einem Auto überholt, dessen Rücklichter in der Dunkelheit vor uns kleiner wurden, bis nur noch zwei Stecknadelköpfe zu sehen waren, und dann nichts mehr.

Plötzlich fuhr Rock von der Straße auf einen Rastplatz und verkündete: »Ich glaube nicht, dass wir es heute Nacht noch schaffen, Leute. Wir hauen uns aufs Ohr und fahren morgen weiter.«

Andrij sagte nichts, aber ich wusste, was er dachte. Ich sah den gewittrigen Ausdruck in seinem Gesicht.

»Ihr beide könnt das Bett haben – ich schlaf hier vorn auf den Sitzen. Maryjane! Komm her!«

Maryjane sprang nach vorn, und Hund folgte ihr. Rock klappte die Sitzbank um. Dann zog er das T-Shirt und die Jeans aus, warf sie in den Karton mit dem Geschirr und krabbelte mit seinem kleinen blassen Körper in einen khakifarbenen Schlafsack, wie eine Larve, die in ihren Kokon zurückschlüpfte.

Andrij stieg aus und half mir aus dem Bus. Der Rastplatz war durch eine Hecke von der Straße abgeschirmt. Außer uns stand noch ein Wohnwagen da, doch die Rollläden waren unten. Auf einem Schild stand: TEE. SNACKS. Die Nacht war warm und feucht, der Himmel bedeckt, ohne

Sterne. Ich atmete tief ein, füllte meine Lungen mit frischer Luft, streckte die Glieder und spürte, wie meine Muskeln sich lockerten. Wir hatten stundenlang gesessen. Ich musste in die Büsche, das Gras wässern, und hörte, wie Andrij ein Stück weiter das Gleiche tat – seine Schritte in der Dunkelheit, und dann das leise Zischen, als er auf den weichen Boden pinkelte.

Als er im Dunkeln zurückkam, nahm er mich in die Arme und drückte mich gegen die Seite des Busses. Ich spürte ihn, hart, und seinen heißen, drängenden Atem an meinem Hals. Ich weiß nicht, warum ich zu zittern anfing. Aber er hielt mich ganz fest, bis mein Körper wieder ruhig wurde.

»Irina, wir sind zwei Hälften desselben Landes«, sagte er leise und leidenschaftlich. »Wir müssen lernen, einander zu lieben.«

Noch nie hatte jemand etwas so Schönes zu mir gesagt.

Er küsste meine Haare, dann meine Lippen. Ich spürte, wie heiße Flammen durch meinen Körper schossen, und wieder dieses schmelzende Gefühl, so dass ich fast nicht mehr nein sagen konnte. Aber ich sagte nein. Denn beim ersten Mal muss alles stimmen – es sollte nicht auf einer ekelhaften Matratze stattfinden, auf der den ganzen Tag Hund und Maryjane gelegen und sich zwischen den Beinen geleckt hatten. Und auch nicht im Stehen am Straßenrand wie eine Nutte auf dem Hausflur. Man kann sich schlecht vorstellen, dass Natascha und Pierre ihre Liebe an der Wand eines Busses vollziehen würden, oder?

»Nicht jetzt, Andrij«, sagte ich. »Nicht hier. Nicht so.«

Darauf sagte er etwas ziemlich Schlechtgelauntes, und dann entschuldigte er sich für seine Schlechtgelauntheit, und ich entschuldigte mich für das, was ich gesagt hatte, und er sagte, er ginge ein Stück spazieren, und ich sagte, ich würde mitkommen, aber er sagte, nein, er wollte allein sein. Und so stand ich vor dem Bus und wartete, dass er wiederkäme, und überlegte, was ich sagen sollte, damit er nicht böse auf mich war. Sollte ich ihm sagen, dass ich ihn liebte?

Als wir schließlich auf die Matratze krochen, war das Bettzeug grau und schmuddelig und roch nach Hundeschweiß. Ich konnte meine Kleider nicht ausziehen. Andrij dachte, ich behielte sie an, weil ich so anständig war – er ist eben ein Gentleman –, dabei ekelte ich mich in Wirklichkeit nur vor den alten, feuchten Laken. Er hielt mich die ganze Nacht im Arm, mein Kopf lag zwischen seinem Kinn und seiner Schulter. Er merkte gar nichts von den ekligen Laken.

Am nächsten Morgen nach dem Aufwachen sah ich, dass meine Hände und Füße mit roten Beulen bedeckt waren. Bei Andrij war es das Gleiche. Rock war auch schon wach, er hockte vor dem Gasofen und kochte Wasser, mit nichts an außer seinen Unterhosen, die grau und weit waren wie der Lendenschurz eines Propheten im Alten Testament.

»Tasse Tee?«, fragte er.

Er rauchte eine dünne selbstgedrehte Zigarette, die ihm von der Unterlippe hing, während er gleichzeitig sprach und paffte. Sein Körper war sehnig und sehr blass, ohne männliche Muskeln. Stattdessen war er mit Sommersprossen und Flohbissen übersät. Ich wünschte, er würde sich etwas anziehen.

Zum Frühstück aßen wir die Reste des Weißbrots von gestern und ein paar runzlige Äpfel aus einer der Kisten. Rock schenkte uns heißen, dünnen Tee ein, den er mit Honig süßte.

Andrij lehnte sich zu mir und flüsterte mir ins Ohr: »Du bist so süß wie Honig.«

Dabei fiel ihm eine braune Locke in die Stirn, und aus irgendeinem Grund, den ich nicht erklären kann, spürte ich, wie ein schimmerndes, blubberndes Gefühl der Liebe in mir hochstieg, nicht nur zu Andrij, sondern auch zu Rock, zu Hund und zu Maryjane, zu dem stinkenden alten Bus, ja, sogar zu den Flohbissen und dem Lendenschurz, und zu dem ganzen frischen wunderschönen Morgen.

Es war noch sehr früh. Draußen war die Landschaft wie weichgezeichnet von leichtem Dunst, der über den flachen leeren Feldern hing und sich an die Umrisse der Bäume und Büsche schmiegte. Die Vögel waren schon wach und zwitscherten geschäftig. Hund und Maryjane jagten einander über den Parkplatz, tollten herum und neckten sich. Als Rock durch die Zähne pfiff, kamen sie angerannt, mit leuchtenden Augen und heraushängenden Zungen. Sie ließen sich auf dem Bett nieder, und wir saßen vorn. Dann ließ Rock den Motor an, der laut durch die neblige Stille röhrte, und wir fuhren los.

Irgendwann gestern Abend müssen sie wohl von der Great North Road nach Westen abgebogen sein. Die Straße, auf der sie sich jetzt befinden, ist kleiner und windet sich durch eine nichtssagende Landschaft, riesige Felder, mit ihm unbekannten Nutzpflanzen bebaut, und kleine Ansammlungen von roten Ziegelhäusern. Doch was Andrij vor allem auffällt, ist, dass schon so früh so viel Betrieb auf der Straße herrscht. PKWs, Transporter, Lastwagen, Menschen, die es eilig haben, zur Arbeit zu kommen. Ein großer schwarzer Geländewagen rast vorbei. Er sieht aus wie ... nein, bestimmt fahren Dutzende solcher Fahrzeuge auf diesen Straßen. Er sieht Irina an. Sie sitzt in der Mitte, und er spürt die Wärme ihrer linken Hand an seiner rechten. Ihre Augen sind geschlossen. Sie hat nichts gesehen.

Auf einem langen geraden Stück werden sie von einem Minibus überholt, und er zählt ein Dutzend Männer, zusammengedrängt auf den Sitzen, dunkelhäutige, schwarzhaarige Männer mit zerknitterten Frühmorgenmienen. Manche rauchen Zigaretten. Sie gleiten im Morgennebel an ihnen vorbei.

»Was sind das für Männer?«, fragt er Rock.

Rock zuckt die Schultern. »Einwanderer. Saisonarbeiter. Die Schlacken der Globalisierung, wie Jimmy Binbag sagt.«

»Wer ist …?«

»Das ganze Land wird von Einwanderern am Laufen gehalten. Sie machen die Drecksarbeit.«

»Wie wir.«

»Aye. Wie ihr«, sagt Rock. »Habt ihr von dem Verkehrsunfall in Kent gehört? Ein Minivan voll mit Erdbeerpflückern. Sechs Tote.«

»In Kent?« Irina setzt sich auf, mit großen Augen.

»Arme ausgebeutete Schweine. Handlanger der gesichtslosen globalen Unternehmen. Aber nicht mit mir. Ich hab die Nase voll. Deshalb bin ich Krieger geworden.« Er schiebt die Brille hoch, die ihm auf die Nasenspitze gerutscht ist. »Schade, dass mein Dad mich nicht sehen kann. Und er meinte, ich wär zu schwach für die Grube.«

»Aber du verteidigst Steine, keine Menschen«, sagt Andrij. »Wieso?«

»Kohle, Steine, Erde – das ist unser Vermächtnis, oder nicht?«

»Vermachtnis – was heißt das?«

»Das, was wir von unseren Eltern kriegen. Dinge, die über Generationen weitergegeben werden.«

»Wie Unterhosen«, flüstert Irina auf Ukrainisch.

Wenn ich ein Krieger wäre, denkt Andrij, würde ich nicht irgendwelche blöden alten Steine verteidigen, sondern lebendige Menschen aus Fleisch und Blut. Auch im Donbass haben die Mobilfon-Männer die Macht an sich gerissen, und die

Menschen sind ersetzbar geworden, ihre kostbaren Leben werden einfach weggeworfen, durch vermeidbare Unfälle und Krankheiten, und ihr Elend wird nur vom Wodka gedämpft. Das ist die Zukunft, die sein Land ihm bietet – dass er als Mensch entbehrlich ist. Nein, das kann er nicht akzeptieren.

»Woran denkst du?«, fragt Irina leise.

»Ich denke daran, wie kostbar du bist, ukrainisches Mädchen.«

In seinem Mund fühlen sich die Worte seltsam fest an, wie Zuckerwürfel, die sich nicht aufgelöst haben. Er ist es nicht gewohnt, einer Frau solche Sachen zu sagen.

Es geht immer noch westwärts. Sie kommen durch eine hässliche, verkehrsverstopfte Stadt, dann auf eine große Fernstraße, und schließlich folgen sie einer schmalen Straße durch Felder, die grün und sanft geschwungen sind, doch nicht vergleichbar mit der leuchtenden Schönheit von Kent.

»Hier sind überall Zechen gewesen«, sagt Rock. »Und beim Streik haben sie die Straßen dicht gemacht, damit die Streikposten aus Yorkshire nicht nach Nottinghamshire konnten. Räudiges Notts, haben wir gesagt. Das war ein Schlachtfeld. Mein Dad ist in Hucknall verhaftet worden. Aber das ist ja jetzt alles Geschichte.« Er seufzt. »Kein Müllbeutel in der Tonne der Geschichte, hat Jimmy immer gesagt.«

»Wer ist …?«

»Da vorn ist die Autobahn«, sagt Rock. »Wenn wir auf der anderen Seite sind, sind wir bald da.«

Ein paar Kilometer weiter, jenseits der Felder, gräbt sich eine riesige Straße in die Landschaft, noch größer als die Great North Road, Schlangen von PKWs und Lastwagen schieben sich langsam vorwärts, dicht gedrängt wie Perlen an einer Schnur.

Hinter der Autobahn wird die Straße noch schmaler, und es geht bergauf. Hier sind die Häuser nicht mehr aus Ziegel, sondern aus grauem Feldstein, und die Dörfer sind kleiner und weiter voneinander entfernt. Je höher sie kommen, desto wilder wird die heidebewachsene Landschaft; dunkle Felsmassive tauchen auf, Wäldchen mit Weißbirken und Nadelbäumen, weite, vom Wind gepeitschte Hügel. Der Himmel ist schwer, Sturmwolken hängen tief am Horizont. Rock fährt die meiste Zeit im ersten Gang und beugt sich über das Lenkrad, denn die Straße ist so schmal, dass bei Gegenverkehr oft einer zurückstoßen muss, um den anderen vorbeizulassen.

»Die Landschaft gefällt mir«, sagt Irina. »So habe ich mir England vorgestellt. Wie in *Sturmhöhe.*«

»Peak District«, erklärt Rock, »wir sind fast da.«

Auf einem steilen Straßenabschnitt zwischen zwei Waldstücken biegt Rock links ab auf eine holprige Schotterpiste, die in ein Gehölz führt. Unten, am Fuß des Abhangs, steht noch ein Bus zwischen den Weißbirken. Als sie langsamer werden, kommen zwei Hunde aus dem Wald gerannt und stürzen bellend auf sie zu. Maryjane spitzt die Ohren, dann fängt auch sie zu bellen an, und Hund fällt ein. Hinter den Hunden tauchen drei Leute auf. Andrij mustert sie neugierig – sind es Männer oder Frauen?

Andrij war ziemlich wütend, als er feststellte, wo wir gelandet waren. Ich glaube, er dachte, dass wir kurz vor Sheffield wären. Rock versprach vage, uns am nächsten Tag nach Sheffield zu bringen. Oder am Tag darauf. Ehrlich gesagt, ich hatte es gar nicht so eilig, nach Sheffield zu kommen. Ich war neugierig auf dieses Camp. Vielleicht gab es ein Zelt oder einen romantischen kleinen Wohnwagen oben auf einem Hügel, wo wir die Nacht verbringen könnten.

Aber stattdessen stand da nur ein Haufen alter Fahrzeuge am Waldrand, von denen manche auf Ziegelsteine aufgebockt waren, und die Zelte bestanden aus primitiven Plastikplanen, die niedrig über junge Bäume gespannt waren. Dann hob ich den Kopf und musste blinzeln, denn oben in der Blättern entdeckte ich ein ganzes Spinnennetz von blauen Seilen, die von Baum zu Baum führten, wie luftige Wege, und Zelte aus Segeltuch oben in den Baumkronen.

Rock stieg aus und rannte auf die drei Leute zu, die uns entgegenkamen, um uns zu begrüßen – seine Kriegerkollegen wahrscheinlich. Er umarmte sie und stellte uns vor. Alle trugen die gleichen weiten, erdfarbenen Kleider. Meines Erachtens sahen sie ganz und gar nicht aus wie Krieger. Der Kleinste von ihnen, der Windhover hieß, hatte einen kahlrasierten Schädel. Die zwei anderen hatten die gleichen verfilzten Zöpfchen wie Toby McKenzie, einer trug sie nach hinten gebunden, der andere offen. Sie hießen Heather und Birch. Heide und Birke? Anscheinend hatten alle hier so komische Namen. Meiner Meinung nach sollten Menschen nach Menschen benannt sein, nicht nach Dingen. Woher wusste man sonst, wer ein Mann war und wer eine Frau?

Heather, Heide, heißt eine kleine lila Blume, die in Schottland weit verbreitet ist, und es ist gleichzeitig ein Frauenname, doch dieser Krieger namens Heather schien ein Mann zu sein, zumindest, wenn man seinen Bartwuchs als Indiz dafür nahm. Im Gegensatz zu seinem femininen Namen war er kräftig gebaut, muskulös und sein dichter brauner Bart sah aus, als hätte er ihn mit der Nagelschere gestutzt – vielleicht war das unter Kriegern Mode. Bei den anderen beiden war ich mir nicht so sicher. Krieger Birch war recht groß, aber er wirkte irgendwie unkörperlich mit seiner leisen Stimme und dem schüchternen Wesen. Krieger Windhover – was mochte das wohl bedeuten? – war kleiner, aber dafür wilder, auch wenn kein einziges Haar an ihm war bis auf die Augenbrauen, dunkle, ausdrucksvolle Bögen über meerblauen Augen, die lebhaft aus dem blassen knochigen Schädel hervorleuchteten. Als wir ihnen zum Camp folgten, sah ich, dass Windhover und Birch Händchen hielten, woraus ich schloss, dass es sich bei ihnen um einen Mann und eine Frau handelte – nur, wer war was?

Zu meiner Überraschung entdeckte ich zwischen einem Wohnwagen und einem Baum eine Wäscheleine, genau wie auf unserem Erdbeerfeld, und es hingen drei Paar Kriegerunterhosen daran, alle gräulich, formlos und nass. Der Anblick amüsierte mich, denn ganz ehrlich, ich hatte sie nicht für die Art Krieger gehalten, die sich groß mit Wäschewaschen aufhielten.

Auf einer Lichtung zwischen den Bäumen glomm ein Feuer, über dem ein schwarzer Kessel hing, und ein paar Baumstämme waren als Bänke darum herumgelegt. Die Krieger baten uns Platz zu nehmen, und Heather schenkte uns Tee ein, der grau und rauchig und sehr dünn war, in Tassen, die ebenfalls grau und rauchig und gesprungen waren. Dann teilte Birch aus einem anderen Topf Essen aus, das auch grau und rauchig war. Es erinnerte mich an die Kriegerunterhosen, und ich dachte, wenn man sie lange genug kochte und sie dann gut durchrührte, würden sie genauso aussehen und schmecken.

Die Krieger unterhielten sich. Rock erzählte von seinem Besuch in Cambridge, und die anderen stellten Fragen über irgendwelche Labors, aber ich hörte nicht richtig hin, denn ich hatte noch etwas oben in den Bäumen entdeckt. Ganz oben im Laub versteckt schwebte ein Wohnwagen – ein kleiner runder, grün gestrichener Wohnwagen, der in der Astgabel einer stämmigen Buche steckte, mit blauem Seil gesichert, und zu dem eine Strickleiter hinaufführte.

»Schau mal, Andrij«, sagte ich.

Rock sagte: »Aye, das ist unser Gästezimmer. Da könnt ihr drin schlafen, wenn ihr wollt.«

Der Blick, mit dem Andrij mich ansah, brachte meinen Körper zum Glühen, und mein Herz hüpfte wild, denn ich wusste, heute Nacht würde es passieren.

Windhover, die Frau mit der Glatze, hat hinreißende Augenbrauen – wie sie fragend nach oben rutschen, anzüglich zucken, sich grimmig runzeln und überraschte oder erfreute Bögen formen. Die Augenbrauen einer Frau können ein sehr verführerischer Körperteil sein, denkt Andrij. Sie redet mit Birch, und ihre Brauen heben und senken sich rhythmisch. Vorher hat er die beiden Händchen halten sehen, und als sie die Köpfe zusammensteckten, haben sie verstohlen einen Kuss getauscht. Zuzusehen, wie zwei Frauen sich küssen, hat eine sehr erregende Wirkung auf einen Mann. Haben sie es vielleicht absichtlich getan? Andrij hat noch nie eine homosexuelle Frau kennengelernt, aber er hat gehört, dass sie wahnsinnig sexy sind. Bis heute hatte er noch keine Gelegenheit, es selbst herauszufinden. Er hat gehört, dass ihr leidenschaftliches Wesen, durch das Fehlen eines geeigneten Mannes blockiert, sich zu sich selbst wendet und auf ein Objekt ihresgleichen fixiert. Wenn aber doch noch ein geeigneter männlicher Mann auftaucht, heißt es, der über das Geschick und die Geduld verfügt, diese Leidenschaft freizusetzen, dann ist die Heftigkeit der entfachten Hitze ungeheuer. Wenn sie erst mal entzündet ist, gibt es bei einer homosexuellen Frau kein Halten mehr. Dann muss ein Mann einen kühlen Kopf bewahren, sonst ertrinkt er im Strom ihrer Leidenschaft. Außerdem, hat er gehört, fühlt sich die homosexuelle Frau dem Mann verpflichtet, der sie aus ihrer sterilen, nach innen gekehrten Besessenheit befreit, und drückt ihre Dankbarkeit mit einer grenzenlosen sexuellen Hingabe aus, die Andrijs Vorstellungskraft übersteigt.

Die arme haarlose Frau mit den schönen Augen und den verführerischen Brauen, ihr geheimnisvoller blasser Körper unter den Schichten graubraunen Stoffes, hungrig nach der Liebe eines guten Mannes, erfüllt Andrij mit heftigem ... Mitleid. Und auch wenn er natürlich ganz für Irina und ihre gemeinsame Zukunft da ist, fragt er sich, ob Irina etwas dagegen hätte, wenn er aus Güte, aus reiner Barmherzigkeit, diese traurige gefangene Kreatur aus dem Kerker ihrer verdrängten Leidenschaft befreit.

Oh, sei nicht so ein Idiot, Andrij Palenko.

Nach dem Essen sagte Rock: »Kommt. Es wird Zeit, dass ihr die Ladys kennenlernt.«

Dann führte er Andrij und mich und eine kleine Hundemeute den Weg zurück und auf der anderen Seite der Straße einen steilen Waldweg hinauf. Mitten im Aufstieg blieb ich stehen und drehte mich um, aber das Camp war kaum zu sehen. Der grüne Wohnwagen und die verblichenen grünen Zeltplanen wurden fast vollkommen vom Laub verschluckt. Ich sah nur die dünne Rauchfahne, die durch das Blätterdach nach oben stieg. Krieger Heather, der uns begleitete, zeigte auf eine Stelle, wo rosa Gestein zutage lag.

»Das ist der Sandstein, den sie brechen wollen«, sagte er. »Hübsche Farbe, nicht? Er wurde 1952 lizenziert. Jetzt wollten sie den Steinbruch wieder öffnen. Aber wir haben sie aufgehalten.«

»Ihr habt sie aufgehalten? Mit Camp?«, fragte Andrij.

»Ja. Sie haben uns verklagt, aber das Gericht hat die Klage abgewiesen. Eigentlich müssten wir feiern, aber irgendwie ist es traurig, weil es bedeutet, dass das Camp am Ende ist. Ein paar von uns haben fünf Jahre hier gelebt. Stimmt's,

Rocky?« Seine Stimme und Redeweise waren sehr kultiviert, ganz anders als Rocks breiter Arbeiterdialekt.

»Aye«, sagte Rock, der vorausgegangen war, aber jetzt stehenblieb, um auf uns zu warten. »Verdammt traurig. Bin seit drei Jahren hier. Jetzt muss ich mich wieder als Lohnsklave abrackern. Geld verdienen. Geld ausgeben. Scheißdreck kaufen. Mich wieder den Klauen des Materialismus ausliefern.« Er zündete sich die Zigarette wieder an, die an seiner Lippe klebte. »Ein paar sind schon nach Sheffield und Leeds gegangen. Thunder, Torrent, Sparrowhawk, Midge. Arbeiten in Callcentern. Die Ausbeuterbetriebe des Informationszeitalters, sagt Jimmy.«

»Keine Angst«, tröstete ihn Heather. »Dich wird keiner auch nur in die Nähe eines Callcenters lassen.«

Oben auf dem Hügel traten wir aus dem Wald auf ein großes, steiniges, heidebewachsenes Plateau.

Heather erklärte: »Calluna vulgaris. Ericaceae. Meine Lieblingspflanze. Riecht ihr sie?«

Ich beugte mich vor und wollte gerade einen Zweig abpflücken, doch Heather hielt mich zurück. »Sie steht unter Naturschutz. Du musst schon direkt am Strauch daran riechen.«

Also bückte ich mich und atmete tief ein. Die Pflanze roch nach Sommer und Honig. Und ich verstand, warum er sie als seinen Kampfnamen gewählt hatte. Die lila Blüten waren so klein, dass sie von weitem aussahen wie violetter Dunst, der über die Hügel schwebte.

Wir gingen weiter, durch ein kleines Wäldchen, Eschen, Buchen und Weißbirken, und schließlich erreichten wir eine flache, grasbewachsene Lichtung von etwa fünfzehn Metern Durchmesser. Mitten auf der Wiese stand ein Kreis von neun Findlingen.

Ich war ein bisschen enttäuscht. Ich hatte etwas Größeres, Beeindruckenderes erwartet, so etwas wie Stonehenge. Aber die Felsbrocken hier waren schief und unterschiedlich groß, wie schlechte Zähne. Sie sahen überhaupt nicht wie Ladys aus. Wer die Sophienkathedrale gesehen hatte oder das Lavra-Kloster bei Sonnenuntergang, oder sogar manche englischen Monumente, der konnte diese Steine wirklich nicht sehr interessant finden. Aber dann sagte Heather: »Eisenzeit. Dreieinhalbtausend Jahre alt. Das sind die Vorgänger unserer großen Kathedralen.«

Ich schätze, das war doch interessant.

»Hier oben kann man den Geistern zuhören«, sagte Rock und warf sich mit ausgestreckten Armen und Beinen rücklings in der Mitte des Kreises auf den Boden. »Manchmal, wenn ich ganz still liege, habe ich das Gefühl, ich könnte Jimmy Binbag reden hören. Kommt her und legt euch hin und lauscht.«

Und so legten wir vier uns hin, wie ein Kreuz, die Köpfe in der Mitte, unsere ausgestreckten Hände und Füße berührten sich beinahe. Ich rechnete damit, dass gleich einer von ihnen einen seltsamen Gesang anstimmen würde, aber das taten sie nicht. Und so lag ich einfach nur da und sah in den Himmel und lauschte dem Wind, der im Gras raschelte. Die Wolken waren schwer, violett und voller Regen, nur hier und da brachen jähe Lichtstrahlen durch, golden und silbern wie Engelsboten. Ich spürte die Nähe der anderen, *er* zu meiner Linken und Heather zu meiner Rechten, und die Stille der Steine. Dann begann auch ich in der Stille die Nähe all der anderen Menschen zu spüren, die über die Jahrtausende genau hier gestanden und gelegen und dieselben Steine und denselben Himmel angesehen hatten. Ich hatte das Gefühl, ich könnte ihre Schritte und ihre Stimmen hören, kein Gerenne und Geschrei, sondern das sanfte Trappeln und Plappern der Menschen, wie sie seit Anbeginn der Zeitrechnung auf unserer Erde lebten.

Es erinnerte mich an meine Kindheit, als mein Bett im Wohnzimmer der kleinen Zweizimmerwohnung stand und ich abends beim Einschlafen die Stimmen meiner Eltern hörte, und ihre leisen Bewegungen, wenn sie auf Zehenspitzen herumgingen, um mich nicht zu wecken – Trappeln, Plappern.

Die Stille innerhalb des Steinkreises ist unheimlich. Sie hängt in der Luft wie die gigantische Ruhe in der Kathedrale nach den Gebeten. Wenn man ganz still da liegt, kann man den Wind im Gras singen hören, wie Stimmen, die einem ins Ohr flüstern. Andrij lauscht. Wirklich, es hört sich genauso an wie das Murmeln menschlicher Stimmen. Welche Sprache sprechen sie? Das Zischeln der Silben klingt polnisch – ja, das sind Jola und Tomasz und Marta, die leise miteinander sprechen. Sie sind wieder in Zdroj. Marta bereitet ein Festmahl vor. Jemand hat Geburtstag – ein Kind. Sie trinken Wein, Tomasz füllt die Gläser und spricht einen Toast auf – Andrij versucht genau hinzuhören – der Toast ist auf Irina und ihn, auf ihre glückliche Zukunft. Tränen treten ihm in die Augen. Im Hintergrund hört er ein Kichern und Flüstern – nicht polnisch, sondern … ist es chinesisch? Plötzlich bricht das Kichern ab, und er hört Schluchzen. Das Schluchzen wird schriller, und auf einmal sieht er die Bergleute bei dem Grubenunglück, wie sie gegen die Masse von herabfallenden Steinen ankämpfen, die Hände nach ihm ausstrecken, an ihm zerren, flehen. Sein Vater ist unter ihnen, eingehüllt in den schrecklichen schwarzen Staub, formlos wie ein Geist. Andrij weiß, dass er rennen muss, nur weg von hier, aber er liegt am Boden und kann sich nicht rühren. Er ist wie gelähmt. Seine Glieder sind bleischwer, nur sein Herz schlägt, schneller, schneller. Doch in dem Moment, als ihn die Panik zu überwältigen droht, verwandelt sich das Schluchzen in

Musik, in eine Stimme – eine Knabenstimme –, durchdringend und süß, friedlich und tröstend, und sie lindert den Schmerz und die Wut in seiner Seele mit dem Versprechen der Ewigkeit. Emanuel singt für ihn.

Er erwacht mit einem Ruck und fragt sich – hat Blessing an den Telefonanruf gedacht?

Vielleicht hatte ich geträumt, denn nach einer Weile stellte ich fest, dass das Trappeln Regentropfen waren, und das Plappern war Andrij, der sagte: »Wach auf, Irina. Wir gehen zurück. Es regnet.«

Im Camp hatten die anderen bereits eine große Segeltuchplane zwischen den Bäumen aufgehängt, und darunter rauchte ein Feuer. Heather schälte Kartoffeln, und Rock rührte in einem Topf.

»Kann ich helfen?«, fragte ich.

Rock gab mir den Rührlöffel. Dann verschwand er.

»Ich hole trockenes Holz«, sagte Andrij, und dann verschwand auch er.

»Wo sind die anderen von eurer Gruppe?«, fragte ich Heather.

Er erklärte, dass einige zu einem Musikfestival nach Süden gefahren waren, und andere, Rocks Freundin zum Beispiel, hatten vorübergehend Jobs in den benachbarten Städten angenommen, um ein bisschen Geld zu verdienen. Leider hatte seit dem Erfolg der Gerichtsanhörung die Unterstützung durch die Dörfer im Umkreis immer mehr nachgelassen, und vielleicht würden sie das Lager bald ganz auflösen müssen.

»Wo wirst du hingehen?«, fragte ich.

Er zuckte die Schultern. »Es gibt immer Orte, wo wir gebraucht werden. Straßen. Flughäfen. Kraftwerke. Die ganze Erde steht unter Beschuss.«

Ich dachte, wie schön es wäre, ein paar neue Straßen und

Flughäfen und Kraftwerke in der Ukraine zu haben, doch diesen Gedanken behielt ich für mich. Wir lauschten dem Prasseln des Regens auf der Plane und dem Knacken der Holzscheite im Feuer. Irgendwo spielte jemand Gitarre.

»Kochst du gern?« Heather warf eine Handvoll kleingeschnittener Karotten in den Topf. Seine Fingernägel waren sehr lang, fast wie Krallen, und sehr schwarz.

»Nicht besonders«, sagte ich.

»Ich auch nicht«, sagte er. »Aber ich esse gern. Früher in Renfrewshire hatten meine Eltern eine Köchin namens Agatha. Sie war eins achtzig groß und fluchte wie ein Bierkutscher, aber sie konnte wunderbar backen. Einmal hat sie gerade Obsttörtchen gebacken, da ist der Ofen explodiert. Sie kam mit Verbrennungen dritten Grades ins Krankenhaus und war eine Woche später tot. Das reicht, um einem das Kochen zu verleiden, findest du nicht?«

»Aber wirklich«, sagte ich lachend, trotz der traurigen Geschichte, und fragte mich, ob sie stimmte. Und ich fragte mich, wie ein Mensch, der so kultiviert sprach und aus einem Haus mit einer Köchin kam, einen Ort wie diesen und Essen wie dieses ertragen konnte, und wie dieser Mensch so dreckige Fingernägel haben konnte. Und ich fragte mich, ob er eine Freundin hatte, und ob sie auch hier im Camp lebte, und was sie von seinen Fingernägeln hielt. Und ich fragte mich, ob er mich nicht attraktiv fand, weil er mich, genau wie Rock, nie anstarrte oder mit mir flirtete oder persönliche Bemerkungen machte wie manche anderen Männer, so dass ich mich in ihrer Gegenwart vollkommen wohl fühlte. Vielleicht finden sie nur Frauen ihrer eigenen Spezies attraktiv.

Anscheinend hat die Frau mit den schönen Brauen ein Auge auf dich geworfen, Palenko – aber bedeutet das, dass du darauf reagieren musst? Ihr habt über das Wetter gesprochen.

Ihr habt über die Steine gesprochen. Sollst du jetzt den ersten Gang einlegen und versuchen zu beschleunigen? Oder sollst du dir sagen, hey, ich habe die Frau gefunden, die ich liebe. Das reicht. Bye-bye, Ende, aus.

Während Andrij sich den Brei aus dem Topf in den Mund schaufelt und auf fast rohen Karottenstückchen herumkaut, blickt er ab und zu auf, um ihre Augenbrauen anzusehen. Unablässig trommelt der Regen auf das straff gespannte Segeltuch, und darunter hüllt der Rauch den Kreis der Gesichter ein. Windhover sitzt neben Birch auf der anderen Seite des Feuers. Jetzt hat sie die Brauen nachdenklich zusammengezogen. Es sind wunderschöne Brauen. Sie löffelt die Pampe erstaunlich schnell und mit sichtlichem Vergnügen in sich hinein.

Bis auf die Brauen ist sie nicht sehr attraktiv, denkt er. Ihr Körper unter den dicken, schlammfarbenen Tüchern ist unförmig und plump – ehrlich gesagt, gar nicht wie der Körper einer Frau. Vielleicht ...? Nein, bei so was irrt er sich doch nicht. Windhover hat seinen Blick nicht erwidert.

»Das schmeckt gut, Heather«, sagt sie und ignoriert Andrij vollkommen. »Was ist das?«

»Linsen- und Karottengulasch.« Heather sieht zufrieden aus. »Mit Paprika wäre es noch besser.«

Zum Abendessen gab es den gleichen geschmacklosen unterhosen-farbenen Brei wie am Mittag, nur dass diesmal kleingeschnittene Karotten darin herumschwammen. Unangenehm war auch, dass man von dem Zeug Blähungen bekam, was sich sogar hier draußen im Freien bemerkbar machte, vor allem bei den Hunden. Als Heather mir einen Nachschlag anbot, lehnte ich ab, aber ich lobte sein Essen, weil ich seine Gefühle nicht verletzen wollte. Er war zwar nicht Mr. Brown, aber er war trotzdem sehr nett.

Nach dem Essen sammelte Rock die leeren Schüsseln ein, füllte sie mit dem restlichen Gulasch – Gulasch nennen sie das Zeug! Offensichtlich haben sie noch nie richtiges Gulasch gekostet! – und stellte sie den Hunden hin, die sich darüber hermachten. Meines Erachtens waren die Hygienebedingungen in diesem Camp völlig unzureichend, und ich wunderte mich, dass die Behörden es nicht dicht gemacht hatten. Zum Waschen gab es nur den kleinen Bach, außerdem ein viel zu flaches Plumpsklo, das mit ein paar Zweigen abgeschirmt war, wo man auf einem Brett über dem widerlichen, gärenden *nushnik* früherer Kriegermahlzeiten balancieren musste. Jemand hatte auf ein Schild geschrieben: *VORSICHT SPRITZGEFAHR.*

Es wurde dämmrig, und die Luft war kühl und feucht. Ich nahm die Schüsseln und ging zum Bach hinunter, um den Hundesabber abzuspülen (die anderen sahen mir überrascht nach, offensichtlich hielten sie die Schüsseln bereits für blitzsauber), und dann wusch ich mich mit Mrs. McKenzies parfümierter Seife, weil ich wusste, dass es heute Nacht passieren würde. Schließlich kletterte ich die Strickleiter hinauf in den Wohnwagen.

Er war noch viel kleiner als der Frauenwohnwagen auf dem Erdbeerfeld, und er war rund wie ein Ei. Drinnen war nicht viel Platz, es reichte gerade für das ausgeklappte Doppelbett. Ich konnte nicht sehen, wie sauber das Bettzeug war, und dachte, es war besser, nicht nachzuschauen. Ein Vorteil hier oben im Baum war jedenfalls, dass die Hunde nicht hochkonnten. Auf einem niedrigen Schränkchen neben dem Bett stand ein Marmeladenglas mit getrockneten Blumen, die einen angenehmen pulverigen Duft verströmten. Ein paar Kerzenstummel steckten in leeren Weinflaschen, und es waren sogar Streichhölzer da. Ich zündete eine Kerze an, und sofort war die kleine Höhle von weichem, flackerndem Licht erfüllt. Jenseits des Lichtkreises zuckten und zitterten die Blätter in der Dämmerung vor dem Fenster. Sturmwolken ballten sich über den Hügeln zusammen. Von unten hörte ich die Stimmen der Krieger, sie unterhielten sich und jemand spielte Gitarre. Ich legte mich auf das Bett und wartete.

Aus irgendeinem Grund musste ich an meine Eltern denken. Hatte meine Mutter in der Hochzeitsnacht genauso dagelegen und auf meinen Vater gewartet wie ich jetzt? War es romantisch? Hatte es wehgetan beim ersten Mal? War sie schwanger geworden? Ja, das war sie. Aus dem Samen, der in jener Nacht gesät wurde, war ich entstanden. Ich wuchs auf im Schutz der verflochtenen Zweige ihrer Liebe, mit der sie mich nährten, bis aus dem Sprössling ein Baum wurde – Irinotschka –, der allein stehen konnte. Liebte er sie danach immer noch? Ja, aber nur eine Zeitlang. Vorübergehend. Vorläufig. Bis Switlana Surocha vorbeikam. Zum ersten Mal spürte ich Wut auf meine Eltern. Warum konnten sie nicht noch eine Weile zusammenbleiben, in Liebe verflochten, und mir Geborgenheit geben, wenigstens, bis ich meine ersten eigenen Lektionen in der Liebe gelernt hatte?

Ich begann, im Kopf eine neue Geschichte zu spinnen. Die Geschichte einer Leidenschaft, einer immerwährenden Liebe, die Geschichte von zwei Menschen, die aus verschiedenen Welten kamen, doch nach etlichen Umwegen vom Schicksal zusammengeführt wurden. Die Heldin war noch Jungfrau. Der Held hatte starke, sonnengebräunte Arme.

Unten wurden die Stimmen lauter, und die Gitarrenmusik hatte aufgehört. Anscheinend fand eine angeregte Diskussion statt, hier und da von lautem Lachen unterbrochen. Plötzlich fing der Wohnwagen fürchterlich zu schwanken und zu wackeln an. Ich setzte mich bebend auf. Typisch, dachte ich, ausgerechnet heute – in *unserer* Nacht – fällt der

Wohnwagen vom Baum. Aber dann merkte ich, dass es wackelte, weil jemand die Strickleiter heraufkletterte. Mein Herz schlug schneller. Einen Augenblick später öffnete Andrij die Tür. Er lächelte nervös und hielt einen Strauß Heidekraut in der Hand.

»Das habe ich für dich gepflückt, Irina.« Er setzte sich auf die Bettkante und überreichte mir den Heidestrauß und sah mich dabei mit diesem intensiven Blick an. »Du bist so schön wie ein grüner Baum im Mai.«

Ich vergrub mein Gesicht in der Heide, die immer noch nach Sommer und nach Honig roch, damit er nicht sah, wie ich grinste. Auf der Skala der Romantik war das vielleicht drei von zehn.

Dann legte er sich neben mich aufs Bett und berührte zärtlich meine Wange. Als er mich in seine Arme zog, spürte ich, wie ich dahinschmolz. Er küsste mich, mit den Lippen, mit der Zunge, streichelte mich am ganzen Körper und flüsterte meinen Namen. Mmmh. Vielleicht sieben von zehn. Im Kerzenschein flackerten die Schatten unserer Körper an der Wand – verschwommen, schemenhaft zuckten sie über die gekrümmte Decke. Als er mich zwischen den Beinen berührte, war das Gefühl so überraschend und heftig, dass ich aufschrie. Okay, an diesem Punkt hörte ich mit der Bewertung auf. Ich erinnere mich nicht einmal, wie er mich auszog, aber irgendwie fielen die Kleider von uns ab, und wir lagen nackt, Haut an Haut, auf dem Bett. Die Kerze erlosch, und der Mantel der dunkel werdenden Blätter hüllte uns ein.

Plötzlich erhob sich ein Wind im Geäst, und mit einem Mal brach der Sturm los, eingeläutet von grollendem Regen, der aufs Dach prasselte, brüllendem Donner und einem festlichen Blitzgeflacker um uns herum, als würde der Himmel Karneval feiern. Der kleine Wohnwagen bockte und schlingerte im Blättermeer. Der Regen trommelte gegen die dünne Aluminiumhaut, und von Zeit zu Zeit schlitzte ein Blitz die Dunkelheit auf wie eine Rasierklinge. Ich hatte wirklich Angst, dass er in unseren Baum einschlagen und alles in Flammen aufgehen würde.

»Hab keine Angst, Irinotschka«, sagte Andrij und drückte mich fester an sich.

Und so gaben wir uns einander hin, in der Nacht des großen Sturms.

Ja, es war sehr romantisch. Ja, es tat ein bisschen weh, aber meine Gefühle waren so intensiv, dass ich erst später merkte, wie wund ich war. Ja, ich hatte Angst, schwanger zu werden, aber er holte etwas aus der Tasche, das aus rosa Gummi war und nach Erdbeeren roch. Nein, dieser Teil war nicht so romantisch, das gebe ich zu, aber es war verantwortungsvoll von ihm, und auch das ist ein Zeichen von Liebe. Und ja, er liebt mich immer noch, denn am Morgen kletterte er die Strickleiter hinunter und kam mit Brot und Tee zurück, und wir verbrachten den halben Morgen im Bett und redeten von der Zukunft und über all die Orte, die wir nach Sheffield bereisen würden, und über all die Dinge, die wir tun würden. Und dann machten wir noch einmal Liebe.

Nein, ich bin nicht derselbe Mensch, der ich gestern war.

ICH BIN HUND ICH LAUFE ICH LAUFE MIT MARYJANE ICH BIN VERLIEBT SIE IST BRAUNE HÜNDIN SCHNELL UND SCHLANK HÜNDIN RIECHT GUT LIEBESHORMONE ICH SCHNUPPER SIE SCHNUPPERT ALLE HUNDE LAUFEN IHR NACH ABER SIE LÄUFT MIT MIR WIR LAUFEN IM STURM IM REGEN WIR LAUFEN IM MONDLICHT WIR LAUFEN IM SCHATTEN ICH GEBE IHR MEINE WELPEN ICH LIEBE ICH LAUFE ICH LAUFE ICH BIN HUND

Bevor sie am nächsten Tag weiterfahren, steigen Andrij und Rock auf die Buche, um den Wohnwagen wieder festzuzurren. In der Nacht ist eins der Spannseile gerissen, der Wohnwagen hängt schief, und die Achse klemmt zwischen zwei Ästen.

»Ganz schön Glück gehabt«, sagt Rock, »oder Pech, wie man's nimmt.«

»Es war Glück«, sagt Andrij.

Bis sie endlich aufbrechen, ist es früh am Nachmittag. Irina sitzt wieder in der Mitte, mit unergründlichem Profil und schläfrigem Blick, während der Bus auf schmalen Sträßchen durch graue Steindörfer rumpelt. Andrij legt den Arm um sie, und sie rutscht näher heran und schmiegt sich an ihn. Ihr Haar ist offen und ungekämmt. Er streicht ihr eine Strähne aus dem Gesicht und sieht, wie sie lächelt. Dieses Mädchen – sie ist nicht ohne. Ja, Andrij Palenko, du bist ein echter Glückspilz von einem Donbasser Bergmann.

»Und was habt ihr in Sheffield vor?«, fragt Rock.

Die Sonne steht hoch am Himmel, und nach dem Regen steigt von den Hügeln leichter Dunst auf.

»Sheffield? Partnerstadt von Donezk. Meine Heimat. Ist sehr schön da, oder?«

»Sheffield? Aye, könnte man sagen. Wenn man eine Vorliebe für Stahlwerke hat. Man könnte auch sagen, dass es ziemlich hässlich ist.«

»Gibt es immer noch Kohlebergbau?«

»Nein, das hat sich alles geändert. Früher war hier alles voll mit Schlacken. Jetzt ist alles voll mit Schlampen.« Rock schiebt seine Brille hoch. »Barnsley hat auch eine Partnerstadt in der Ukraine. Grolowka.«

»Kenne ich. Auch im Donbass. Nicht schön.«

»Na ja, Barnsley ist auch nicht grade für seine Schönheit bekannt.«

»Ich war mal in Sheffield. Und ich habe Vlunki kennengelernt, der berühmt ist für Weisheit und gutes Herz. Wenn wir in Sheffield sind, bitten wir ihn um Hilfe.«

»Vlunki?«

»Parteiführer. Er ist blind, aber er sieht alles.«

»Ach! Du meinst Blunkett!« Rock hüpft auf dem Sitz, wobei ihm die Brille von der Nase rutscht und über das Armaturenbrett fliegt. Als er sich vorbeugt, um sie aufzufangen, macht das Lenkrad einen Ruck und der Bus schleudert und gerät auf den Randstreifen.

»Dieser verdammte Blunkett!« Rock biegt an seiner Brille herum, damit sie fester sitzt.

»Warum ist er verdammt?«

»Klassenverräter. Hat wegen so einer Sauerei mit einer Schickeriatussi unser Geburtsrecht verkauft, in Jimmys unsterblichen Worten.«

Was verkauft? Wer ist dieser Jimmy? Doch bevor Andrij fragen kann, ruft Rock: »Da ist es!«

Seit ein paar Kilometern geht es stetig bergauf, spitze Haarnadelkurven führen durch eine zerklüftete Farn-, Torf- und Felslandschaft, die düsterer ist als das sandige, heidebewachsene Plateau der Neun Ladys. Oben auf der Kuppe wird die Straße wieder gerade, und als es auf der anderen Seite den Berg hinuntergeht, sehen sie unter sich im Tal die Stadt, im Zentrum dicht bebaut mit in der Sonne blitzenden Gebäuden, während zum Rand hin hässliche Neubausiedlungen wuchern.

»Das ist Sheffield?« Irinas Stimme ist kühl.

Andrijs Herz zieht sich zusammen. Diese Stadt liegt eindeutig nicht auf einem Hügel.

Und es gibt auch keine Bougainvilleen. Die grünen Vororte weichen bald langen Reihen von Backsteinhäusern. Als sie in die Nähe des Zentrums kommen, parkt Rock in einer

Seitenstraße, in der viele Häuser leer zu stehen scheinen. Die Vorhänge sind zugezogen, die Vorgärten voller Müll und Unkraut, und überall hängen Zu-vermieten-Schilder. Wie hat Vlunki zulassen können, dass seine Stadt so herunterkommt? In der Luft liegt ein leichter Geruch nach Stahlindustrie, der ihn an zu Hause erinnert.

»In der Innenstadt kann man nirgends parken. Deshalb gehen wir von hier zu Fuß. Ich treffe mich mit Thunder im Ha Ha.«

Sie folgen Rock durch eine nach Urin stinkende Unterführung in Richtung Stadtzentrum. Der Sturm hat die Wolken verjagt, und es ist wieder ein heißer und klarer Tag. Auf der anderen Seite sieht es schon ordentlicher aus, und der Verkehr wird umgeleitet, um das Viertel hübscher zu machen. Auf den Bürgersteigen herrscht reger Betrieb, es gibt Läden und Marktstände und sogar ein paar elegante neue Gebäude. Es ist ganz anders als in seiner Erinnerung, aber wenigstens ist es besser als der erste Eindruck. Andrijs Laune hebt sich. Brunnen – ja, es gibt tatsächlich Brunnen! Und einen großen Platz mit Blumenbeeten und Wasserfällen, der von einem großen gotischen Gebäude überragt wird. Und da ist eine moderne Zitadelle aus Glas und Stahl, die von Rechts wegen ein Palast sein müsste, sich aber leider nur als Hotel entpuppt. Andrij nimmt Irinas Hand und flicht die Finger in ihre. Sie lächelt und zeigt auf einen Brunnen. »Schau doch!«

Im Brunnen springt eine Schar Kinder herum, die nur Unterhosen anhaben und sich gegenseitig mit Wasser vollspritzen. Genau wie in Donezk.

ICH BIN HUND ICH BIN NASSER HUND ICH LAUFE ICH SPIELE IM WASSER WUFF PLATSCH ICH LAUFE IM WASSER TRAUM VON MEINER WELPENZEIT KINDER NASSE KIN-

DER SPIELEN MIT MIR WUFF PLATSCH ICH LAUFE ICH BIN FROH SIE STREICHELN MICH MIT KLEINEN NASSEN HÄNDEN GUTER HUND SAGEN SIE ICH BIN GUTER HUND MEIN MANN SIEHT ZU ICH LAUFE ZU MEINEM MANN ICH SCHÜTTEL WASSER SCHÜTTEL SCHÜTTEL GEH WEG NASSER HUND SAGT MEIN MANN ICH LAUFE ICH SPIELE ICH BIN FROH ICH RENNE ICH SPIELE ICH BIN NASSER HUND ICH BIN HUND

Da ist ein Café am Rand des Platzes mit Tischen, die in der Sonne stehen. Eine sehr große junge Frau mit kurzem blondem Haar kommt auf sie zugelaufen und schließt Rock in die Arme. Seine Nase ist ungefähr auf Höhe ihrer Brüste, die klein und fest sind und kaum bedeckt von dem ausgewaschenen orangen Top. Auch sie hat einen Hund, den sie an einem Seil führt.

»Ich hab noch was vor«, sagt Rock. »Muss mich der rohen Gewalt dieser Lady ergeben. Wir treffen uns um sechs hier.«

Irina verkündet, dass sie auch was vorhat und einen Schaufensterbummel machen will. Andrij sieht ihr hinterher, als sie in der Menge verschwindet. Hund, pudelnass von seinem Bad im Brunnen, trottet ihr nach. Dann greift er nach seinem Geldbeutel und sucht einen Zettel heraus. Er macht sich auf die Suche nach einer Telefonzelle.

Ich dachte an Natascha und Pierre aus *Krieg und Frieden*, an den flammenden Moment der Liebe, als sie sich vereinigen, als all ihre Schönheit und Leidenschaft in ihn fließt und all sein Geist und seine Stärke in sie, und wie sie von da an gemeinsam der Welt entgegentreten, von ihrem glorreichen Turm der Liebe aus. Wenn Sie das lesen, kommen Ihnen die Tränen, das verspreche ich Ihnen, es sei denn, Sie haben ein Herz aus Stein. Und nachdem Natascha ihre große Liebe gefunden hatte, ging ihre Leidenschaft langsam in zärtliche Alltagsliebe über, und sie wurde eine gute Ehefrau, die für ihre vier Kinder alles tat und sich dem Haus und den Familienangelegenheiten widmete. Ich frage mich, ob es bei Andrij und mir auch so wird. Erste Anzeichen sind schon da. So habe ich zum Beispiel heute bemerkt, dass Andrij neue Unterhosen braucht. Die, die er trägt, sind in einem ähnlichen Zustand wie die Unterhosen der Krieger. Das ist nicht sehr anziehend bei einem Mann.

Das ging mir durch den Kopf, als ich mich auf die Suche nach der Einkaufsstraße machte, durch die wir gekommen waren, denn ich hatte mir gemerkt, dass sie dort solche Artikel verkauften – sexy Schnitte in interessanten Farben, nicht nur ein dunkelgrünes unförmiges Einheitsmodell wie in der Ukraine. Und ein paar kleine Damenslips aus Spitze. Ich dachte, wenn ich den Weg zurück fand, würde ich mich dort mal umsehen. Aber ich war anscheinend irgendwo falsch abgebogen, denn plötzlich kam mir die Gegend fremd vor, ein Büroviertel mit roten Backsteingebäuden, wo es nur wenige Cafés und Geschäfte gab, und die verkauften keine Kleider, sondern Putzmittel, Schreibwaren, Bürobedarf und anderes nutzloses Zeug. Ich war schon seit einer halben Stunde unterwegs und verirrte mich immer mehr. Der nasse Hund trottete hinter mir her oder lief voraus, manchmal trödelte er herum und verschwand in irgendeiner Gasse, und er schnüffelte auf seine eklige Art an jedem vollgepinkelten Laternenpfahl.

Obwohl es noch heiß war, wurden die Schatten auf dem Asphalt bereits länger. Hier war kein Mensch zu sehen, und die Straßen waren Einbahnstraßen, so dass die wenigen Autos schnell vorbeifuhren. Inzwischen war auch der Hund verschwunden, und ich war allein. Während ich versuchte, dahinterzukommen, wo ich falsch abgebogen war, und mich nach jemandem umsah, den ich nach dem Weg fragen konnte, fuhr ein großes graues Auto langsam neben mir her. Der Fahrer starrte mich an und bewegte die Lippen. Ich ignorierte ihn, und er fuhr weiter. An der Straßenecke stand eine blonde Frau, die eine Zigarette rauchte. Sie trug lächerlich kurze, glänzende Shorts und hochhackige Stiefel. Als ich auf sie zuging, um sie nach dem Weg zu fragen, hielt das Auto neben ihr an, und der Fahrer ließ das Fenster herunter. Sie wechselten ein paar Worte, und dann stieg sie zu ihm ins Auto. Hm. Ich hatte wirklich keine Lust, noch länger in dieser Gegend zu bleiben. Also machte ich auf dem Absatz kehrt und ging mit schnellen Schritten den Weg zurück, den ich gekommen war, als mir plötzlich eine junge Frau auf spitzen Stöckelschuhen schwankend auf dem Bürgersteig entgegenkam. Irgendwie kam sie mir bekannt vor. Ich starrte sie an. Es war Lena. Im selben Moment hatte auch sie mich erkannt.

»Hallo, Lena«, sagte ich auf Ukrainisch und streckte ihr die Hand hin. »Was machst du denn hier?«

»Was denkst du wohl?«, sagte sie.

»Ich habe von dem Unfall gehört. Mit dem Minibus. Ich habe mir solche Sorgen gemacht. War jemand von unserer Farm dabei?«

»Keine Ahnung, wovon du redest«, sagte sie.

Aus der Nähe sah sie noch jünger aus. Ihre Haare waren jetzt ein bisschen länger, und sie hatte weißen Puder aufgelegt, der maskenhaft wirkte, und trug einen sehr roten Lippenstift, der ihren Schmollmund noch betonte. Er war an den Rändern verschmiert, als hätte sie herumgeknutscht. Die schwarzen Strumpfhosen und die hochhackigen Schuhe wirkten an ihren dünnen Beinen grotesk. Sie sah aus wie ein Kind, das sich mit den Sachen seiner Mutter verkleidet hatte und mit ihrer Schminke spielte. Bis auf die Augen. Da war nichts Kindliches in ihren Augen.

»Wie geht es den anderen? Tasja? Oksana?«

»Keine Ahnung.«

Sie war vor mir stehen geblieben, und jetzt starrte sie geradeaus, an mir vorbei. Ich drehte mich um und folgte ihrem Blick. Vor dem Eingangsbereich eines Bürogebäudes parkten mehrere Autos. Ganz hinten, halb verborgen hinter einem weißen Transporter, stand ein dicker schwarzer Geländewagen. Ich musste direkt daran vorbeigegangen sein.

Mir wurde übel. Mein Herz begann zu rasen. Bumm. Bumm. Lauf, lauf, rief mein hämmerndes Herz, doch meine Füße waren wie angewurzelt. Ich sah Lena an. Ihre Augen waren vollkommen tot.

Oben am Platz, nicht weit von dem Café, findet er eine Telefonzelle. Er fischt in seiner Hosentasche nach Wechselgeld, steckt ein paar Münzen in den Schlitz und wählt die Nummer, die auf seinem Zettel steht. Es klickt ein paarmal, dann ist ein durchgehender Ton zu hören. Was hat das zu bedeuten? Er wählt noch mal. Der gleiche nichtssagende Ton. Er wartet lange, aber nichts passiert. Gar nichts. Halb hatte er damit gerechnet. Er seufzt. Das war's dann. Ende seiner Reise. Vagvaga Riskegipd. Nichts. Na ja.

An einem kleinen runden Tisch vor dem Café sitzt eine Dame mittleren Alters. Er geht zu ihr und zeigt ihr den Zettel.

»Oh«, sagt sie, »das ist eine alte Nummer. Heute ist die Vorwahl 0114 statt 0742. Aber Sie brauchen gar keine Vorwahl, denn Sie sind ja in Sheffield. Wählen Sie einfach eine 2 vor der eigentlichen Nummer.«

Er zieht einen Bleistiftstummel aus der Hosentasche, und sie schreibt es ihm auf.

Dann versucht er es mit der neuen Nummer. Diesmal hört er einen Klingelton. Nach mehrmaligem Läuten ist eine Frau am Apparat.

»Halloo?« Sie spricht im gleichen breiten Dialekt wie Rock.

»Vagvaga?« Er kann vor Aufregung kaum seine Stimme beherrschen. »Vagvaga Riskegipd? Vagvaga?«

Einen Moment herrscht Stille. Dann sagt die Stimme am anderen Ende: »Zieh Leine.« Ein Klicken ist zu hören, und der Amtston. Andrij spürt einen Stich im Herzen. So nah, und doch so fern. War das ihre Stimme am anderen Ende der Leitung? Er weiß nicht mehr, ob sie damals überhaupt etwas zu ihm gesagt hat. Wie alt wäre sie heute? Die Stimme am Telefon klang brüchig und atemlos, wie die einer älteren Frau. Er beschließt, ein paar Minuten zu warten und es dann noch einmal zu versuchen.

Als er aus der Telefonzelle kommt, sitzt die Dame immer noch an ihrem Tisch und trinkt Kaffee. Inzwischen ist eine Freundin bei ihr, und zu ihren Füßen stehen mehrere Einkaufstüten. Kurz entschlossen geht er mit seinem Zettel noch mal zu ihr.

»Kein Glück?« Sie lächelt ihn an.

»Was ist Name?«, fragt er sie.

Jetzt sieht sie ihn seltsam an. »Barbara Pickering. Was haben Sie denn gedacht?«

Er betrachtet den Zettel. Aha. Mit fünfundzwanzig sieht er, was seine siebenjährigen Augen nicht erkennen konnten: lateinische Buchstaben.

»Was heißt zieh Leine?«

Wieder sieht sie ihn irritiert an. »Das reicht jetzt. Zieh Leine, ja?« Dann dreht sie ihm den Rücken zu und setzt die Unterhaltung mit ihrer Freundin fort.

Er hat sie auch um Wechselgeld bitten wollen, aber das geht jetzt wohl nicht mehr. Also kehrt er zur Telefonzelle zurück und steckt eine Pfundmünze in den Schlitz.

»Halloo?«, meldet sich die gleiche Frau.

»Barbara?« Barr – baah – rrah. Barbarisch. Wild. Ungezähmt. Wahnsinnig sexy, dieser Name.

»Sie ist nicht da.« Die Stimme zögert. »Waren Sie das eben?«

»Ich bin Andrij Palenko. Ich komme aus der Ukraine. Donezk. Partnerstadt von Sheffield.«

»Ach«, sagt die Frau. »Und ich dachte, Sie wären so ein Verrückter. Barbara wohnt schon seit Jahren nicht mehr hier. Sie lebt jetzt oben in Gleadless. Ich bin ihre Mutter.«

»Ich habe sie kennengelernt vor vielen Jahren. Ich war mit meinem Vater in Sheffield, Bergbau-Delegation.«

»War das die große Sause damals in der Stadthalle, mit den ganzen Ukrainern? Ich war auch da. Liebe Güte, das war eine Nacht!« Ein gackerndes Lachen schrillt durch die Leitung. »All der vom Stadtrat gestiftete Wodka.«

»Ist sie immer noch lebt in Sheffield?«, fragt Andrij. Dann platzt er mit der Frage heraus, die er sich stellt, seit er den Fuß auf englischen Boden gesetzt hat – seit er wusste, dass es diese Frage gibt. »Ist sie heiraten?«

»Oh, ja. Hat zwei liebe Buben, Jason und Jimmy. Sechs und vier. Soll ich Ihnen ihre Telefonnummer geben?«

»Ja. Ja, natürlich.«

Er holt seinen Bleistiftstummel heraus. Sie diktiert die Nummer langsam, wartet einen Moment nach jeder Ziffer. Andrij hört zu, doch er schreibt nicht mit.

Ich drehte mich um und wollte losrennen, doch Lena verstellte mir den Weg. Sie hatte ein hässliches, verschmiertes Lächeln im Gesicht.

»Sei vorsichtig«, sagte sie. »Er hat eine Pistole.«

Wie konnte das bloß passieren, mitten am Tag, mitten auf einer ganz normalen Straße, mitten in England? Vor meinen Augen ging die Tür des Geländewagens auf, und dort stand

Vulk und grinste mich mit seinen gelben Zähnen an, die Arme zur Begrüßung ausgebreitet. Von einer Pistole war nichts zu sehen. Falls er wirklich eine hatte, steckte sie in seiner Tasche. Sollte ich es drauf ankommen lassen und losrennen? Gegen die strahlende, schräg einfallende Sonne sah seine schwarze Silhouette aus wie eine Erscheinung – ein grinsender, fetter Alptraum. Ich war vor Panik wie versteinert. Jetzt kam er auf mich zu, die Straße herauf, ganz langsam. Sein Schatten glitt vor ihm über die Straße, scharf konturiert und plump. Hinter mir hörte ich, wie Lena etwas vor sich hin murmelte. Würde sie mich festhalten, wenn ich losrannte?

Er kam näher. »Mein kleinerr Blume.« Er hatte die Jacke ausgezogen, und ich sah die dunklen Schweißflecke unter seinen Armen. Ich dachte, ich hörte ihn keuchen, dann merkte ich, dass er flüsterte: »Komm, komm, komm.«

Ich wich zurück, stieß gegen Lena, und in diesem Moment holte er die Pistole heraus. Ich erstarrte. Die Waffe war grau und ziemlich klein. Sie wirkte ganz harmlos. Er zielte nicht einmal. Er hielt sie einfach in der Hand und spielte damit, ließ sie am Finger baumeln, ohne mich aus den Augen zu lassen.

Dann entdeckte ich etwas am Ende der Straße, hinter Vulk – Menschen, Bewegung. Plötzlich war Hund da, sprang auf uns zu, alle vier Pfoten auf einmal in der Luft, und ein paar Meter dahinter, mit rotem Gesicht und außer Atem, kam Andrij.

Hund bellt wie verrückt. Andrij schreit ihn an, er soll ruhig sein, aber Hund springt an ihm hoch, kratzt mit seinen Pfoten, jault und wirft wie wild den Kopf herum. Andrij nimmt die Taschen und folgt ihm auf die Straße.

Es ist halb fünf. Die Bürgersteige sind voller Leute, die

rasch noch einkaufen gehen, bevor die Läden schließen. Hund rennt durch die Menge voraus, schlüpft den Leuten zwischen den Beinen durch, wartet, bis Andrij aufgeholt hat. Die ganze Zeit bellt er laut, drängend. Andrijs Herz klopft schnell, denn allmählich wird ihm klar, dass Hund ihn unbedingt irgendwohin bringen will, und Irina ist schon über eine Stunde fort. Hund rennt über eine dicht befahrene Straße und läuft in eine Gasse zwischen hohen Backsteinmauern. Plötzlich sind die Leute verschwunden, sie bewegen sich durch ein ruhiges Büroviertel in südwestliche Richtung.

Als sie wieder rechts abbiegen, befinden sie sich am Ende einer langen Straße mit gesichtslosen Büroblocks und Geschäftsgebäuden. Die eine Straßenseite – ihre – ist in hellen Sonnenschein getaucht; die andere liegt bereits im Schatten. Etwa hundert Meter weiter sieht er drei Gestalten. Während er hinläuft, nimmt die Szene in Andrijs Kopf Gestalt an. Ihm am nächsten steht Vulk, mit dem Rücken zu Andrij. Er geht langsam, o-beinig watschelnd die Straße hinauf, wie es Leute tun, die vorn zu viel Gewicht hängen haben. Seine massige Gestalt nimmt den ganzen Bürgersteig ein. Er hat die Jacke ausgezogen und trägt ein dunkelblaues Hemd, das in seinem Hosenbund steckt. Der Pferdeschwanz hängt strähnig zwischen seinen Schultern hinunter. In der rechten Hand hat er eine Pistole, die er locker um den Zeigefinger schlenkert. Ein paar Meter weiter steht Irina, regungslos, den Mund weit aufgerissen. Dahinter, ebenfalls mit dem Gesicht zu ihm, steht Lena, in schwarzen Strumpfhosen und lächerlichen Stöckelschuhen. Ihr Mund ist ein knallroter Schlitz. Ihr Gesicht ist ausdruckslos, vollkommen leer.

»Stopp!«, schreit Andrij. »Stopp!« Er wühlt in seinem Rucksack nach dem Revolver. Wo ist das Ding?

Vulk dreht sich um. Hund und Andrij rennen auf ihn zu. Sie sind noch fünf Meter entfernt.

»Zu spät, Junge«, sagt er höhnisch. »Ich hab Mädchen. Hau ab.« Er hebt die Pistole.

Andrij bleibt stehen. In diesem Moment des Zögerns knurrt Hund, dann fletscht er die Zähne und springt. Er hat beim Laufen so viel Schwung aufgenommen, dass er, als er all seine Kraft in diesen letzten Sprung legt, zu fliegen scheint – eine schwere, muskulöse Masse, die wie eine Rakete auf Vulk zuschießt, direkt vor die Pistole. Vulk drückt ab. Hund jault – ein langes, klagendes Jaulen. Mitten in der Luft geht ein Zittern durch seinen Körper, dann spritzt Blut aus seiner Brust, er fällt, doch er hat immer noch so viel Schwung, dass er Vulk mitreißt. Vulk stürzt nach hinten und schlägt mit dem Kopf hart auf das Pflaster. Auf ihm landet der riesige, blutende Hund, winselnd, sterbend. Die Pistole ist Vulk aus der Hand gefallen und schlittert über das Kopfsteinpflaster.

Irina hat sich in eine Gasse zwischen zwei Bürohäusern geflüchtet. Andrij will sich auf die Pistole stürzen, doch Lena macht einen Schritt nach vorn und stellt ihren Fuß darauf. Sie bückt sich, nimmt die Waffe und zielt auf Andrij.

»Hau ab.«

Er protestiert nicht. Er läuft los. Als er in die kleine, dunkle Gasse einbiegt, hört er hinter sich einen Schuss.

Ich werde Hund immer so in Erinnerung behalten, wie ich ihn zum letzten Mal sah – als er durch die Luft flog, dunkel und ernst wie ein schwarzer Racheengel, mit gebleckten Zähnen, die wie Dolche blitzten. Ich sah seine Augen, bevor er starb. Sie waren tief, samtig braun und unergründlich. Mir war nie aufgefallen, wie schön seine Augen waren. Selbst die Augen eines Racheengels können voller Mitleid sein. Von diesem Moment an hatte ich seine schrecklichen Pinkel- und Schnüffel- und Fressgewohnheiten vergessen, und ich erinnerte mich nur noch daran, wie er aussah, als er zu meiner Rettung eilte. Oft frage ich mich, was er in diesem Moment gedacht hat. Wusste er, dass er sterben würde?

Andrij war so erschüttert, dass er noch einmal zurückwollte, um den Hund zu holen, aber ich weigerte mich. Ich sagte, der Hund sei tot, und wir könnten nichts tun, um ihn wieder lebendig zu machen. Ich wollte einfach nur so schnell wie möglich weg von diesem Ort.

Ein paar Minuten später hörten wir das Heulen von Sirenen und sahen, wie am Ende der Straße Blaulichter vorbeirasten. Wir fanden ein Tor hinter ein paar Müllcontainern, das zu einem Parkplatz auf der Parallelstraße führte, und dort schlugen wir die entgegengesetzte Richtung ein. Wir versuchten auszusehen wie ein ganz normales junges Pärchen, das spazieren geht, und bemühten uns, nicht zu rennen. Andrij legte den Arm um meine Schultern und ich schmiegte mich an ihn. Wir zitterten beide noch. Erst jetzt dachte ich daran, welche Angst auch Andrij ausgestanden haben musste. Irgendwie war es komisch, weil man doch eigentlich immer glaubt, dass Männer furchtlos sind – aber warum sollten sie das sein?

Über eine Stunde wanderten wir durch die Straßen. Sheffield – es war ganz anders, als Andrij es beschrieben hatte, keine Paläste und Bougainvilleen und all das Zeug. Aber dafür auch keine Arbeitersanatorien und Gemeinschaftsschlammbäder. Eigentlich war alles ganz normal. An den Geschäften waren inzwischen die Rollläden unten und die Menschen gingen nach Hause. Die Straßen waren verstopft. Und vielleicht lag in einer Seitenstraße eine Leiche. Das hätte ich sein können.

»Wohin gehen wir?«, fragte ich Andrij.

»Ich weiß nicht. Wo möchtest du hin?«

»Ich weiß nicht.«

Ich fragte mich die ganze Zeit, was der letzte Pistolenschuss zu bedeuten hatte. Er ging mir nicht aus dem Kopf.

Wir hatten uns von den großen Straßen ferngehalten und stattdessen die kleinen Gassen genommen, wo kaum noch Leute unterwegs waren. Es war immer noch heiß – die Hitze kroch aus den Backsteinwänden und die stehende Luft war staubig und schwer. Wir gingen immer weiter, ich weiß nicht wie lange, bis das Zittern aufhörte und uns die Füße wehtaten und wir hungrig wurden. Schließlich fanden wir den Platz mit dem Café wieder. Rock war natürlich längst weg. Wir kamen über zwei Stunden zu spät.

Die Feierabendeinkäufer waren fort, und der Platz hatte sich mit jungen Leuten gefüllt, die aßen, tranken, rauchten und redeten. Das Klappern von Besteck und schrilles Gelächter hallten so laut über den Platz, dass es mir in den Ohren klingelte und mir schwindlig wurde. Erst jetzt merkte ich, wie hungrig ich war. Wir kauften uns etwas zu essen, ich weiß nicht mehr was, nur dass es das Billigste auf der Karte war. Wir sahen so abgerissen aus und fehl am Platz, ich immer noch in den erdbeerfleckigen Jeans und Andrij in seinen ukrainischen Hosen. Das Mädchen, das uns bediente, war Weißrussin.

»Sucht ihr einen Job?«, fragte sie. »Hier brauchen sie immer jemand. In dieser Ecke kommen alle aus Osteuropa.«

»Ich weiß nicht«, sagte ich.

»Nein«, sagte Andrij.

»Wir sind uns noch nicht sicher«, sagte ich.

Dann brachte sie jedem von uns eine Portion Eis und sagte, es gehe aufs Haus.

»Gibt es hier irgendwo ein Telefon?«, fragte ich Andrij. »Ich will meine Mutter anrufen.«

Kaum hatte sie »Hallo? Irinotschka?« gesagt, kamen mir die Tränen, doch ich tat, als müsste ich niesen, denn ich wollte nicht, dass sie fragte, warum ich weinte. Es hätte sie bloß unnötig aufgeregt. Ich wollte nur ihre Stimme hören, wie damals, wenn ich als Kind einen Alptraum hatte und sie sagte, alles sei gut. Manchmal braucht man nur eine tröstende Geschichte. Jetzt sagte ich ihr schniefend, dass alles in Ordnung sei, dass ich eine Erkältung hätte und der Hund einen Unfall hatte, und sie wollte wissen, warum ich mich nicht warm genug anzog, und welcher Hund, und was für ein Unfall, und warum ich von der netten Familie weggegangen sei, und so musste ich noch ein paar Lügen erfinden, damit sie sich keine Sorgen machte. Warum fragte sie auch so viel?

»Irinotschka, ich möchte dich etwas fragen.«

Ich dachte, jetzt würde sie wissen wollen, mit wem ich reiste oder wann ich heimkam, und bereitete mich schon darauf vor, noch mehr Geschichten zu erfinden, aber stattdessen fragte sie: »Wärst du sehr böse, wenn ich einen neuen Freund hätte?«

»Nein, natürlich nicht, Mama. Du sollst das tun, was dich glücklich macht.«

Mama! Mein Herz zappelte in meiner Brust wie ein dicker nasser Fisch.

Natürlich war ich böse. Ich war böse und stinksauer. Wenn man seinen Eltern nur einmal den Rücken zudreht, tanzen sie auf dem Tisch!

»Das ist ja wunderbar, Mama. Wer ist es denn?«

»Erinnerst du dich, wie ich dir von dem netten älteren Ehepaar erzählt habe, das unten eingezogen ist? Und sie haben einen Sohn ...«

»Aber ich dachte ...«

»Ja, wir haben uns verliebt.«

Erst mein Vater, und jetzt meine Mutter!

Als ich auflegte, zitterten meine Hände. Der Fisch in meiner Brust zappelte wie verrückt. Wie konnten meine Eltern mir so was antun, ihrer kleinen Irinotschka? Draußen über dem Platz dämmerte es, aber es war noch warm. Andrij stand da und wartete auf mich, die Ellbogen auf die Balustrade des Brunnens gestützt, und seine Silhouette war schlank und muskulös, trotz der hässlichen Hose, und eine Locke hing in seine Stirn wie ein braunes Fragezeichen. Er lächelte. Ihn einfach nur anzusehen, brachte meinen Körper zum Singen.

Würden Andrij und ich einander für immer lieben? Liebe, schien es, war eine ungreifbare, unvorhersehbare Sache – kein Fels, auf dem man sein Leben erbauen konnte. Ich hatte gewollt, dass alles vollkommen war, wie bei Natascha und Pierre, aber vielleicht war das nur eine Geschichte. Wie kann die Liebe vollkommen sein, wenn die Menschen es nicht sind? Mein Vater und meine Mutter zum Beispiel – ihre Liebe hat nicht für immer gehalten, aber eine Zeitlang war es gut, gut genug für Irinotschka, das kleine Mädchen, das ich früher war. Natürlich will man, dass die Eltern vollkommen sind, wenn man klein ist – aber warum sollten sie das sein?

»Wie geht's deiner Mutter?«, fragte Andrij.

»Es geht ihr ganz gut.« Ich lächelte. Nein, vollkommen war er nicht: Er redete in diesem komischen Donbass-Dialekt, und er war launisch, und er dachte, er wüsste alles, dabei hing er diesen veralteten Ideen an. Aber dafür hatte er ein gutes Herz, er machte sich Gedanken, war höflich und tapfer, und das war gut genug für mich. »Weißt du, Andrij, mir ist eben etwas klar geworden. Meine Eltern brauchen mich nicht mehr.«

Wir lehnten Seite an Seite an der Balustrade und sahen den Fontänen zu, und ich begann über die Geschichte nachzudenken, die ich schreiben würde, wenn ich wieder in Kiew war. Es sollte eine Liebesgeschichte werden, ein großer Roman, nichts Albernes, Belangloses. Das Ganze würde vor dem Hintergrund der Orangen Revolution spielen. Die Heldin wäre eine schneidige Freiheitsaktivistin, und der Held käme von der anderen Seite, aus dem sowjetischen Osten. Aber die Liebe zur schönen Heldin würde ihm die Augen öffnen, und er würde endlich die wahre Bestimmung seines Landes erkennen. Er wäre sehr leidenschaftlich und schön, mit braungebrannten muskulösen Armen; ja, er wäre Andrij ziemlich ähnlich. Aber er wäre ganz bestimmt kein Bergarbeiter. Vielleicht hätte er einen Hund.

Im Café ließ jemand einen Sektkorken knallen, und Lärm und Gelächter erfüllten die Stille des Platzes.

»Andrij«, sagte ich. Er sah mich an. Seine Augen waren traurig. Ein Schatten lag über seinem Gesicht. »Denkst du an Hund?«

Er nickte.

»Sei nicht traurig. Jetzt hast du mich.«

Ich streckte den Arm aus und spielte mit seiner braunen Locke, dann zog ich seinen Kopf zu mir herunter und küsste ihn. Ja, der Roman würde auf jeden Fall ein Happy End haben.

So viele Abenteuer hast du bestanden, bevor du deinen Bestimmungsort erreicht hast. Ein paarmal bist du dem Tod von der Schippe gesprungen, aber dafür hast du das Herz eines wunderschönen hochklassigen ukrainischen Mädchens gewonnen. Warum muckt dein Herz dann wie ein alter Zaz, Andrij Palenko? Was ist los mit dir?

Er hört die jungen Leute, die im Café ein paar Tische weiter sitzen – sie leben in einer anderen Welt. Vielleicht könnten Irina und er in Sheffield bleiben, sich einen Job suchen, und er könnte vielleicht sogar aufs College gehen und Ingenieur werden. Er würde sich ein Mobilfon zulegen, nicht um Geschäfte abzuwickeln, sondern um mit Freunden zu telefonieren, und am Wochenende würden sie in Bars wie diese gehen, etwas trinken und sich amüsieren. Doch er kann nie einer von ihnen sein. Zu viele Dinge sind passiert, die er nicht vergessen kann.

Sie denkt, er trauert um den Hund, und sie streicht ihm übers Haar und flüstert ihm Zärtlichkeiten ins Ohr. Ja, du wirst Hund vermissen, denn es wird nie wieder einen so wunderbaren Hund geben wie ihn. Aber es ist nicht nur wegen Hund. Es ist diese besondere Wehmut, die sich am Ende einer Reise einstellt. Denn erst wenn man seinen Bestimmungsort erreicht, merkt man, dass der Weg hier gar nicht zu Ende ist.

»Komm, Andrij! Sei nicht traurig!«

Sie winkt ihn hinter sich her, dann springt sie die Stufen hinunter, wo das Wasser in Kaskaden durch steinerne Kanäle gurgelt, und Dutzende von Fontänen wie Geysire aus dem Boden spritzen. Außer einem Pärchen auf einer Bank, das sich küsst, ist keiner hier. Sie nimmt seine Hand und zieht sie hinter ihren Rücken, drückt sich an ihn.

»Auch wenn er wirklich ein toller Kerl war, er war trotzdem nur ein Hund, Andrij.«

Er hält sie fest. Warm und geschmeidig liegt sie in seinen Armen.

»Rock und die Krieger haben ihr Leben der Rettung von ein paar Findlingen gewidmet, Irina. Natürlich kannst du sagen, es sind nur Steine, aber es geht darum, wofür sie stehen. Wie dieser Jimmy sagen würde, die Opfer der Globalisierung.«

»Ist Hund ein Opfer der Globalisierung?«

»Sei nicht albern. Du weißt genau, was ich meine.« Manchmal nervt es, dass sie nie ernst sein kann. »Mein Vater ist gestorben …«

»Aber du lebst, Andrij. Daran solltest du denken.«

»Das tue ich auch. Und dann frage ich mich, warum ich überlebt habe und er sterben musste.«

»Du bist nicht schuld an seinem Tod, Andrij. Glaubst du, er würde wollen, dass du immer traurig bist, dass du immer über der Vergangenheit brütest? Die Zukunft wird anders.«

Er schüttelt den Kopf.

»Andrij …«

»Was?«

»Deine Unterhose sieht schon aus wie die der Krieger.« Sie kichert.

»Und wenn schon. Du hältst dich immer mit oberflächlichen Dingen auf.«

»Nein, tu ich nicht.« Sie streckt die Hand in die Fontäne und spritzt Wasser auf sein Hemd.

»Tust du doch.« Er spritzt zurück, ihre Haare werden nass.

»Und du redest wie ein Bergmann aus dem Donbass.« Sie klatscht ihm eine Handvoll Wasser ins Gesicht. »Heiliger Bimbam! Himmel, Arsch und Zwirn!«

»Und wenn schon. Muss ich mich deswegen schämen?« Er reibt sich das Wasser aus den Augen. »Jetzt klingst du wie ein bürgerliches Schulmädchen.«

»Und wenn schon.« Sie versetzt ihm einen Stoß, dass er rückwärts in die Fontäne stolpert. Ihre Augen leuchten. Wasser läuft ihr über das Gesicht. Er muss grinsen.

»In diesem Fall«, prustet er und muss erst mal das Wasser aus der Nase schnauben, »muss ich dich wohl umerziehen.« Er packt sie am Handgelenk und zieht sie an sich.

»Niemals!« Wieder gibt sie ihm einen Stoß, aber sie gleitet auf den glatten Steinen aus und rutscht selbst in den Brunnen. Als sie nach seinem Arm greift, um sich festzuhalten, fällt er mit ins Wasser.

»Ich fange gleich an.« Er hält sie fest und bedeckt sie mit Küssen. »Du Schulmädchen.«

»Bergmann!« Sie strampelt sich frei und setzt sich auf ihn. »Du und deine Sowjet-Propaganda.«

»Orangenrevoluzzerin.«

»Du glaubst wohl, du weißt alles. Tust du aber nicht.« Sie schüttelt ihr nasses Haar. Ihre Kleider sind nass und kleben an ihrem Körper. Wenn er keinen kühlen Kopf bewahrt, schafft dieses Mädchen es noch, ihn zu ertränken.

»Zeig mir was, das ich noch nicht weiß.«

»Hier!« Dann drückt sie ihn auf die Steine hinunter, presst die Lippen auf seine und schiebt ihm die Zunge in den Mund. Er schnappt nach Luft. Sie ist überraschend stark, und schlüpfrig wie eine Meerjungfrau. Überall ist Wasser, in seinen Augen, in der Nase, und es schießt in hohen Fontänen aus dem Boden.

Und während sie im schäumenden Wasser ringen, taucht aus dem Nichts der Schatten eines schwarzen Hundes auf, eines nicht mehr jungen, schönen Hundes, der durch die Wasserfontänen rennt, bellt und mitspielen will. Und oben am tiefschwarzen Himmel tanzen die ersten Sterne am Firmament.

Aber das Wasser ist so kalt!

Lieber Andree,
ich schreibe dir, um dich über die Neuheiten aufzuklären, denn heute hat mich durch die Gnade Gottes ein Telefonanruf meiner Schwester erreicht, die mit deiner Hilfe meinen Enthaltungsort aufgedeckt hat. Und ich hoffe inbrünstig, dass du, mein lieber Freund, eines Tages zurückkehrst nach Richmond, nicht weit von der Schönheit Croydons, wo ich dich mit pochendem Herzen erwarte. Und auch die herrlich schöne Irina, denn ich hoffe, inzwischen seid ihr beide vereint im Heiligen Bund der Ehe.

Meine Schwester war voller Fragen über mein Leben im

Heim von Toby Makenzi und seinen rührvollen Eltern, und sie war überfroh zu hören, dass alles glücksam ausgegangen ist, und wir sind mit den täglichen Beweisen Seiner Güte gesegnet. Ich habe meine sündhafte Neugierde auf die Fleischerlust aufgegeben und mich den Flüssen zugewandt, denn ich bin ein Menschenfischer geworden.

Jeden Tag zur Abendzeit steigen der Pa und ich gemeinsam zum Fluss hinunter mit der Rute und dem roten Eimer der Mosambiker, und wir verbringen zwei Stunden oder mehr in Betrachtung des langsamen Stroms der Zeit. Und manchmal am Abend, wenn der Fluss dunkel wird in seinem Mysterium, ist die Kraft der Liebe so groß, dass sich mein Herz öffnet und singt. Denn der Sonnuntergang über diesen Wassern ist herrlich schön anzusehen, gemalt in hellem Blau mit köstlichem rosa Gewölk (wenn auch nicht so schön wie die Sonnuntergänge in Zomba) und ich bin voller Ehrfurcht vor Seiner Kunst. Und durch die Mysterien unserer langen Konversionen am Flussufer hat der Pa begonnen, auf den Pfaden des Herrn zu wandeln, und er hat das Whisky-Trinken und die Gotteslästerungen aufgegeben.

Und manchmal widerfährt uns, dass wir einen Fisch an der Rute haben. Und so hat die herrliche Ma, die uns davon viele Abendmahle zubereitet hat, begonnen, ihre gottlosen vegetarischen Wege des Joghurts zu verlassen, und wandelt ebenfalls in unserem frohen Königreich. Manchmal steigt sie am Abend zu uns herab an den dunkel werdenden Fluss, um sich unserer Betrachtung anzuschließen. Und sogar der gute Mzungu Toby Makenzi, um dessen Freundschaft ich in dieses Land kam, ist ein Jünger des Flusses geworden. Ich aber bete fieberhaft, dass die Rauschmittel bald von seinem Herzen abfallen und auch er sich mitreißen lässt von dem Strom der Liebe.